Sexo e destino

Francisco Cândido Xavier
Waldo Vieira

Sexo e destino

Pelo Espírito
André Luiz

Copyright © 1963 *by*
FEDERAÇÃO ESPÍRITA BRASILEIRA – FEB

34ª edição – 13ª impressão – 2,3 mil exemplares – 6/2025

ISBN 978-85-7328-782-0

Todos os direitos reservados. Nenhuma parte desta publicação pode ser reproduzida, armazenada ou transmitida, total ou parcialmente, por quaisquer métodos ou processos, sem autorização do detentor do *copyright*.

FEDERAÇÃO ESPÍRITA BRASILEIRA – FEB
SGAN 603 – Conjunto F – Avenida L2 Norte
70830-106 – Brasília (DF) – Brasil
www.febeditora.com.br
editorial@febnet.org.br
+55 61 2101 6161

Pedidos de livros à FEB
Comercial
Tel.: (61) 2101 6161 – comercial@febnet.org.br

Adquirindo esta obra, você está colaborando com as ações de assistência e promoção social da FEB e com o Movimento Espírita na divulgação do Evangelho de Jesus à luz do Espiritismo.

Dados Internacionais de Catalogação na Publicação (CIP)
(Federação Espírita Brasileira – Biblioteca de Obras Raras)

L953s   Luiz, André (Espírito)

         Sexo e destino / pelo Espírito André Luiz; [psicografado por] Francisco Cândido Xavier e Waldo Vieira. – 34. ed. – 13. imp. – Brasília: FEB, 2025.

         376 p.; 21 cm – (Coleção A vida no mundo espiritual; 12)

         Inclui índice geral

         ISBN 978-85-7328-782-0

         1. Espiritismo. 2. Obras psicografadas. 3. Sexo. 4. Destino. I. Xavier, Francisco Cândido, 1910–2002. II. Vieira, Waldo, 1932–2015. III. Federação Espírita Brasileira. IV. Título. V. Coleção.

                                        CDD 133.93
                                        CDU 133.7
                                        CDE 00.06.02

Sumário

Prece no limiar 7
Sexo e destino 9
Primeira parte 11
   1 13
   2 19
   3 25
   4 33
   5 41
   6 51
   7 63
   8 81
   9 101
   10 115
   11 125
   12 133
   13 151
   14 163

Segunda parte 179
    1 181
    2 191
    3 199
    4 211
    5 221
    6 233
    7 243
    8 257
    9 271
    10 285
    11 295
    12 317
    13 333
    14 355
Índice geral 365

Prece no limiar

Pai de infinita bondade!

Este é um livro em que permitiste ao nosso André Luiz traçar, em lances palpitantes da existência, alguns conceitos da Espiritualidade superior a respeito de sexo e destino — fotografia verbal de nossas realidades amargas que entremeaste de esperanças eternas.

Entregando-o aos companheiros reencarnados no mundo, queremos recordar Jesus — o Enviado de tua ilimitada misericórdia — naquele dia de sol em Jerusalém...

Na praça repleta de acusadores, escribas e fariseus apresentaram-lhe sofredora mulher que diziam haver apanhado em transgressão, ao mesmo tempo que o inquiriam, experimentando-lhe a conduta:

— Mestre, esta mulher foi encontrada em adultério... A lei manda apedrejar. Tu, porém, que dizes?

O Mestre contemplou demoradamente os zeladores de Moisés, e, porque nada mais adiantaria explicar-lhes ao cérebro embotado de preconceitos, disse-lhes, alongando a palavra a todos os moralistas dos séculos porvindouros:

— Quem estiver sem pecado, atire a primeira pedra!...

Jerusalém, agora, é o mundo!

Na praça extensa das convenções humanas, empenha-se o materialismo na dissolução dos valores morais, com escárnio manifesto à dignidade humana, enquanto religiões veneráveis digladiam com a Natureza, tentando, em vão, bloquear a vida, qual se quisessem ilaquear a si próprias. Ao tremendo conflito dessas forças gigantescas que lutam pelo domínio moral da Terra, enviaste a Doutrina Espírita, em nome do Evangelho do Cristo, para asserenar os corações e comunicar-lhes que o amor é a essência do Universo; que as criaturas te nasceram do hálito divino para se amarem umas às outras; que o sexo é legado sublime e que o lar é refúgio santificante, esclarecendo, porém, que o amor e o sexo plasmam responsabilidades naturais na consciência de cada um e que ninguém lesa alguém nos tesouros afetivos, sem dolorosas reparações.

Este volume pretende afirmar, ainda, que, se não podes subtrair os culpados às consequências do erro em que se tornaram incursos, não permites que os vencidos sejam desamparados, desde que te aceitem a luz retificadora para o caminho. Mostra que, em tua bênção, os delinquentes de ontem, hoje redimidos, se transfiguram em teus mensageiros de redenção para aqueles mesmos que lhes caíram, outrora, nas ciladas sombrias.

Abençoa, pois, o presente relato estuante de verdade e esperança, e, ao confiá-lo aos nossos irmãos do mundo, deixa possamos lembrar-lhes que a existência física, seja na infância ou na mocidade, na madureza ou na velhice, é sempre dom inefável que nos cabe honorificar e que, mesmo detendo um corpo carnal rastejante ou disforme, mutilado ou enfermiço, devemos repetir diante da tua sabedoria incomensurável:

— Obrigado, meu Deus!

EMMANUEL
Uberaba (MG), 4 de julho de 1963.
(Página recebida pelo médium Francisco Cândido Xavier.)

Sexo e destino

Sexo e destino, amor e consciência, liberdade e compromisso, culpa e resgate, lar e reencarnação constituem os temas deste livro, nascido na forja da realidade cotidiana.

Entretanto, leitor amigo, após a oração do benfeitor, que se pronunciou no limiar, nada mais nos compete que não seja entregar-te a narrativa que a divina Providência nos permitiu alinhavar, não pelo exclusivo propósito de desnudar a verdade, mas sim no objetivo de aprender com a biblioteca da experiência.

Cremos seja desnecessário esclarecer que os nomes dos protagonistas desta história real foram substituídos por óbvias razões e que a presente biografia de grupo não pertence a outras criaturas senão a eles mesmos que no-la permitiram redigir, para a nossa edificação, depois de naturalmente consultados.

Solicitamos, ainda, permissão para dizer-te que não foi retirado um só til das verdades que a entretecem — verdades da verdade, que, fremindo de capítulo a capítulo, carreia consigo, em passagens numerosas, a luz de nossas esperanças e o amargo sabor de nossas lágrimas.

ANDRÉ LUIZ
Uberaba (MG), 4 de julho de 1963.
(Página recebida pelo médium Waldo Vieira.)

Sexo e destino

Sexo e destino, amor e consciência, liberdade e compromisso, culpa e resgate, lar e reencarnação constituem os temas deste livro, nascido na forja da realidade cotidiana.

Entretanto, leitor amigo, após a oração do benfeitor, que se pronunciou no limiar, nada mais nos compete que não seja entregar-te a narrativa que a divina Providência nos permitiu alinhavar, não pelo exclusivo propósito de desnudar a verdade, mas sim no objetivo de aprender com a biblioteca da experiência.

Cremos seja desnecessário esclarecer que os nomes dos protagonistas desta história real foram substituídos por óbvias razões e que a presente biografia de grupo não pertence a outras criaturas senão a eles mesmos que no-la permitiram redigir, para a nossa edificação, depois de naturalmente consultados.

Solicitamos, ainda, permissão para dizer-te que não foi retirado um só til das verdades que a entretecem — verdades da verdade, que, fremindo de capítulo a capítulo, carreia consigo, em passagens numerosas, a luz de nossas esperanças e o amargo sabor de nossas lágrimas.

André Luiz
Uberaba (MG), 4 de julho de 1963.
(Página recebida pelo médium Waldo Vieira.)

Primeira parte

Médium: WALDO VIEIRA

1

Qual acontece entre os homens, no mundo espiritual que 1.1.1 os rodeia, sofrimento e expectação esmerilam a alma, disciplinando, aperfeiçoando, reconstruindo...

Enquanto envergamos a veste física, habitualmente imaginamos o paraíso das religiões encravado para lá da morte. Sonhamos o apaziguamento integral dos sentidos, o acesso à alegria inefável que anestesie toda lembrança convertida em chaga mental. No entanto, atravessada a fronteira de cinza, eis-nos erguidos à responsabilidade inevitável, ante o reencontro da própria consciência.

Uma vida humana, a continuar-se naturalmente no Além, assume, assim, a forma de partida, em dois tempos distintos. Diferem campos e vestimentas; entretanto, a luta da personalidade, de um renascimento a outro na Terra, afigura-se laborioso prélio em duas fases. Anverso e reverso da experiência. O berço inicia. O túmulo desdobra. Com raríssimas exceções na regra, somente a reencarnação consegue transfigurar-nos de modo fundamental.

Deixamos no esquife o casulo mirrado e transportamos conosco, na mesma ficha de identificação pessoal, para outras esferas, os ingredientes espirituais que cultivamos e atraímos.

Inteligências em evolução na eternidade do espaço e do tempo, os Espíritos domiciliados na moradia terrestre, abandonando o invólucro de matéria mais densa, assemelham-se, figuradamente, aos insetos. Larvas existem que se retiram do ovo e revelam-se na condição de parasitos, enquanto outras se transformam, de imediato, em falenas de prodigiosa beleza, ganhando altura.

1.1.2 Encontramos criaturas que se afastam do estojo carnal, entrando em largos processos obsessivos, nos quais se movimentam à custa de forças alheias, ao lado de outras que, de pronto, se elevam, aprimoradas e belas, a planos superiores da evolução. E entre as que se agarram profundamente às sensações da natureza física e as que conquistam a sublime ascensão para estágios edificantes, no grande Além, surge a gama infinita das posições em que se graduam.

Emergindo na Espiritualidade, após a desencarnação, sofremos, a princípio, o desencanto de todos os que esperavam pelo céu teológico, fácil de granjear.

A verdade aparece por alavanca renovadora.

Padecendo ainda espessa amnésia relativamente ao passado remoto, que descansa nos porões da memória, somos então defrontados por velhos preconceitos que se nos entrechocam no íntimo, tombando despedaçados. Suspiramos pela inércia que não existe. Exigimos resposta afirmativa aos absurdos da fé convencionalista e dogmática que reclama a integração com Deus para si só, excluindo, pretensiosamente, da paternidade divina, os que não lhe comunguem a visão acanhada.

De semelhantes conflitos, por vezes terríveis e extenuantes, nos recessos da mente, muitos de nós saímos abatidos ou revoltados para extensas incursões no vampirismo ou no desespero; a maior parte dos desencarnados, porém, pouco a pouco se acomoda às circunstâncias, aceitando a continuidade do trabalho na reeducação própria, com os resultados da existência aparentemente encerrada no mundo, à espera da reencarnação que possibilite renovação e recomeço...

Essas ponderações afogueavam-me o pensamento, reparando a tristeza e o cansaço do meu amigo Pedro Neves, devotado servidor do Ministério do Auxílio.[1] Partilhando expedições arrojadas e valorosas em atividade benemérita, ainda não lhe víramos hesitações quaisquer. Veterano de empreendimentos socorristas, jamais entremostrara desânimo ou fraqueza, por mais opressivo se lhe evidenciasse o peso de compromissos e obrigações.

Advogado que fora, na existência última, caracterizava-se por extrema lucidez, no exame dos problemas que as eventualidades do caminho apresentassem.

Sempre denodado e humilde; agora, porém, enunciava sensíveis alterações de comportamento.

Soubera-o com breves encargos, na esfera física, para atender, de modo mais direto, a necessidades de ordem familiar, cuja extensão e natureza não me houvera sido possível perceber.

Desde então, mostrava-se arredio e desencantado, copiando o feitio de companheiros recém-chegados da Terra. Isolava-se em funda reflexão. Fugia à conversação fraterna. Queixava-se disso ou daquilo. E vez por outra, em serviço, denotava lágrimas que não chegavam a cair.

Ninguém ousava sondar-lhe o sofrimento, tal a fibra moral em que se lhe exprimiam as atitudes.

Provocando, porém, algumas horas de desafogo, num banco de jardim, busquei habilmente lançá-lo à extroversão, alegando dificuldades que me preocupavam. Referi-me aos descendentes que deixara no mundo e às inquietações que me causavam.

Pressentia-lhe na tristeza a presença de lutas domésticas a lhe torturarem a alma, quais ulcerações em recidiva, e não me enganei.

O amigo absorveu a isca afetiva e desenovelou os sentimentos.

---

[1] Nota do autor espiritual: Organização de Nosso Lar.

1.1.4   A princípio, falou vagamente das apreensões que lhe assomavam ao espírito agoniado. Aspirava a esquecer, alhear-se; no entanto... a retaguarda familiar no mundo lhe infligia dolorosas reminiscências difíceis de extirpar.

— É a esposa quem o aflige assim tanto? — aventurei, procurando localizar o carnicão² da mágoa que lhe abria as comportas do pranto silencioso.

Pedro fitou-me com a postura dolorida de um cão batido e respondeu:

— Há momentos, André, nos quais será preciso biografar-nos, ainda que superficialmente, para vascolejar o pretérito e extrair dele a verdade, somente a verdade...

Meditou, algo sufocado por instantes, e prosseguiu:

— Não sou homem que me deixe governar por sentimentalismos, embora aprecie as emoções pelo justo valor. Além disso, a experiência, desde muito, me ensinou a raciocinar. Há quarenta anos, moro aqui e, há quase quarenta anos, a esposa compeliu-me a absoluto desinteresse do coração. Deixei-a quando a mocidade das energias físicas lhe estuava no sangue, e Enedina, compreensivelmente, não pôde sustentar-se à distância das exigências femininas.

E prosseguiu esclarecendo que ela se associara a outro homem, num segundo casamento, entregando-lhe seus três filhos por enteados. Esse novo marido, entretanto, arredou-a completamente de sua convivência espiritual. Homem ambicioso, senhoreou os cabedais que ele ajuntara, logrando multiplicá-los imensamente, à força de astúcia em arrojadas empresas comerciais. E agiu com tanta leviandade que a esposa, dantes simples, se apaixonou pelas comodidades demasiadas, gastando o tempo terrestre em prodigalidades e tafulices,³ até que se rojou às

---

² N.E.: Parte central dos furúnculos e tumores.
³ N.E.: Luxos ou esmeros exagerados.

Sexo e destino | 1ª Parte | Capítulo 1

derradeiras viciações nos desvarios do sexo. Observando o esposo em aventuras galantes, de modo permanente, na posição de cavalheiro rico e desocupado, quis desforrar-se, estabelecendo para si mesma desordenado culto ao prazer, mal sabendo que apenas se transviava, em lamentáveis desequilíbrios.

— E meus dois filhos, Jorge e Ernesto, ludibriados pelo fascínio do ouro com que o padrasto lhes comprava a subserviência, enlouqueceram no mesmo delírio do dinheiro fácil e se animalizaram a tal ponto que nem de leve guardam qualquer traço de minha memória, não obstante serem atualmente negociantes abastados, em idade madura... 1.1.5

— A esposa, no entanto, ainda se encontra no mundo físico? — arrisquei, cortando a pausa longa, para que a explicação não esmorecesse.

— Minha pobre Enedina voltou, há dez anos, abandonando o corpo pela imposição da icterícia, que lhe apareceu por verdugo invisível, evocado pelas bebidas alcoólicas. Fitando-a, edemaciada, vencida, ensaiei alarmado todos os processos de socorro à minha disposição... Atemorizava-me a perspectiva de vê-la escravizada às forças aviltantes a que se jungira sem perceber; ansiava retê-la no corpo de carne, como quem resguarda uma criança inconsciente em disfarçado refúgio. Entretanto, ai de mim! colhida por entidades infelizes, às quais se consorciou levianamente, em vão procurei estender-lhe algum consolo, porquanto ela mesma, depois de desencarnada, se compraz na viciação, tentando a fuga impossível de si própria. Não há outro recurso senão esperar, esperar...

— E os filhos?

— Jorge e Ernesto, hipnotizados pela riqueza material, para mim fizeram-se inabordáveis. Mentalmente, não me registram a lembrança. Intentando captar-lhes cooperação e simpatia, o padrasto chegou a insinuar que não seriam meus filhos, e sim dele próprio, por meio de união com minha esposa, ao tempo de minha experiência terrestre, o que Enedina, infelizmente, não desmentiu...

1.1.6 O companheiro esboçou um sorriso amarelo e considerou:

— Imagine! Na carne, o medo é comum, à frente dos desencarnados e, em meu caso, fui eu quem se afastou do ambiente doméstico, sob sensações de insopitável horror... Ainda assim, a bondade de Deus não me arrojou à solidão, tratando-se da ternura familiar. Tenho uma filha de quem jamais me separei pelos laços do espírito... Beatriz, que deixei na flor da meninice, suportou pacientemente as afrontas e conservou-se fiel ao meu nome. Somos, assim, duas almas na mesma faixa de entendimento...

Pedro enxugou os olhos e acrescentou:

— Agora, com quase meio século de existência entre os homens, presa embora ao carinho que consagra ao esposo e ao filho único, prepara-se Beatriz para o regresso... Minha filha vem atravessando os derradeiros dias terrenos, com o corpo torturado pelo câncer...

— Mas atormenta-se você por isso? A ideia do reencontro pacífico não será, antes, motivo para alegrar-se?

— E os problemas, meu amigo? Os problemas do grupo consanguíneo? Por muitos anos, estive à margem de todas as tricas do navio familiar... Fizera-me ao oceano largo da vida... Agora, por amor à filha inesquecível, sou compelido a topar, com espírito de caridade, a irreflexão e o descaramento. Estou inapto, desambientado... Desde que me postei à cabeceira da doente querida, vejo-me na condição do aluno debilitado pela expectativa de erros constantes...

Dispunham-se Neves a prosseguir, mas urgente chamado de serviço nos impeliu à separação e, conquanto diligenciando acalmá-lo, despedi-me, sob o compromisso de irmanar-me a ele, nas tarefas de assistência à enferma, de modo mais intenso, a partir do dia seguinte.

2

Repousava dona Beatriz no leito bem-posto, patenteando 1.2.1 enorme cansaço.

A doença, decerto, consumia-lhe a forma física, desde muito, porquanto aos 47 anos mostrava o rosto singularmente engelhado e o corpo leve.

Refletia, ensimesmada, tristonha... Fácil de se lhe ver a preocupação ante a crise iminente. Ideias a lhe fluírem, vivas e nobres, indicavam que se habituara à certeza da desencarnação próxima. Notava-se-lhe fixada no pensamento a convicção do viajante que atingira o término de espinhosa trilha, da qual, por fim, lhe competia sair.

Conquanto tranquila, inquietava-se pelos vínculos que a prendiam no mundo. Apesar disso, visualizava as portas do Além, plasmando formosos quadros íntimos, como quem sonha à luz da vigília, e recordava Neves, o pai que perdera na infância, qual se visse prestes a recuperá-lo, em definitivo, tal a extensão do amor que os acolchetava um ao outro.

Observávamos, porém, sem dificuldade, que a alma afetuosa da enferma se dividia mais fortemente, na Terra, entre o esposo e o filho, dos quais se reconhecia em gradativo processo de inevitável separação.

1.2.2 No aposento acolhedor, que alguns adereços ataviavam, tudo transparecia limpeza, reconforto, assistência, carinho...

Ante o leito, encontramos sisudo enfermeiro desencarnado que Neves abraçou, demonstrando guardá-lo à conta de imensa estima.

E apresentou-nos:

— Amaro, temos aqui André Luiz, amigo e médico que, doravante, nos partilhará os serviços.

Saudamo-nos cordialmente.

Neves inquiriu atencioso:

— O irmão Félix veio hoje?

— Sim, como sempre.

Informei-me, então, de que o irmão Félix, desde muitos anos, era o superintendente de importante casa socorrista, ligada ao Ministério da Regeneração, em Nosso Lar.[4] Famoso pela bondade e paciência, era conhecido como um apóstolo da abnegação e do bom senso.

Não dispúnhamos, entretanto, de qualquer tempo para considerações pessoais.

Dona Beatriz experimentava dores agudas e o companheiro mostrava o propósito de aliviá-la, por meio do passe confortativo, enquanto a senhora se via aparentemente a sós. Em grande prostração física, revelava profunda sensibilidade mediúnica.

Oh! os sublimes pensamentos do leito de dor!... De olhos cerrados, a doente, embora não assinalasse a presença paterna, lembrava a ternura do genitor, que lhe parecia distante e inacessível no tempo. Identificava-se, de novo, com a ingenuidade infantil... Na acústica da memória, ouvia as canções do lar, voltava,

---

[4] Nota do autor espiritual: Organizações no plano dos Espíritos.

encantada, às horas da meninice... Reconstituindo na imaginação as relíquias do berço, sentia-se no regaço paternal, à maneira da ave de regresso à penugem do ninho!

Dona Beatriz chorava. Lágrimas de enternecimento inexprimível perolavam-lhe a face. E sem que a boca enunciasse o menor movimento, clamava intimamente com toda a alma: "pai, meu pai!..." 1.2.3

Meditai, vós que, no mundo, admitis para os desencarnados a indiferença da cinza! Para lá dos túmulos, amor e saudade muitas vezes se transformam, no vaso do coração, em pranto comburente!

Neves cambaleou agoniado... Enlacei-o, contudo, a pedir-lhe coragem. A ventania da angústia, porém, sobre o ânimo do companheiro atribulado, perdurou apenas alguns momentos. Refeito, a recompor o semblante que o sofrimento transfigurara, espalmou a destra na fronte da filha e orou, suplicando o amparo da Bondade divina.

Chispas de luz, quais minúsculas flamas azulíneas, evolavam-lhe do tórax, a se projetarem naquele corpo fatigado, revestindo-o de energias calmantes.

Emocionado, observei que dona Beatriz se acomodava a suave torpor. E antes que pudesse enunciar qualquer impressão, uma jovem, figurando-se nas vinte primaveras da experiência física, entrou cautelosamente no quarto. Renteou conosco, sem perceber-nos, de leve, e tomou o pulso da enferma, verificando-lhe as condições.

A recém-chegada esboçou o gesto de quem reconhecia tudo em ordem. Encaminhou-se, logo após, na direção de pequenino armário próximo e, munindo-se dos recursos necessários, voltou à cabeceira da dona da casa, aplicando-lhe injeção anestesiante.

Dona Beatriz não mostrou a mínima reação, continuando a descansar, sem dormir.

O concurso magnético de minutos antes insensibilizara-lhe os centros nervosos.

1.2.4   Perfeitamente tranquila, a moça, na qual observávamos a posição da enfermeira improvisada, retirou-se para um dos ângulos do aposento, a largar-se em acolhedora poltrona de vime. Em seguida, descerrou um dos segmentos da janela quadripartida, atraindo a corrente de ar fresco que nos bafejou sem alarde.

Respirando à saciedade, a jovem, com grande surpresa para mim, acendeu um cigarro e passou a fumar distraidamente, dando a ideia de quem diligenciava fugir de si mesma.

Neves fitou-a, deitando-lhe significativo olhar em que se mesclavam piedade e revolta, e, indicando-a, discreto, informou-me:

— Trata-se de Marina, contadora de meu genro, que se dedica ao comércio de imóveis... Agora, a pedido dele, desempenha funções de assistente...

Evidente sarcasmo transparecia-lhe da palavra reticenciosa.

— Imagine — voltou a dizer —, fumar aqui, numa câmara de dor, onde a morte está sendo esperada!...

Contemplei Marina, cujos olhos denotavam recôndita inquietude.

Manifestando ainda alguns laivos de respeitosa estima para com a nobre senhora estirada no leito, soprava, para além da janela, as baforadas cinzentas que lhe escapavam da boca.

Repartindo a própria atenção entre ela e Amaro, o nosso amigo da esfera espiritual, Neves, conquanto mudo e constrangido, parecia querer falar à vontade e desinibir-se.

Tentei, porém, adquirir mais amplo conhecimento da posição.

Aproximei-me reverentemente da jovem, no propósito de sondá-la em silêncio e colher-lhe as vibrações mais íntimas; contudo, recuei assustado.

Estranhas formas-pensamento, retratando-lhe os hábitos e anseios, em contradição com os nossos propósitos de socorrer a doente, fizeram-me para logo sentir que Marina se achava ali a contragosto. A sua mente vagueava longe...

Quadros vivos de esfuziante agitação ressumavam-lhe na ca- 1.2.5
beça... De olhar parado, escutava, adentro de si própria, a música
brejeira da noite festiva que atravessara na véspera e experimentava
ainda na garganta a impressão do gim que sorvera abundante.

Apesar de surgir-nos, superficialmente, à guisa de menina
crescida, sob o turbilhão de névoa fumarenta, exibia telas mentais complexas, a lhe relampaguearem na aura imprecisa.

Trazido pelas circunstâncias a colaborar na solução de um
processo assistencial, sem qualquer intuito menos digno, passei a
estudar-lhe o comportamento isolado. A Medicina terrestre, no
futuro, para atender com eficácia o doente, examinar-lhe-á, com
minúcias, a feição espiritual de todas as peças humanas que lhe
articulam a equipe.

Respeitoso, iniciei os apontamentos de ampla anamnese
psicológica.

Marina apresentou, a princípio, a figura de um homem
amadurecido, cunhada por sua própria imaginação, a repetir-se-
-lhe, muitas vezes, acima da fronte.

Ela e ele, juntos... Percebia-se-lhes, de pronto, a intimidade, adivinhava-se-lhes o romance... Fisicamente, semelhavam pai
e filha; entretanto, pelas atitudes sentimentais, não conseguiam
disfarçar a estuante paixão um pelo outro. Nos painéis sutis que
surgiam e se desfaziam, alternadamente, mostravam-se ambos
extasiados, ébrios de prazer, fosse aboletados no automóvel de
luxo ou enlaçados na areia morna das praias, conchegados sob a
proteção de arvoredo tranquilo ou sorridentes em tumultuados
abrigos de encantamento noturno... Deslumbrantes paisagens de
Copacabana ao Leblon desfilavam por admirável fundo pictórico.

A moça entrefechava as pálpebras para senhorear, com mais
segurança, as reminiscências que lhe empolgavam os sentidos,
para, logo após, mentalizar, surpreendentemente, outro homem,
tão jovem quanto ela mesma, evidenciando-se-nos entregue às

cenas de um filme interior, diferente... Formava novo tipo de palco para exibir a lembrança das próprias aventuras, no qual se destacava igualmente ao pé do rapaz, como se estivesse afeiçoada aos mesmos sítios, desfrutando companhias diversas... Ela e ele também juntos, no mesmo carro entrevisto ou na condição de pedestres felizes, saboreando refrescos ou repousando em animados entendimentos nos jardins públicos, sugerindo o encontro de crianças enamoradas, a entretecerem aspirações e sonhos...

1.2.6   Naqueles rápidos minutos de fixação espiritual, em que se exteriorizava tal qual era, Marina revelava a personalidade dúplice da mulher dividida entre o carinho de dois homens, jugulada por pensamentos de medo e inquietude, ansiedade e arrependimento.

Neves, que de algum modo me partilhava a inspeção, quebrou a calma reinante, enunciando, abatido:

— Está vendo? Julga que é fácil para mim, pai da doente, suportar aqui semelhante criatura?

Tratei de consolá-lo e, por solicitação dele próprio, passamos a pequeno salão de leitura, contíguo ao aposento da enferma, a fim de que pudéssemos refletir e conversar.

3

Na peça isolada, o amigo cravou os olhos lúcidos nos meus 1.3.1
e obtemperou:

— Após a desencarnação, achamo-nos na segunda fase da própria existência e ninguém, na Terra, imagina as novas condições que nos tomam de assalto... De começo, renovamos a vida... Equipes salvadoras, apoio na prece, estudo das vibrações, escola da caridade. Ensaiamos, felizes, o culto dos grandes sentimentos humanos... Depois, quando trazidos, de retorno, ao trabalho mais íntimo na arena doméstica, que supúnhamos varrida para sempre da memória, como na situação especial de meu caso, a didática é outra... É preciso espremer o sangue do coração para confirmar o que ensinamos com a cabeça... Avalie que me encontro nesta casa, em serviço, apenas há vinte dias e já recebi tantas punhaladas na alma, que, não fossem as necessidades de minha filha, teria fugido incontinente... Sem minhas observações pessoais, não teria admitido tanta leviandade em meu genro... Bilontra, fanfarrão despudorado...

— Sim, sim... — tentei cortar as doloridas alegações.

1.3.2   Comentei, breve, a excelência do olvido de todo mal, argumentei quanto ao merecimento do auxílio silencioso por meio da oração.

Neves sorriu, meio desconsolado, e ajuntou:

— Compreendo que você se reporta à vantagem do pensamento positivo na fixação do bem e creia que, de minha parte, farei quanto puder para não esquecê-lo. Agora, porém, tolere, por favor, as minhas considerações talvez descabidas... A Medicina é ciência luminosa, recheada de raciocínios puros; no entanto, muitas vezes é obrigada a descer da alta cultura para dissecar os cadáveres...

Endereçou-me o olhar de alguém que anseia derramar-se noutro alguém e continuou:

— Saiba você que na quinta noite de minha permanência aqui, notando Beatriz em aguda crise de sofrimento, diligenciei buscar meu genro para assisti-la em pessoa... E sabe onde o encontrei? Nada de escritório, segundo a falsa informação que deixara em casa. Indignado, fui surpreendê-lo numa furna penumbrosa, em plena madrugada, junto da menina que você acaba de conhecer. Os dois unidos, qual marido e mulher. Champanha correndo e música lasciva. Entidades perturbadoras e perturbadas, jungidas ao corpo dos bailarinos, enquanto outras iam e vinham, a se inclinarem sobre taças, cujo conteúdo lábios entediados não haviam conseguido sorver totalmente. Em recanto multicolorido, onde algumas jovens exibiam formas seminuas em coleios[5] esquisitos, vampiros articulavam trejeitos, completando, em sentido menos digno, os quadros que o mau gosto humano pretendia apresentar em nome da Arte. Tudo rasteiro, impróprio, inconveniente... Fisguei meu genro e a colaboradora nos braços um do outro, recordei minha filha doente e revoltei-me. Súbito desespero apossou-se de mim. Oscilou minha razão escurecida, pois cheguei a justificar,

---

[5] N.E.: Movimentos sinuosos, em zigue-zague.

de relance, a deplorável atitude dos companheiros desencarnados que se transformam em vingadores intransigentes. O "homem velho" que eu fora e o "homem renovado" que aspiro a ser digladiavam em minhas fibras recônditas...

Estacou numa pausa, rearticulando os pensamentos, e continuou: 1.3.3

— Tinha visto, apavorado, em outro tempo, aqueles que se animalizavam, depois da morte, nos lares que lhes haviam sido reduto à felicidade, a se precipitarem, violentos, sobre os entes amados que lhes desertavam da afeição... Funcionara, entusiasmado, em diversas comissões socorristas, procurando esclarecê--los e modificá-los para o bem, a fazer-lhes sentir que as lutas morais, depois da desencarnação, se erigiriam igualmente em penosa herança para todos aqueles com os quais se desarmonizavam; advertia-os de que o túmulo esperava também quantos, na Terra, lhes sonegavam lealdade e ternura... E, bastas vezes, lograva acalmá-los para a retirada benéfica. Mas ali... imprudentemente agastado contra a insensibilidade do homem que me desposara a filha querida, vi-me chamado a praticar os bons conselhos que havia administrado...

O amigo fez ligeiro intervalo, enxugou as lágrimas que lhe corriam no rosto, ao evocar a própria inconformação, e completou a frase, aditando:

— Mas não pude. Tomado de cólera incoercível, avancei, qual fera desacorrentada, e, irrefletidamente, esmurrei-lhe a face. Ele deixou-se cair nos ombros da companheira, acusando agoniada indisposição, como se estivesse sob o impacto de súbita lipotimia...[6] Dispunha-me, em seguida, a torcer-lhe o corpo, em meus braços rijos; entretanto, não consegui. Uma senhora desencarnada, de semblante nobre e calmo, aproximou-se,

---

[6] N.E.: Perda súbita da consciência; desmaio.

desarmando-me o íntimo. Não entremostrava sinais exteriores de elevação. Patenteava-se, aliás, tão profundamente humana quanto nós mesmos. Diferenciava-se apenas por minúsculo distintivo luminoso que lhe brilhava palidamente no peito, qual joia rara a emitir discreta radiação. Afagou-me, de leve, a cabeça e induziu-me à serenidade. Envergonhado, fitei-a constrangido. A dama inesperada não me censurou, nem fez qualquer alusão ao meu gesto infeliz. Ao revés, falou-me com bondade quanto à filha doente. Demonstrava conhecer Beatriz tanto quanto eu próprio. E acabou convidando-me a sair do recinto, para acompanhá-la até o quarto da enferma. Atendi sem relutância. E porque a gentil interventora, no trajeto, somente se reportasse aos méritos da compreensão e da tolerância, sem qualquer referência aos desvarios da casa que vínhamos de deixar, procurei reprimir-me, para cogitar, exclusivamente, de socorro à filha em dificuldade. A mensageira anônima recolocou-me no lar, despedindo-se, delicada; e depois disso não mais a vi, pelo que, ainda agora, me lembro dela, positivamente intrigado...

1.3.4   Ensaiava alguma observação reconfortante, rememorando minhas experiências, quando Neves, interpretando-me os pensamentos, obtemperou depois de longa pausa:

— Você, André, nunca se viu defrontado por acontecimentos assim desagradáveis?

Recordei, emocionadamente, as primeiras impressões que me haviam transtornado a sensibilidade, após a desencarnação. Reconstituí na memória todas as telas em que me surpreendera desanimado, excitado, dilacerado, vencido...

As transformações domésticas, os empeços familiares, os impositivos da luta humana e as sugestões da natureza física que me haviam alterado a esposa e os filhos, na Terra, quando se reconheceram sem a minha presença direta, retornaram-me ao coração. Senti-me mais estreitamente ligado ao meu interlocutor, assimilando-lhe o torturado influxo mental, e comentei:

— Sim, meu amigo, atravessada a grande barreira, os meus problemas, a princípio, foram enormes... [1.3.5]

Entretanto, não foi possível desabafar-me. Cavalheiro maduro e simpático penetrou o recinto, compreensivelmente sem perceber-nos.

Neves, contrafeito, indicou-o, explicando-me:

— É Nemésio, meu genro...

O recém-chegado mirou-se, atenciosamente, em espelho próximo, repassou lenço alvo sobre a testa suarenta e, quando reajustava a gravata bem-posta, escutou prolongado suspiro. Lançou-se, incontinente, para a câmara contígua e seguimo-lo.

Marina veio recebê-lo com amável sorriso, conduzindo-o à cabeceira da senhora, que passou a fitá-lo entre confortada e abatida.

Dona Beatriz estendeu a mão descarnada que o marido beijou. Trocando com ela enternecido olhar, acomodou-se Nemésio rente aos travesseiros, a endereçar-lhe perguntas carinhosas, ao mesmo tempo que lhe alisava a descuidada cabeleira.

A doente pronunciou algumas palavras breves, diligenciando agradá-lo, e ajuntou:

— Nemésio, você me perdoará se volto ao caso de Olímpia... A pobre criatura perdeu a casa quase que totalmente... É necessário que você lhe garanta abrigo seguro... Penso nela com os filhos ao desamparo. Tire-me dessa aflição...

O interpelado mostrou profunda emotividade e respondeu cortesmente:

— Beatriz, não há dúvida alguma. Já enviei um amigo, construtor experiente, ao local. Não se preocupe, tudo faremos sem qualquer sacrifício. Questão de tempo...

— Receio partir de uma hora para outra...

1.3.6 — Partir para onde?

Nemésio acariciou-lhe a fronte descolorida, sacou um sorriso amargo e prosseguiu:

— Enquanto você estiver em tratamento, nossas viagens estarão sustadas. Não é hora de São Lourenço...

— Minha estação curativa será outra.

— Não me fale em pessimismo... Ora, ora... Onde a primavera de nossa casa? Você anda esquecida de que nos ensinou a colocar alegria em tudo?! Largue os ares sombrios... Ainda ontem, ouvi nosso médico. Você entrará em convalescença, já, já... Amanhã, tomarei providências definitivas para que o barraco seja levantado. Você estará restabelecida em breve e ambos iremos ao primeiro café em casa de nossa Olímpia...

Dona Beatriz, ante o carinho dele, pareceu reanimar-se. Entreabriu-se-lhe a boca num largo sorriso, que se me afigurou uma flor de esperança num cacto de sofrimento.

Aqueles olhos imensamente lúcidos derramaram duas lágrimas de felicidade que o esposo enxugou com gracioso gesto. Na face amarelada, lampejaram raios de confiança.

Experimentando-se mentalmente renovada, a enferma acreditou no reerguimento do corpo físico e ansiou viver, viver por muito tempo ainda no aconchego familiar. Manifestando o próprio reconforto, solicitou de Marina uma chávena de leite.

A enfermeira atendeu, comovida. E, enquanto a doente sorvia o líquido, gole a gole, eu refletia na bondade daquele homem que a palavra do companheiro me apresentara noutras cores.

O pensamento de Nemésio revelara-se-nos, até ali, claro e puro. Trazia dona Beatriz no cérebro, nos olhos, nos ouvidos, no coração. Dispensava-lhe a compreensão de um amigo, a ternura de um pai.

Neves endereçava-me estranho olhar, qual se estivesse, tanto quanto eu, defrontado por indizível assombro.

Alguns momentos escoaram-se rápidos. 1.3.7
Quando a enferma devolveu a xícara, outro quadro se nos desdobrou à visão.

Nemésio levantara-se rente ao leito e, por trás da cabeceira alteada, estendeu à Marina, que se mantinha do lado oposto, a mão grossa e hirsuta a que ela entregou a destra alva e leve.

O marido passou, então, a falar brandas palavras para a esposa satisfeita, afagando, simultaneamente, os róseos dedos da jovem que, pouco a pouco, se desinibia por meio do olhar brejeiro.

Contemplei Nemésio, admirado. Alteravam-se-lhe agora os pensamentos, que me pareceram, então, incompatíveis com a sensação de respeitabilidade que ele nos inspirava.

Voltei-me, instintivamente, para Neves, e ele, indicando-me as duas mãos que se acariciavam, exclamou para mim:

— Este homem é um enigma!

4

Acomodados, de novo, no aposento próximo, buscava soerguer o ânimo de Neves, positivamente desapontado.

1.4.1

Arrojara-se o companheiro ao clima da dignidade ofendida, dando a impressão de que a família encarnada ainda lhe pertencia. Exprobrava a conduta do genro. Exalçava os merecimentos da filha. Aludia ao passado, quando ele próprio vencera lances difíceis na luta sentimental. Desculpava-se.

Ouvia-lhe, condoído, os apontamentos, a refletir, de minha parte, quanto à dificuldade com que somos todos nós defrontados para dissipar a ilusão da posse sobre os outros. Não fosse a obrigação de respeitar-lhe os sentimentos e, certo, me exorbitaria, ali mesmo, em comprida tirada filosófica, recomendando o desprendimento; contudo, logrei apenas confortá-lo:

— Não se aflija. Desde muito aprendi que para as pessoas desencarnadas, quase sempre, as portas do lar se fecham no mundo, quando a morte lhes cerra os olhos...

Entretanto, não pude prosseguir.

À guisa de duas crianças enlevadas e jubilosas, Nemésio e Marina penetraram a câmara, fugindo claramente à presença da enferma.

1.4.2   Guardavam no semblante a expressão dos namorados felizes quando alimentam o clássico "enfim sós", trancando-se contentes.

Dispus-me, instintivamente, a sair, mas Neves sustou-me o impulso de retirada, convidando-me aturdido:

— Fique, fique... Não louvo a indiscrição; no entanto, estou ao lado de minha filha, em sentido direto, simplesmente há alguns dias e devo saber o que ocorre para ser útil...

A esse tempo, Nemésio enlaçara a enfermeira, qual se voltasse, de improviso, aos arrebatamentos da juventude. Amimava-lhe as mãos miúdas e os cabelos sedosos, reportando-se ao futuro. Justificava-se, copiando as preocupações de um adolescente, interessado em vacinar a escolhida contra o ciúme. Deveriam ser bons para Beatriz, às portas do fim, e agradecer ao destino que os livrava dos aborrecimentos e percalços de um desquite, mesmo amigável... Ouvira o médico, na véspera, informando-se de que a doente não conseguiria viver mais que algumas semanas. E sorria, qual menino travesso, explicando que não admitia a sobrevivência da alma; no entanto, a seu ver, se houvesse vida além da morte, não desejava que a esposa partisse nutrindo por eles ressentimentos quaisquer. Apaixonado, procurava convencer-se de que se via correspondido, cravando a atenção nos olhos enigmáticos da companheira, a quem se reconhecia imanizado por intensa atração.

Marina retribuía como quem se deixava querer bem; no entanto, apresentava o fenômeno singular da emoção jungida a ele e o pensamento voltado ao outro, empenhando-se, por todos os meios, a encontrar nesse outro o incentivo necessário a essa mesma emoção.

Nemésio comentava os próprios empeços, sensibilizado.

Confessava-lhe devoção inexcedível. Não a queria de ânimo inquieto. De futuro, abandonaria os negócios. Viveriam felizes na casinha de São Conrado, que transformaria em bangalô confortável, entre o verde do mar e o verde da terra. Mandaria aprestar a reconstrução em estilo novo, a fim de que a moradia os recebesse, no momento oportuno. Que ela confiasse. Aguardaria apenas a modificação do próprio estado social para conferir-lhe o título de esposa, esposa para sempre...

Isso tudo era dito num jogo de manifestações carinhosas em que a sinceridade prevalecia num lado e o cálculo no outro. 1.4.3

Assinalei, porém, estranha ocorrência.

Ele e ela comunicavam-se, entre si, as mais ternas expansões de encantamento recíproco, sem ser dissoluto, e pareciam aderir, automaticamente, às impressões que esboçávamos, uma vez que acompanhávamos os mínimos gestos dos dois, com aguçada observação, prejulgando-lhes os desígnios com o fundo de nossas próprias experiências inferiores já superadas.

Semelhantes registros que formulamos, com absoluta imparcialidade, são dignos de nota, porquanto, atento qual me achava ao estudo, vimo-nos obrigados a reconhecer que a nossa expectativa maliciosa, aliada ao espírito de censura, estabelecia correntes mentais estimulantes da turvação psíquica de que ambos se viam acometidos, correntes essas que, partindo de nós na direção deles, como que lhes agravavam o apetite sensual.

O marido de Beatriz acentuava, em transportes de felicidade juvenil, apesar da voz ciciante, o anseio com que lhe aguardava o carinho permanente no refúgio caseiro.

De inopinado, porém, a jovem prorrompeu em pranto copioso.

O companheiro beijou-lhe a face, aspirando a aliviar-lhe a tensão convulsiva.

De nosso lado, entretanto, reparávamos que Marina se fixava, cada vez mais, no moço cuja figura se lhe engastava na imaginação.

Escabroso, sem dúvida, o conflito de que se verificava possuída, à vista da sinceridade inequívoca de todas as promessas que lhe eram endereçadas.

1.4.4   Olvidando os compromissos abraçados perante a esposa, que lhe requisitava, naquela hora, mais amplas evidências de fidelidade e ternura, bandeara-se o chefe da casa, apaixonadamente, para Marina, entregando-se-lhe sem reservas. Inteligente bastante para entender quanto se lhe debilitara o raciocínio de homem circunspecto, a menina identificava a fase perigosa da partida infeliz a que se lançara e aturdia-se, ali, confundida entre aflições e remorsos a lhe arpoarem o coração.

Compelidos pelas circunstâncias à penetração dos assuntos em exame, assinalávamos as telas mentais da moça, a se lhe derramarem do íntimo, irradiando-lhe a história.

Fizera-se querida pelo maduro genro de Neves, sem dedicar-lhe outros sentimentos que não fossem reconhecimento e admiração... Todavia, agora que os acontecimentos lhe impeliam a alma na direção de laços mais profundos, tremia pelas indébitas concessões que lhe havia feito. Remoía-lhe no espírito as recônditas reminiscências de sua aventura afetiva, recapitulando todos os sucessos pelos quais havia atraído o protetor experiente aos seus métodos sutis de sedução, para concluir, assustada, que amava até a loucura aquele rapaz franzino, que se lhe destacava do pensamento, por meio de cativantes apelos da memória.

Dentro dela, embatia-se guerra terrível de emoções e sensações.

Nemésio consolava-a, formulando frases de paternal solicitude. E, ao responder-lhe as reiteradas perguntas quanto ao choro intempestivo, a jovem adotou largo processo de perfeita dissimulação, invocando problemas domésticos para articular evasivas com que encobria a realidade.

Tentando esquivar-se de si mesma, reportou-se a supostas agruras do lar. Salientou exigências maternas, falou em dificuldades financeiras, alegou fantásticas humilhações que colhia no trato da irmã adotiva, mencionou incompreensões do genitor, em rixas constantes nos círculos da família...

O interlocutor reconfortou-a. Que não se amofinasse. Não estaria a sós. Partilhar-lhe-ia todos os impedimentos e dissabores, fossem quais fossem. Tivesse paciência. O desenlace de Beatriz, indicado para breves dias, ser-lhes-ia o marco fundamental da ventura definitiva. 1.4.5

Exprimia-se Nemésio em tom de súplica. E talvez percebendo que apenas à força de palavras não conseguiria subtraí-la aos soluços, arrancou de pasta próxima um livro de cheques, colocando-lhe expressivo concurso amoedado nas mãos que o lenço molhado umedecera.

A moça pareceu mais comovida, exibindo no rosto a apreensão de quem se recriminava sem qualquer justificativa de consciência, ao passo que ele a enlaçava afetuoso. No silêncio que sobreveio, voltei-me para Neves, mas não consegui pronunciar palavra.

Não obstante desencarnado, o amigo se me afigurava agora um homem positivamente vulgar da Terra, que a revolta azedava. Sobrecenho crispado alterava-lhe a feição no desequilíbrio vibratório que precede as grandes crises de violência.

Receava se lhe transfigurasse a calamidade emotiva em agressão, mas sucedeu o imprevisto.

A súbitas, venerando amigo espiritual penetrou a câmara.

Arrebatadora expressão de simpatia marcava-lhe a presença. Radioso halo circundava-lhe a cabeça; no entanto, não era a luz suave a se lhe extravasar docemente da aura de sabedoria que me impressionava, e sim a substância invisível de amor que lhe emanava da individualidade sublime.

Fitei-lhe os olhos, de relance, com a ideia enternecedora de quem revia um companheiro longamente esperado por aflitivas saudades acumuladas no coração.

1.4.6   Fluidos calmantes banhavam-me todo, qual se fosse visitado no âmago do ser por inexplicáveis radiações de envolvente alegria.

Onde teria conhecido, nas trilhas do destino, aquele amigo que se me impôs ao sentimento qual irmão de velhos tempos? Debalde vascolejei a memória naqueles segundos inolvidáveis.

Num átimo, vi-me recambiado às sensações puras da infância. O emissário, que estacara à frente de nós, não me fazia retomar simplesmente a segurança a que me habituara, quando menino, ante os braços paternos, mas também ao carinho de minha mãe, que nunca se me apartara do pensamento.

Oh! Deus, em que forja da vida se constituem esses elos da alma? Em que raízes de júbilo e sofrimento, através das reencarnações numerosas de trabalho e esperança, dívidas e resgates, se compõe a seiva divina do amor que aproxima os seres e lhes transfunde os sentimentos numa só vibração de confiança recíproca?

Levantei meus olhos de novo para o benfeitor que se avizinhava e fui compelido a sofrear a própria emotividade a fim de não retê-lo instintivamente em arremessos de regozijo.

Erguemo-nos de chofre.

Após cumprimentá-lo, disse Neves, então desanuviado, a apresentar-me quase sorrindo:

— André, abrace o irmão Félix...

Adiantou-se, porém, o recém-chegado, ofertando-me um abraço e proferindo saudação calorosa, com o evidente propósito de frustrar quaisquer elogios no nascedouro.

— Grande contentamento o de vê-lo — disse benevolente. — Deus o abençoe, meu amigo...

A comoção, entretanto, imobilizava-me. Não logrei arrancar do coração à boca as expressões com que anelava pintar o meu enlevo, mas osculei-lhe a destra com a simplicidade de uma criança, rogando-lhe mentalmente receber as lágrimas que me caíam da alma, por mudo agradecimento.

Ocorreu, em seguida, algo de inusitado. 1.4.7
Nemésio e Marina transferiram-se, de repente, a novo campo de espírito. Confirmei a impressão de que a nossa curiosidade enfermiça e a revolta que dominava Neves até então haviam funcionado ali por estímulos ao magnetismo animal a que se ajustavam os dois enamorados, que nem de leve desconfiavam da minuciosa observação a que se viam sujeitos, porquanto bastou que o irmão Félix lhes dirigisse compassivo olhar para que se modificassem incontinente.

A visão de Beatriz enferma cortou-lhes o espaço mental, à feição de um raio. Esmoreceram-se-lhes os estos de paixão. Assemelhavam-se ambos a um par de crianças, atraídas uma para a outra, cujo pensamento se transfigura, de improviso, ante a presença materna.

E não era só isso. Não podia auscultar o mundo íntimo de Neves; contudo, de minha parte, súbita compreensão me inundou a alma.

"E se eu estivesse no lugar de Nemésio? Estaria agindo melhor?" — Silenciosas indagações se me incrustavam na consciência, impelindo-me o espírito a raciocinar em nível mais alto.

Fitei o atribulado chefe da casa, possuído de novos sentimentos, percebendo nele um verdadeiro irmão que me cabia entender e respeitar.

Embora confessasse a mim mesmo, com indisfarçável remorso, a impropriedade da atitude que assumira momentos antes, prossegui estudando a metamorfose espiritual que se processava.

Marina passou a revelar benéfica reação, como se estivesse admiravelmente conduzida em ocorrência mediúnica, de antemão preparada. Recompôs-se, do ponto de vista emotivo, patenteando integral desinteresse por qualquer forma de entretenimento físico, e falou, com delicadeza, da necessidade de voltar aos cuidados que a doente exigia. Nemésio, a refletir-lhe a renovada posição

1.4.8
interior, não ofereceu qualquer embargo, acomodando-se em poltrona próxima, enquanto a jovem se retirou tranquila.

Reparei que Neves ansiava conversar, desabafar-se; no entanto, o benfeitor, que nos granjeara os corações, apontou o esposo de dona Beatriz e convidou:

— Meus amigos, nosso Nemésio está seriamente enfermo, sem que ainda o saiba. Ignoro se já lhe notaram a deficiência orgânica... Procuremos socorrê-lo.

5

Imperfeitamente refeitos do assombro que semelhante atitude nos causava, passamos a colaborar com o irmão Félix, na aplicação de recursos em benefício do amigo que, embora nos desconhecesse a presença, se mantinha agora em aturada reflexão.

1.5.1

Ao contato das mãos do benfeitor que mobilizava, proficiente, a energia magnética, Nemésio expunha as deficiências do campo circulatório.

O coração, consideravelmente aumentado, denotava falhas ameaçadoras com endurecimento das artérias.

O examinando, rebuçado por fora, era enfermo grave por dentro. Entretanto, a característica mais constrangedora que apresentava surgia na arteriosclerose cerebral, cujo desenvolvimento conseguíamos claramente positivar, manejando diminutos aparelhos de auscultação.

Comprovando longa experiência médica, o irmão Félix apontou-nos determinada região, em que notei a circulação do sangue reduzida, e informou:

— Nosso amigo permanece sob o perigo de coágulos bloqueadores e, além disso, é de temer-se a ruptura de algum vaso em qualquer acidente mais importante da hipertensão.

1.5.2   Como se nos percebesse a movimentação e nos registrasse os apontamentos, o genro de Neves, na cadeira estofada a que se recolhera, instintivamente respondia ao inquérito afetuoso a que lhe submetíamos a memória, elucidando-nos todas as dúvidas, por intermédio de reações mentais específicas. Acreditava-se afundado na imaginação, ignorando que se nos revelava, por inteiro, na feição de um doente voltado para os esclarecimentos da anamnese. Rememorou as tonturas ligeiras que vinha experimentando amiúde. Vasculhava a lembrança, atendendo-nos às perguntas. Alinhava acontecimentos passados, fixava pormenores. Reconstituiu, quanto possível, as fases do desconforto a que se vira atirado, subitamente, com a perda dos sentidos que sofrera, no escritório, dias antes. Sentira-se desamparado, de chofre. Ausente. O pensamento esvaíra-se-lhe da cabeça, como se expulso por martelada interior. Pavoroso delíquio[7] que se lhe representara infindável, quando perdurara simplesmente por segundos. Retomara a noção de si mesmo, atarantado, abatido. Curtira apreensões, ensimesmado, por muitos dias.

Para desafrontar-se, expusera a ocorrência perante velho amigo, na antevéspera, já que não sabia como destrinçar o fenômeno.

A tela rearticulada por ele, na imaginação, salientava-se tão nítida que lográvamos contemplá-los juntos, Nemésio e o companheiro que lhe tomara confidências, como se estivessem filmados.

O marido de Beatriz, inconscientemente, configurava informes precisos acerca do desmaio experimentado, das inquietações consequentes, da entrevista que provocara com o colega de negócios e do entendimento cordial havido entre ambos.

Consignamos os avisos que o interlocutor lhe transmitira.

Não lhe cabia adiar providências. Devia procurar um médico, analisar as próprias condições, definir os sintomas.

---

[7] N.E.: Desmaio.

Traçou advertências. Verificava-se-lhe facilmente a fadiga. No Rio, obteria melhoras em alguma clínica de repouso. Umas férias não lhe fariam mal. Qualquer síncope, a seu ver, equivalia a puxão de campainha no apartamento da vida. Sério vaticínio, enfermidade à porta.

Nemésio, calado, sem perceber que se comunicava conosco, repetia espiritualmente as alegações que formulara. 1.5.3

Difícil a consulta. Responsabilidades em penca, o tempo escasso. Acompanhava a esposa, na travessia das horas derradeiras, em doloroso término de existência e não encontrava meios de cuidar de si. Não discutia a oportunidade das admoestações, mas admitia-se obrigado a transferir o tratamento para quando pudesse.

No entanto, no âmago do pensamento, por noticiário vivo secretamente arquivado no cofre da alma, desvelava, para nós, motivos outros que não tivera coragem de expender.

Enternecido ao toque de amor fraterno do benfeitor que o auscultava, liberou, em silêncio, as mais fundas preocupações.

Semelhava-se a menino peralta, quando espontâneo e obediente no clima dos pais.

Aclarou, positivo, a razão da fuga a qualquer assunto relacionado com a provável submissão a preceitos médicos. Receava conhecer o próprio estado orgânico. Amava novamente, crendo-se de regresso às primaveras do corpo físico. Identificava-se espiritualmente jovem, feliz. Qualificava a afeição de Marina como o reencontro da mocidade que ficara para trás.

Alinhavando recordações e meditações, exibia, diante de nós, a trama dos acontecimentos que lhe sedimentavam as noções precárias da vida, possibilitando-nos retratar-lhe a realidade psicológica.

Beatriz, a companheira em vésperas de desencarnação, erigia-se-lhe, agora, no ânimo, em forma de relíquia que situaria, reverentemente, em breve, no museu das lembranças mais caras. Imperturbavelmente correta e simples, transformara-lhe a volúpia em admiração e a chama juvenil em calor de amizade serena. Estranho ao benefício da rotina construtiva, colocara a esposa no lugar da genitora que a morte levara. Disputava-lhe, por instinto, o sorriso benevolente e a bênção da aprovação. Queria-lhe a presença como quem se acostuma ao serviço de um traste precioso. Harmonizava-se consigo próprio, ao chegar, suarento, em casa, descansando a cabeça fatigada em seu olhar.

1.5.4 Entretanto, Nemésio, de formação materialista e de índole utilitária, conquanto generoso, desconhecia que as almas nobres colhem no amor esponsalício da Terra o fruto da alegria sublime, cuja polpa o tempo sazona e torna mais doce, eliminando os caprichos transitoriamente necessários da casca.

Insistia na conservação de todos os impulsos emotivos da juventude corpórea. Andava em dia com todas as teorias da libido.

Vez por outra, demandava cidades próximas, em noitadas boêmias, asseverando, de retorno, aos amigos que assim procedia para desenferrujar o coração. Dessas escapadas, voltava trazendo à esposa corbelhas de alto preço, que Beatriz acolhia enlevada. No decurso de algumas semanas, mostrava-se para ela mais compreensivo e mais terno. Reconduzido, porém, mais dilatadamente, aos freios do hábito, não sabia consagrar-se às construções espirituais que só a disciplina favorece e garante. Varava, de novo, as fronteiras que os compromissos morais estabeleciam, à maneira de animal arrombando cerca.

Em determinadas ocasiões, acontecia fixar a esposa, invariavelmente abnegada e fiel, perguntando à própria alma o que sucederia se ela adotasse conduta igual à dele, e aterrava-se.

Isso nunca, pensava. Se Beatriz pusesse, ainda que de leve, o voto feminino em outro homem, era capaz de matá-la. Não hesitaria.

Nesses momentos, impressões contraditórias agitavam-lhe o espírito limitado. Não se interessava absolutamente pela mulher, mas não toleraria concorrência à posse daquela a quem confiara o seu nome.

Inquietava-se, imaginava coisas, mas recompunha-se, 1.5.5 tranquilo, recordando a esquisita conceituação de velho amigo que consumira a existência alcoolizado entre os despojos endinheirados de parentes ricos, e que lhe tisnara os sonhos do lar, quando menino, a repetir-lhe frequentemente: "Nemésio, mulher é chinela no pé do homem. Quando não presta mais, é preciso arranjar outra".

Compreensível que, regando a raiz do caráter com as águas turvas de semelhante filosofia, atingisse o genro de Neves o marco dos 60 anos com os sentimentos deteriorados, no tocante ao respeito que um homem deve a si mesmo.

Por todos esses motivos, na quadra difícil e obscura que atravessava, reaprendera os cuidados da preservação individual.

Readquirira o gosto de vestir-se com distinção, selecionando figurinos e alfaiates. Refinara a sensibilidade masculina, afeiçoara-se aos programas radiofônicos de ginástica, no que, aliás, lograra despojar-se da adiposidade oscilante. Disputava o ingresso em agremiações festivas para atualizar a linguagem e requintar o porte.

Não lhe importavam as tochas brancas que lhe esmaltavam de prata a cabeleira densa. Elegia nos perfumes raros e nas gravatas coloridas motivos de leveza e elegância sempre novos.

Pagara habilmente instruções e pareceres de improvisados professores em renovação da personalidade e embelezara-se, vaidoso, lembrando antigo edifício sob nova decoração.

Evidentemente, não — raciocinava apreensivo —, não se resignaria a qualquer terapêutica que não fosse a de se lhe acentuar disposições ao prazer. Recusaria, peremptório, toda medida endereçada a suposto reajustamento orgânico, já que se supunha perfeitamente idôneo para comandar as próprias sensações. Euforia, o problema. Providência medicamentosa, apenas a que lhe arejasse o espírito, rejuvenescendo-lhe as forças.

1.5.6 O irmão Félix voltou a dizer-nos:

— Nemésio demonstra enorme esgotamento, à vista dos hábitos demolidores a que se rendeu. A inquietação emotiva descontrola-lhe os nervos e os falsos afrodisíacos usados solapam-lhe as energias, sem que ele mesmo perceba.

Diante da afirmativa, o esposo de Beatriz fixou agoniado vinco mental, entremostrando haver assimilado, mecanicamente, o impacto do grave enunciado.

— E se piorasse? — considerou de si para si.

A figura de Marina repontou-lhe da alma.

Nemésio divagou cismarento.

Concordaria, sim, em recuperar a saúde, mas somente depois... Depois que retivesse a jovem no lar, entregue a ele, em definitivo, pelos laços do matrimônio. Enquanto não a recolhesse nos braços, sob regime de compromisso legal, não aceitaria proteção médica. Cabia-lhe sustentar-se capaz e moço aos olhos dela. Fugiria deliberadamente de conselhos ou disciplinas tendentes a desviá-lo da ronda de passeios, excursões, entretenimentos e bebedices que, na posição de homem enamorado, acreditava dever-lhe.

O irmão Félix não contrapôs qualquer argumentação. Ao revés, administrou-lhe recursos magnéticos em toda a província cerebral, dispensando-lhe assistência.

Ao término da longa operação socorrista, Neves, taciturno, não encobria o próprio desapontamento. A desaprovação esguichava-lhe da cabeça, plasmando pensamentos de censura, que, não obstante respeitosa, nos alcançavam em cheio, por chuva de vibrações negativas.

Talvez, por isso, o benfeitor sugeriu ao dono da casa abandonar o recinto, solicitação muda que Nemésio atendeu de pronto, já que se munira das escoras que o amigo espiritual espontaneamente lhe oferecia.

Os três, a sós, tornamos à conversação.

1.5.7

Félix, sorrindo, afagou de leve os ombros do meu companheiro e ponderou:

— Entendo, Neves, entendo você...

Encorajado pela inflexão de carinho com que semelhantes palavras eram ditas, o sogro de Nemésio desafogou-se:

— Quem entende menos sou eu. Não admito tanto resguardo para um cachorro de má qualidade. Um homem igual a este, que me desrespeita a confiança paterna! Quem não lhe vê no espírito a poligamia declarada? Um sessentão desavergonhado que enxovalha a presença da esposa agonizante! Ah! Beatriz, minha pobre Beatriz, por que te uniste a um cavalo?

Dementara-se Neves, diante de nós. Retrocedera mentalmente ao círculo acanhado da família humana e chorava, transtornado, sem que lhe pudéssemos cercear a emoção.

— Faço força — gemia acabrunhado —, mas não aguento. De que me vale trabalhar odiando? Nemésio é um mascarado! Tenho estudado a ciência de perdoar e servir, tenho aconselhado serviço e perdão aos outros, mas agora... Divididos por simples parede, vejo o sofrimento e o vício debaixo do mesmo teto. De um lado, minha filha conformada, aguardando a morte; de outro, meu genro e essa mulher que me insulta a família. Deus do Céu! que me foi reservado? Andarei auxiliando uma filha doente ou sendo chamado à tolerância? Mas como suportar um homem desses?

Não adiantou um aceno à prudência, na pausa curta.

— Antigamente — tartamudeou ele, desesperado — acreditava que o inferno, depois da morte, fosse pular em vão num cárcere de fogo; hoje aprendo que o inferno é voltar à Terra e estar com os parentes que já deixamos... Isso é a purgação de nossos pecados!...

1.5.8   Félix aproximou-se e ponderou, segurando-lhe afetuosamente as mãos:

— Calma, Neves. Sempre surge para todos nós o dia de provar aquilo que somos naquilo que ensinamos. Além disso, Nemésio deve ser entendido...

— Entendido? — entaramelou-se o interlocutor. — Não chegará ter visto?

E acrescentou quase irônico:

— Sabe o senhor qual é o rapaz que vem ocupando o pensamento dessa moça?

— Sei, mas deixa-me explicar — clareou Félix com brandura. — Principiemos por aceitar Nemésio na posição em que se encontra. Como exigir da criança experiência da madureza ou pedir raciocínio certo ao alienado mental? Sabemos que crescimento do corpo não expressa altura de espírito. Nemésio é aluno da vida, qual nós mesmos, sem o benefício da lição em que estamos sendo instruídos. Que seria de nós, na situação dele, sem a visão que atualmente nos favorece? Provavelmente, cairíamos em condições piores...

— Quer dizer que devo aprová-lo?

— Ninguém aplaude a enfermidade nem louva o desequilíbrio; no entanto, seria crueldade recusar simpatia e medicação ao doente. Consideremos que Nemésio não é um companheiro desprezível. Emaranhou-se em sugestões perigosas, mas não fugiu da esposa a quem presta assistência; mostra-se engodado por extravagâncias emotivas de caráter deprimente que lhe dilapidam as forças; contudo, não esqueceu a solidariedade, resolvendo oferecer casa própria e gratuita à senhora que lhe presta serviços remunerados; acredita-se dono de juvenilidade física absolutamente irrisória, quando, na realidade, carrega um corpo em prematuro desgaste; dedica-se apaixonadamente a uma jovem que o menoscaba, conquanto lhe consagre apreço respeitoso...

Não bastariam estas razões para merecer benevolência e carinho? Quem de nós com a possibilidade de auxiliar? Ele que anda cego ou nós que discernimos? Não posso enaltecer-lhe as manobras lamentáveis na esfera do sentimento; entretanto, sou obrigado a confessar que ele, na ficha de analfabeto das verdades da alma, ainda não tombou de todo...

    Com significativo tom de voz, o instrutor acentuou: 1.5.9

— Neves, Neves! A sublimação progressiva do sexo, em cada um de nós, é fornalha candente de sacrifícios continuados. Não nos cabe condenar alguém por faltas em que talvez possamos incidir ou nas quais tenhamos sido passíveis de culpa em outras ocasiões. Compreendamos para que sejamos compreendidos.

    Neves silenciou, decerto controlado pela influência do amigo venerável, e, quando consegui fitá-lo, depois de alguns momentos de expectativa, percebi que se pusera, humildemente, em oração.

6

De volta ao aposento da enferma, certificamo-nos de que 1.6.1
Nemésio e Marina haviam saído. A camareira da casa velava.
Neves, desenxabido, absteve-se de qualquer comentário. Retraíra-se no claro propósito de sopitar impulsos menos construtivos.

Recompondo-se, momentos antes, rogara do irmão Félix lhe desculpasse o ataque de cólera em que extravasara rebeldia e desespero.

Descera à inconveniência, acusava-se humilde. Fora descaridoso, insensato, penitenciava-se com tristeza. O irmão Félix, com bastante autoridade, se quisesse, poderia demiti-lo do piedoso mister que invocara, com o objetivo de proteger a filha; entretanto, pedia tolerância. O coração paternal, no instante crítico, não se vira preparado, de modo a escalar o nível do desprendimento preciso, declarava com amargura e desapontamento.

Félix, porém, abraçara-o com intimidade e, sorridente, ponderou que a edificação espiritual, em muitas circunstâncias, inclui explosões do sentimento, com trovões de revolta e aguaceiros de pranto, que acabam descongestionando as vias da emoção.

1.6.2   Que Neves esquecesse e recomeçasse. Para isso, contava com os talentos da oportunidade, do tempo. Obviamente por isso, o sogro de Nemésio ali se achava agora, diante de nós, transformado e solícito.

Por indicação do paciente amigo que nos orientava, formulou uma prece, enquanto ministramos socorro magnético à doente.

Beatriz gemia; no entanto, Félix esmerou-se para que se aliviasse e dormisse, providenciando, ainda, para que não se retirasse do corpo, sob a hipnose habitual do sono. Não lhe convinha, por enquanto, esclareceu ele, afastar-se do veículo fatigado. Em virtude dos órgãos profundamente enfraquecidos, desfrutaria penetrante lucidez espiritual e não seria prudente arremessá-la, de chofre, a impressões demasiado ativas da esfera diferente para a qual se transferiria muito em breve. Aconselhável seria a mudança progressiva. Graduação de luz, intensificando-se, pouco a pouco.

Largamos a filha de Neves em repouso nutriente e restaurador, e demandamos a rua.

Acompanhando Félix, cujo semblante passou a denotar funda preocupação, alcançamos espaçoso apartamento do Flamengo, onde conheceríamos, de perto, os familiares de Marina.

A noite avançava.

Transpassando estreito corredor, pisamos o recinto doméstico, surpreendendo, no limiar, dois homens desencarnados, a debaterem, com descuidada chocarrice,[8] escabrosos temas de vampirismo.

Vale assinalar que, não obstante pudéssemos fiscalizar-lhes os movimentos e ouvir-lhes a loquacidade fescenina,[9] nenhum dos dois lograva registrar-nos a presença. Prometiam arruaças. Argumentavam desabridos.

---

[8] N.E.: Gracejo desabusado, insolente.
[9] N.E.: Devassa; difamadora.

Malandros acalentados, mas perigosos, conquanto invisíveis 1.6.3
para aqueles junto dos quais se erguiam por ameaça insuspeitada.

Por semelhantes companhias, fácil apreciar os riscos a que se expunham os moradores daquele ninho de cimento armado, a embutir-se na construção enorme, sem qualquer defesa de espírito.

Entramos. Na sala principal, um cavalheiro de traços finos, em cuja maneira de escarrapachar-se[10] se adivinhava, para logo, o dono da casa, lia um jornal vespertino com atenção.

Os atavios do ambiente, apesar de modestos, denunciavam apurado gosto feminino. O mobiliário antigo de linhas quase rudes suavizava-se ao efeito de ligeiros adornos.

Tufos de cravos vermelhos, a se derramarem de vasos cristalinos, harmonizavam-se com as rosas da mesma cor, habilmente desenhadas nas duas telas que pendiam das paredes, revestidas de amarelo dourado. Mas, destoante e agressiva, uma esguia garrafa, contendo uísque, empinava o gargalo sobre o crivo lirial que completava a elegância da mesa nobre, deitando emanações alcoólicas que se casavam ao hálito do amigo derramado no divã.

Félix encarou-o, manifestando a expressão de quem se atormentava, piedosamente, ao vê-lo, e no-lo indicou:

— Temos aqui o irmão Cláudio Nogueira, pai de Marina e tronco do lar.

Fisguei-o de relance. Figurou-se-me o hospedeiro involuntário um desses homens maduros que se demoram na quadra dos 45 janeiros, esgrimindo bravura contra os desbarates do tempo. Rosto primorosamente tratado, em que as linhas firmes repeliam a notícia vaga das rugas, cabelos penteados com distinção, unhas polidas, pijama impecável. Os grandes olhos escuros e móveis pareciam imanizados às letras, pesquisando motivos para trazer um sorriso irônico aos lábios finos. Entre os dedos da mão que

---

[10] N.E.: Sentar-se inteiramente à vontade, sem preocupação com a compostura.

descansava à beira do sofá, o cigarro fumegante, quase rente ao tripé anão, sobre o qual um cinzeiro repleto era silenciosa advertência contra o abuso da nicotina.

1.6.4   Detínhamo-nos, curiosos, na inspeção, quando sobreveio o inopinado.

Diante de nós, ambos os desencarnados infelizes, que surpreendêramos à entrada, surgiram de repente, abordaram Cláudio e agiram sem cerimônia.

Um deles tateou-lhe um dos ombros e gritou insolente:
— Beber, meu caro, quero beber!

A voz escarnecedora agredia-nos a sensibilidade auditiva. Cláudio, porém, não lhe pescava o mínimo som. Mantinha-se atento à leitura. Inalterável. Contudo, se não possuía tímpanos físicos para qualificar a petição, trazia na cabeça a caixa acústica da mente sintonizada com o apelante.

O assessor inconveniente repetiu a solicitação, algumas vezes, na atitude do hipnotizador que insufla o próprio desejo, reasseverando uma ordem.

O resultado não se fez demorar. Vimos o paciente desviar-se do artigo político em que se entranhava. Ele próprio não explicaria o súbito desinteresse de que se notava acometido pelo editorial que lhe apresara a atenção.

Beber! Beber!...

Cláudio abrigou a sugestão, convicto de que se inclinava para um trago de uísque exclusivamente por si.

O pensamento se lhe transmudou rápido, como a usina cuja corrente se desloca de uma direção para outra, por efeito da nova tomada de força.

Beber, beber!... e a sede de aguardente se lhe articulou na ideia, ganhando forma. A mucosa pituitária se lhe aguçou, como que mais fortemente impregnada do cheiro acre que vagueava no ar. O assistente malicioso coçou-lhe brandamente os gorgomilos.

O pai de Marina sentiu-se apoquentado. Indefinível secura constringia-lhe a laringe. Ansiava tranquilizar-se.

O amigo sagaz percebeu-lhe a adesão tácita e colou-se a ele. De começo, a carícia leve; depois da carícia agasalhada, o abraço envolvente; e depois do abraço de profundidade, a associação recíproca. 1.6.5

Integraram-se ambos em exótico sucesso de enxertia fluídica.

Em várias ocasiões, estudara a passagem do Espírito exonerado do envoltório carnal pela matéria espessa. Eu mesmo, quando me afazia, de novo, ao clima da Espiritualidade, após a desencarnação última, analisava impressões ao transpor, maquinalmente, obstáculos e barreiras terrestres, recolhendo, nos exercícios feitos, a sensação de quem rompe nuvens de gases condensados.

Ali, no entanto, produzia-se algo semelhante ao encaixe perfeito.

Cláudio-homem absorvia o desencarnado, à guisa de sapato que se ajusta ao pé. Fundiram-se os dois, como se morassem eventualmente num só corpo. Altura idêntica. Volume igual. Movimentos sincrônicos. Identificação positiva.

Levantaram-se a um tempo e giraram integralmente incorporados um ao outro, na área estreita, arrebatando o delgado frasco.

Não conseguiria especificar, de minha parte, a quem atribuir o impulso inicial de semelhante gesto, se a Cláudio que admitia a instigação ou se ao obsessor que a propunha.

A talagada rolou pela garganta, que se exprimia por dualidade singular. Ambos os dipsômanos[11] estalaram a língua de prazer, em ação simultânea.

Desmanchou-se a parelha e Cláudio, desembaraçado, se dispunha a sentar, quando o outro colega, que se mantinha a distância, investiu sobre ele e protestou: "eu também, eu também quero!"

---

[11] N.E.: Pessoa que tem desejo incontrolável de ingerir bebida alcoólica.

1.6.6 Reavivou-se-lhe no ânimo a sugestão que esmorecia. Absolutamente passivo diante da incitação que o assaltava, reconstituiu, mecanicamente, a impressão de insaciedade.

Bastou isso e o vampiro, sorridente, apossou-se dele, repetindo-se o fenômeno da conjugação completa.

Encarnado e desencarnado a se justaporem. Duas peças conscientes, reunidas em sistema irrepreensível de compensação mútua.

Abeirei-me de Cláudio para avaliar, com imparcialidade, até onde sofreria ele, mentalmente, aquele processo de fusão.

Para logo convenci-me de que continuava livre no íntimo. Não experimentava qualquer espécie de tortura, a fim de render-se. Hospedava o outro, simplesmente aceitava-lhe a direção, entregava-se por deliberação própria. Nenhuma simbiose em que se destacasse por vítima. Associação implícita, mistura natural.

Efetuava-se a ocorrência na base da percussão. Apelo e resposta. Cordas afinadas no mesmo tom. O desencarnado alvitrava, o encarnado aplaudia. Num deles, o pedido; no outro, a concessão.

Condescendendo em ilaquear os próprios sentidos, Cláudio acreditou-se insatisfeito e retrocedeu, sorvendo mais um gole.

Não me furtei à conta curiosa. Dois goles para três.

Novamente desimpedido, o dono da casa estirou-se no divã e retomou o jornal.

Os amigos desencarnados tornaram ao corredor de acesso, chasqueando, sarcásticos, e Neves, respeitoso, consultou sobre responsabilidade.

Como situar o problema? Se víramos Cláudio aparentemente reduzido à condição de um fantoche, como proceder na aplicação da justiça? Se em vez de bebedice, estivéssemos diante de um caso criminal? Se a garrafa de uísque fosse arma determinada para insultar a vida de alguém, como decidir? A culpa seria de Cláudio que se submetia ou dos obsessores que o comandavam?

O irmão Félix aclarou tranquilo:

1.6.7

— Ora, Neves, você precisa compreender que nos achamos à frente de pessoas bastante livres para decidir e suficientemente lúcidas para raciocinar. No corpo físico ou agindo fora do corpo físico, o Espírito é senhor da constituição de seus atributos. Responsabilidade não é título variável. Tanto vale numa esfera quanto em outras. Cláudio e os companheiros, na cena que acompanhamos, são três consciências na mesma faixa de escolha e manifestações consequentes. Todos somos livres para sugerir ou assimilar isso ou aquilo. Se você fosse instado a compartilhar um roubo, decerto recusaria. E, na hipótese de abraçar a calamidade, em são juízo, não conseguiria desculpar-se.

Interrompeu-se o mentor, volvendo a refletir após momento rápido:

— Hipnose é tema complexo, reclamando exames e reexames de todos os ingredientes morais que lhe digam respeito. Alienação da vontade tem limites. Chamamentos campeiam em todos os caminhos. Experiências são lições, e todos somos aprendizes. Aproveitar a convivência de um mestre ou seguir um malfeitor é deliberação nossa, cujos resultados colheremos.

Verificando que o orientador se dava pressa em ultimar os esclarecimentos sem mostrar o mínimo propósito de afastar as entidades vadias que pesavam no ambiente, Neves voltou à carga,[12] no intuito louvável do aluno que aspira a complementar a lição.

Pediu vênia para repisar o assunto na hora.

Recordou que, sob o teto do genro, o irmão Félix se esmerava na defesa contra aquela casta de gente. Amaro, o enfermeiro prestimoso, fora situado junto de Beatriz principalmente para correr com intrometidos desencarnados. O aposento da filha tornara-se, por isso, um refúgio. Ali, no entanto...

---

[12] N.E.: Voltar à carga – insistir.

1.6.8   E perguntava pelo motivo da direção diversa.

Félix expressou no olhar a surpresa do professor que não espera apontamento assim arguicioso por parte do discípulo e explicou que a situação era diferente.

A esposa de Nemésio mantinha o hábito da oração. Imunizava-se espiritualmente por si. Repelia, sem esforço, quaisquer formas-pensamento de sentido aviltante que lhe fossem arremessadas. Além disso, estava enferma, em vésperas da desencarnação. Deixá-la à mercê de criaturas insanas seria crueldade. Garantias concedidas a ela erguiam-se justas.

— Mas... e Cláudio? — insistiu Neves. — Não merecerá, porventura, fraterna demonstração de caridade, a fim de livrar-se de tão temíveis obsessores?

Félix sorriu francamente bem-humorado e explicou:

— "Temíveis obsessores" é a definição que você dá. — E avançou: — Cláudio desfruta excelente saúde física. Cérebro claro, raciocínio seguro. É inteligente, maduro, experimentado. Não carrega inibições corpóreas que o recomendem a cuidados especiais. Sabe o que quer. Possui materialmente o que deseja. Permanece no tipo de vida que procura. É natural que esteja respirando a influência das companhias que julgue aceitáveis. Retém liberdade ampla e valiosos recursos de instrução e discernimento para juntar-se aos missionários do bem que operam entre os homens, assegurando edificação e felicidade a si mesmo. Se elege para comensais da própria casa os companheiros que acabamos de ver, é assunto dele. Enquanto nos arrastávamos, tolhidos pela carne, não nos ocorria a ideia de expulsar da residência alheia as pessoas que não se harmonizassem conosco. Agora, vendo, de mais alto, o mundo e as coisas do mundo, não será cabível modificar semelhante modo de proceder.

O tema desdobrava-se, assumindo aspectos novos.

Curioso, interferi:

— Mas, irmão Félix, é importante convir que Cláudio, 1.6.9 liberto, poderia ser mais digno...

— Isso é perfeitamente lógico — confirmou. — Ninguém nega.

— E por que não dissipar de vez os laços que o prendem aos malandros que o exploram?

O alto raciocínio da Espiritualidade superior jorrou pronto:

— Cláudio certamente não lhes empresta o conceito de vagabundos. Para ele, são sócios estimáveis, amigos caros. Por outro lado, ainda não investigamos a causa da ligação entre eles para cunhar opiniões extremadas. As circunstâncias podem ser saudáveis ou enfermiças como as pessoas, e, para tratarmos um doente com segurança, há que analisar as raízes do mal e confirmar os sintomas, aplicar medicação e estudar efeitos. Aqui, vemos um problema pela rama. Quando terá nascido a comunhão do trio? Os vínculos serão de agora ou de existências passadas? Nada legitimaria um ato de violência da nossa parte, com o intuito de separá-los, a título de socorro. Isso seria o mesmo que apartar os pais generosos dos filhos ingratos ou os cônjuges nobres dos esposos ou das esposas de condição inferior, sob o pretexto de assegurar limpeza e bondade nos processos da evolução. A responsabilidade tem o tamanho do conhecimento. Não dispomos de meios precisos para impedir que um amigo se onere em dívidas escabrosas ou se despenque em desatinos deploráveis, conquanto nos seja lícito dispensar-lhe o auxílio possível, a fim de que se acautele contra o perigo no tempo viável, sendo de notar-se que as autoridades superiores da Espiritualidade chegam a suscitar medidas especiais que impõem aflições e dores de importância aparente a determinadas pessoas, com o objetivo de livrá-las da queda em desastres morais iminentes, quando mereçam esse amparo de exceção. Na Terra, a exata justiça apenas cerceia as manifestações de alguém, quando esse alguém compromete o equilíbrio e a segurança dos outros, na área de responsabilidade que a vida lhe demarca, deixando a cada um a regalia de agir como melhor lhe pareça. Adotaremos princípios que valham menos, perante as normas que afiançam a harmonia entre os homens?

1.6.10 Rematando as elucidações lapidares que entretecia, o irmão Félix revestira-se de um halo brilhante.

Enlevados, não encontrávamos em nós senão silêncio para significar-lhe admiração ante a sabedoria e a simplicidade.

O instrutor fitava Cláudio com simpatia, dando a entender que se dispunha a abraçá-lo paternalmente, e, receando talvez que a oportunidade escapasse, Neves, humilde e respeitoso, pediu se lhe relevasse a insistência; entretanto, solicitava fosse aclarado, ainda, um ponto dos esclarecimentos em vista.

Diante do mentor paciente, perguntou pelos promotores de guerra entre os homens. Declarara Félix que a justiça tacitamente cerceia as ações dos que ameaçam a estabilidade coletiva. Como entender a existência de governantes transitórios, erigindo-se na Terra em verdugos de nações?

Félix sintetizou, reempregando algumas das palavras de que se utilizara:

— Dissemos "cercear" no sentido de "corrigir", "restringir". Assinalamos igualmente que toda criatura vive na área de responsabilidade que a lei lhe delimita. Compreendendo-se que a responsabilidade de alguém se enquadra ao tamanho do conhecimento superior que esse alguém já adquiriu, é fácil admitir que os compromissos da consciência assumem as dimensões da autoridade que lhe foi atribuída. Uma pessoa com grandes cabedais de autoridade pode elevar extensas comunidades às culminâncias do progresso e do aprimoramento ou afundá-las em estagnação e decadência. Isso na medida exata das atitudes que tome para o bem ou para o mal. Naturalmente, governantes e administradores, em qualquer tempo, respondem pelo que fazem. Cada qual dá conta dos recursos que lhe foram confiados e da região de influência que recebeu, passando a colher, de modo automático, os bens ou os males que haja semeado.

Víamos, porém, que Félix não desejava estender-se em mais amplas considerações filosóficas. 1.6.11

Assentando no rosto a expressão de quem nos pedia transferir para depois qualquer nova interrogação, acercou-se de Cláudio, a envolvê-lo nas suaves irradiações do olhar brando e percuciente.

Estabeleceu-se ligeira e doce expectativa.

O benfeitor acusava-se emocionado. Parecia agora mentalmente distanciado no tempo. Acariciou a cabeleira daquele homem, com quem Neves e eu, no fundo, não nos afináramos assim tanto, semelhando-se médico piedoso, encorajando um doente menos simpático.

Aquele momento de comoção, entretanto, foi rápido, quase imperceptível, porque o irmão Félix retomou-nos a intimidade e comentou despretensioso:

— Quem afirmará que Cláudio amanhã não será um homem renovado para o bem, passando a educar os companheiros que o deprimem? Por que atrair contra nós a repulsão dos três, simplesmente porque se mostrem ignorantes e infelizes? E admitir-se-á, porventura, que não venhamos a necessitar uns dos outros? Existem adubos que lançam emanações extremamente desagradáveis; no entanto, asseguram a fertilidade do solo, auxiliando a planta que, a seu turno, se dispõe a auxiliar-nos.

O benfeitor esboçou o gesto de quem encerrava a conversação e lembrou-nos, gentil, o trabalho em andamento.

7

Entramos em aposento contíguo, onde encontramos jovem franzina, em dorida atitude. Sentada num dos leitos que se estiravam no quarto gracioso e limpo, refletia, torturada, permitindo-nos entrever-lhe o drama oculto.

1.7.1

O irmão Félix apresentou-a.

Tratava-se de Marita, que os donos da casa haviam perfilhado ao nascer, vinte anos antes.

Bastou uma vista de olhos para que me condoesse ao contemplá-la. Rosa humana, embora exalasse a fragrância da juventude, aquela moça, quase menina, de mãos enclavinhadas sob o queixo, matutando, parecia carregar o peso estafante de tribulações crônicas e dolorosas. Figurava-se-lhe a cabeleira ondeada lindo toucado de veludo castanho sobre a cabeça. O rosto esculpido em linhas raras, os olhos escuros contrastando com a brancura da tez, as mãos pequenas e as unhas róseas complementavam belo manequim de carne, apresentando por dentro uma criança assustada e ferida.

Tristeza maquilada. Aflição no disfarce de flor.

Obedecendo a instruções de Félix, abordei-a, enternecido, rogando-lhe, mentalmente, algo esclarecesse acerca de si própria.

1.7.2   Desde o contato com Nemésio, o benfeitor ensaiava-me, provavelmente sem querer, em novo gênero de anamnese: consultar o enfermo espiritual em pensamento, evidenciando a terna compreensão que um pai deve aos filhos, a fim de pesquisar conclusões para o trabalho assistencial.

Compelido a operar individualmente, recompus emoções.

Recobrei os sentimentos paternais que me haviam animado entre os homens e cravei o olhar indagador naquela criaturinha cismarenta, imaginando-a por filha de minha alma.

Solicitei-lhe, sem palavras, confiasse em nós, desoprimindo-se. Relacionasse, por gentileza, as suas impressões mais recuadas no tempo. Desenovelasse o passado. Reconstituísse na lembrança tudo o que soubesse de si, nada escondesse.

Propúnhamo-nos auxiliá-la. Não conseguiríamos, porém, agir ao acaso. Era imprescindível que ela se nos revelasse, arrancando à câmara da memória as cenas arquivadas desde a infância, expondo-as na tela mental para que as analisássemos, imparcialmente, de maneira a conduzir as atividades socorristas que intentaríamos desenvolver.

Marita assimilou-nos o apelo de imediato. Incapaz de explicar a si mesma a razão pela qual se via instintivamente constrangida a rememorar o pretérito, situou o impulso mental no ponto em que obtinha o fio inicial das suas recordações.

Os quadros da meninice se lhe estamparam na aura, movimentados como num filme.

Vimo-la pequenina, hesitante, nos passos primeiros.

E, enquanto desfilavam os painéis ingênuos do que lhe havia acontecido, logo após o soerguimento do berço, ela alinhavava elucidações inarticuladas, respondendo-nos às perguntas.

Sim — relembrava, supondo falar consigo —, não era filha dos Nogueiras. Dona Márcia, a esposa de Cláudio, adotara-a. Nascera de jovem suicida. Aracélia, a mãezinha que não conhecera,

Sexo e destino | 1ª Parte | Capítulo 7

fora tomada a serviço do casal, por ocasião do matrimônio daqueles que o destino lhe impusera na condição de pais. Quando Marita se entendera por gente grande, a genitora de Marina lhe dera a saber, por meio de informações pessoais, a breve história da mulher simples e pobre que a trouxera ao mundo. Recém-chegada do interior, procurando emprego humilde, Aracélia acolhera-se-lhe à moradia, encaminhada por senhora de suas relações. Era bonita, espontânea. Brincava, gostava de festas. Findos os compromissos caseiros, divertia-se. Pela ternura expansiva, granjeara amizades, passeava, dançava. Alegre e comunicativa, mas operosa e correta. Às vezes, regressava, tarde da noite, ao aposento que a família lhe destinara; de manhãzinha, porém, estava no posto. Nunca se queixava. Invariavelmente prestimosa, a desvelar-se do tanque à cozinha. À vista disso, embora os patrões não lhe estimassem as companhias pouco recomendáveis, não se sentiam com direito a lançar-lhe reproches. Dona Márcia era habitualmente precisa nas referências. Lembrava-se dela, enternecida. Por ocasião do nascimento de Marina, a filha única, fizeram-se mais amigas, mais íntimas. Aracélia desdobrara-se, junto dela, em carinho e dedicação. Contudo, justamente nessa época, verificara-se a grande mudança. A doméstica devotada engravidara, com muito padecimento físico. Por mais se esforçassem os donos da casa, instando a que se manifestasse quanto ao responsável pela situação, apenas chorava, abolindo qualquer possibilidade de se lhe tentar casamento digno. Sabia-se que, frequentando bailes a rodo, decerto se precipitara em aventuras diversas. Compadecidos, os patrões deram à jovem mãe solteira a mais ampla assistência, inclusive internando-a em estabelecimento adequado, para que a criança nascesse sob o amparo possível.

Nesse tópico das amargosas reminiscências, a menina estacou mentalmente, qual se estivesse cansada de pensar no mesmo assunto. Fora assim que ela, Marita, chegara ao mundo.

1.7.3

1.7.4   Marejaram-se-lhe os olhos de lágrimas, estabelecendo confronto entre as provações da mãezinha e as dela própria; no entanto, para não distrair a pesquisa em curso, sugeri-lhe continuasse.

Dona Márcia contara-lhe — prosseguiu no solilóquio — que, retornando a casa, mostrara-se Aracélia irremediavelmente abatida. Lágrimas incessantes, irritação, melancolia. Não valeram advertências, nem cuidados médicos. Na noite em que sorveu grande dose de formicida, conversara animadamente com a patroa, fornecendo a impressão de que se recuperava. Entretanto, pela manhã, foi achada hirta, com uma das mãos agarrada ao seu berço, como se, na última hora, não lhe quisesse dizer adeus.

Fundamente comovida, a jovem procurou, em vão, revisar o começo, interessada em relatar-nos quanto conhecia de si mesma. Certificava-se tão somente de que despertara para a vida no colo de dona Márcia, que considerara, a princípio, sua mãe verdadeira, que se ligava a Marina como se lhe fosse irmã no sangue, apegando-se a ela em todos os brincos da infância. Juntas frequentaram a escola, juntas comungaram a meninice. Partilhavam excursões e entretenimentos, alegrias e jogos. Manuseavam os mesmos livros, vestiam cores iguais.

Processava-se a análise normalmente, mas, talvez porque o tempo avançasse, o irmão Félix se despediu, alegando obrigações urgentes. Serviços na instituição pela qual se responsabilizava não lhe permitiam delongar a visita.

Asseverou, gentil, que nos hipotecava confiança. Observou, com a delicadeza do chefe que solicita em vez de mandar, que esperava por zelosa atenção de nossa parte, ao pé daquela menina inexperiente, enquanto a prestação de concurso fraterno se nos tornasse possível. Enunciando a petição, notava-se-lhe o embaraço. Compreendi que ele, Espírito superior, ali se achava por generosidade, à feição do professor destacado e enobrecido que desce de sua cátedra para alentar o ânimo de alunos detidos no alfabeto.

Ele sorriu com desapontamento, percebendo a interpretação que me assomara à cabeça, e esclareceu, discreto, que possuía fortes razões para consagrar-se à felicidade daquela casa, com entranhado afeto; entretanto, a família teimava em fugir de toda atividade religiosa ou beneficente. Ninguém, ali, se interessava pelo cultivo da oração ou do estudo. Nenhum dos quatro componentes da equipe doméstica se inclinava para o serviço ao próximo. Em face disso, não obstante amasse Cláudio com paternal solicitude, não se sentia autorizado a localizar-lhe, na residência, servidores sob sua orientação, sem objetivos sérios que lhe fundamentassem a atitude. 1.7.5

Não lhe sendo lícito assim proceder, satisfazendo a mero capricho, reconhecia-se impelido a comparecer sob aquele teto exclusivamente de quando em quando ou rogar a colaboração de amigos itinerantes.

Neves e eu, pesarosos ao vê-lo partir, destacamos nossas deficiências, mas prometemos boa vontade. Permaneceríamos de sentinela e, se alguma eventualidade ocorresse, apelaríamos na direção dele.

Félix sorriu e informou que Amaro, o enfermeiro de Beatriz, e cooperadores diversos operavam nas cercanias. Todos dedicados, amigos, prontos a auxiliar, mesmo sem qualquer obrigação para isso. Otimista, acrescentou que, na hipótese de necessidade, o pensamento preocupado funcionar-nos-ia por sinal de alarme.

Achamo-nos a sós, em serviço.

Findo o ligeiro intervalo, retomamos a análise em curso. Observei que Neves se esmerava, mais atentamente, em ser útil.

Marita, que se alheara das próprias reminiscências por instante rápido, voltou, automaticamente, a memorizar, expondo-nos à vista as telas do passado próximo, que lhe eram abordáveis ao conhecimento.

1.7.6 Mergulhada na imaginação, qual se devaneasse, em conta própria, surpreendia-se mentalmente no regaço materno ou colada à irmãzinha, na segurança inocente de quem se supunha plenamente ajustada ao quadro familiar. Revia Cláudio a sustê-la nos braços por flor tenra desabotoada num tronco juvenil, transmitindo-lhe a impressão de pai legítimo.

Oh! a felicidade fugidia da infância!... As doces convicções dos dias primeiros! Como suspirava pelo retrocesso do tempo para dormir na simplicidade!

Súbito, confrangeu-se-lhe a alma, como se implacável bisturi lhe retalhasse os nervos. Vimo-la cair numa explosão de lágrimas. Coloriu-se-lhe na mente a festa distante que lhe havia comemorado o término do primeiro curso escolar, nove anos antes. Detinha-se no instituto garrido, nos adeuses aos colegas, nas palavras de saudação e reconhecimento que proferira, feliz, diante dos mestres e nos beijos que recebera sobre os cabelos a se lhe derramarem nos ombros. Depois... em casa, o olhar diferente de dona Márcia, no aposento à porta fechada.

Iniciara-se-lhe, desde então, o conflito da vida inteira. A revelação inesperada ferira-lhe o espírito à maneira de pedra contundente. Esvaecera-se-lhe, de improviso, a alegria infantil. Sentira-se criatura humana adulta, amadurecida e sofredora, de um momento para outro. Não era filha da casa. Era órfã, adotada pelos corações queridos, os quais amava tanto, julgando pertencer-lhes. Isso lhe arrebentara o coração. Pela primeira vez, chorara com medo de enlaçar-se àquela a cujo peito se albergava, até ali, nas horas difíceis, como se se aninhasse no refúgio maternal. Sentia-se machucada, sozinha. Dona Márcia, diligenciando esclarecer com evidente bondade, explicava, explicava. Ela, até então menina estouvada e risonha, repentinamente torturada, ouvia, ouvia.

Sexo e destino | 1ª Parte | Capítulo 7

Ansiava perguntar o porquê de tudo aquilo, mas a voz calara-se-lhe na garganta. Era preciso aceitar a verdade, conformar-se, sofrer. Esforçara-se a mãe adotiva por diluir a amargura da notificação no bálsamo do carinho, mas não se esquecera de lhe dizer em tom conselheiral: "você deve crescer sabendo tudo, melhor saber hoje que amanhã; filhos adotivos, quando crescem ignorando a verdade, costumam trazer enormes complicações, principalmente quando ouvem esclarecimentos de outras pessoas", e acrescentara, diante do silêncio em que ela afogava as próprias lágrimas: "não chore, estou apenas explicando; você sabe que criamos você por filha, mas é necessário que conheça a realidade toda; adotamos você, lembrando Aracélia, tão amiga, tão boa."

E os informes foram imediatamente complementados com 1.7.7 a exibição de fotografias e relíquias da genitora suicida, arrancadas de pequena caixa de madeira que dona Márcia trouxera.

Espantada, revirara nervosamente nas mãos aqueles retratos e adereços de moça pobre. Sensibilizara-se ao ver os colares de fantasia, os anéis de plaquê. Era tudo quanto restava daquela mãe que desconhecia. Contemplou a imagem dela nas fotos que o tempo amarelecera e experimentou profunda e indizível atração por aqueles olhos grandes e tristes que pareciam arrebatá-la do quarto para um mundo diferente.

Não amadurecera, porém, o raciocínio para pensar nas angústias daquela mulher que o sofrimento abatera. A reflexão acerca da mãezinha desencarnada durara um momento só. Achava-se melindrada em demasia para deslocar-se facilmente da sua dor. Ouvira dona Márcia, ao despedir-se, arrecadando aqueles ternos vestígios do passado, sem prestar-lhe maior atenção. Aquelas palavras: "adotamos você, lembrando Aracélia, tão amiga, tão boa", percutiam-lhe na cabeça.

Então, era assim que a despachavam para a estação da orfandade em que lhe competia viver? E os beijos do lar que admitia lhe pertencerem? E os mimos domésticos que julgava partilhar com Marina em partes e direitos iguais?

1.7.8 Figurara-se-lhe dona Márcia decididamente empenhada em falar-lhe sem a menor manifestação do efusivo amor que lhe caracterizava os gestos de outras horas. Demonstrara-lhe carinho, sem dúvida, mas racionava os afagos, qual se quisesse traçar, dali em diante, severa fronteira entre ela e a família. Imaginava-se, por isso, esbulhada, ferida. Fora simplesmente albergada, tolerada, enganada. Não era filha, era órfã.

A inteligência precoce compreendia toda a situação, conquanto não conseguisse inclinar-se, naquele dia, a qualquer agradecimento pela compaixão de que se reconhecia objeto, assaltada qual se achava pelo orgulho infantil.

Em seguida a pausa rápida no curso das comovedoras reminiscências, Marita desdobrou-nos à vista uma cena enternecedora e inesquecível.

De minha parte, nunca registrara uma dor de criança assim tão funda.

Ah! sim, aquele fato nunca mais se lhe desvinculara da memória. Quando a esposa de Cláudio a deixou em pranto desconsolado, viu a cadelinha da casa, magra e anônima, que Marina, semanas antes, recolhera na rua. O animalzinho abeirara-se dela como se lhe aderisse à mágoa, lambendo-lhe as mãos. Marita, por sua vez, retribuíra-lhe a carícia, qual se lhe transferisse toda a carga de amor que acreditava lhe fora restituída naquele instante, por dona Márcia, e, chorando, abraçou-se à cachorrinha afetuosa, gritando num desabafo: "ah! Joia, não é só você que foi enjeitada! eu também..."

Desde esse dia, transfigurara-se-lhe a vida. Perdera, de todo, a espontaneidade.

A partir da revelação que não mais se lhe desencravou do cérebro, conjeturava-se diminuída, lesada, dependente.

Semelhante suplício moral, que adquirira aos 11 de idade, 1.7.9
atenuava-se tão somente pela dedicação incessante do pai adotivo que se lhe confirmava mais terno à medida que dona Márcia e a filha se lhe afastavam da comunhão espiritual.

Era sozinha em assuntos de seu sexo.

Mãe e filha empenhavam-se, deliberadamente, na abstenção de qualquer parecer, quando se tratasse das incertezas dela na escolha de figurinos. Deixavam-na à revelia de qualquer assistência nos cuidados que uma jovem deve a si mesma, embora dona Márcia, de quando em quando, a escutasse, com ternura maternal, em tudo o que se referia às suas indagações de menina e mulher, necessitada de instrução para a vida íntima.

Quando sobrevinha a possibilidade do intercâmbio afetuoso, certificava-se de que a esposa de Cláudio possuía vasto patrimônio de compreensão e carinho, abafado sob o peso de conveniências e convenções, semelhando tesouro enterrado nas raízes de sólido espinheiro.

Aproveitava-se dessas horas de efusão entre ambas, exibindo-lhe todas as dúvidas e perplexidades que se lhe estacavam na imaginação, aguardando a brecha propícia.

Dona Márcia afigurava-se largar distâncias e respondia-lhe entre beijos, demonstrando vivamente que o lume da dedicação e da confiança de outros tempos não se lhe arrefecera no coração. Sorria, encantava-se. Expandia-se-lhe a meiguice maternal em apontamentos sábios e doces. Suprimia em Marita a insipiência no trato com os problemas começantes da vida feminina, dando-lhe a impressão de haver reencontrado a mãezinha, que acreditara possuir ao pé do berço, quando aquelas mãos belas e finas, agora distanciadas, lhe afagavam a cabeleira.

Entretanto, o momento luminoso escoava-se rápido.

Marina chegava e turvava-se o ambiente.

1.7.10   Assistia, espantada, à transformação que se operava de improviso. A interlocutora comprazia-se num espetáculo de personalidade dúplice.

Ocultava-se a mãezinha espiritual, afável e acolhedora, e aparecia dona Márcia, avalentoada e cortês, na atmosfera psíquica.

Inventava, de repente, alguma atividade em aposento vizinho, dava-lhe incumbências a distância, a fim de apartá-la. Assumia ares diferentes. Queixava-se subitamente de dores que, até então, jaziam ignoradas.

Ante a reviravolta, analisava o reverso do quadro.

Ambas, unidas, completavam-se em pequeninas torpezas para deprimi-la, humilhá-la. Diminuta mancha no vestuário constituía razão para sarcasmo; ligeira indisposição orgânica atraía-lhe complicada série de admoestações jocosas e indiscretas. Concediam-lhe, raramente, a honra da companhia para compras no centro. E se as casas comerciais visitadas não dispunham, eventualmente, de recursos mobilizáveis na entrega de encomendas, não se pejavam, mãe e filha, de carregá-la com pacotes diversos, exercitando crueldade risonha nos pejorativos com que lhe agravavam o constrangimento e a subalternidade.

Dona Márcia e Marina, juntas, à frente dela, significavam provação inqualificável que lhe competia aguentar em silêncio. Nesses instantes, sentia o coração descompassado, em desconforto indizível, como se estivesse encantoada num teste de tolerância e paciência perante examinadores que lhe avaliavam as reações, entre o chiste e a impiedade.

Cedo percebeu que a irmã, filha única, não abriria mão de ínfima parcela dos mimos caseiros de que se supunha senhora.

Dominado o segredo da origem de Marita, Marina modificara a conduta para com a irmã adotiva. Tramava motivos para biografá-la nas conversações com as amigas, suprimindo, previamente, quaisquer dúvidas, suscetíveis de ocorrer, com relação às duas no meio social. Criticava-lhe os gostos, as atitudes. E a genitora não fazia mistério na tomada de posição.

Em separado, não vacilava ceder-lhe a ternura que vinha do passado, enriquecida talvez pela compaixão que ela, moça pobre, inspirava no presente. Isso, porém, exacerbava-lhe a secura. Ansiava repouso em dedicações estáveis. Pesava-lhe a solidão, sem qualquer parente consanguíneo que lhe disputasse os vínculos da amizade. Mensagens aos familiares de Aracélia nunca mereceram resposta. Informações procedentes da remota cidade em que sua mãe nascera inteiraram-na, por fim, de que todos eles haviam demandado outras regiões do país, apetecendo melhor sorte. 1.7.11

Retinha suficiente autocrítica e discernia a situação. Estava só.

Marita, que conjeturava reaver lembranças por impulso deliberado, franqueou o propósito de recrear-se para dar conta de si, como quem se propõe alijar, por momentos, a carga que transporta, a fim de interrogar-se quanto aos empeços do caminho.

Afrouxamos, com naturalidade, a observação aguda com que lhe acompanhávamos a exposição silenciosa.

Aliviada, indagou de si mesma se não fora o insulamento a causa de exagerar tão cedo a necessidade de companhias diferentes das que lhe traçavam no lar o estreito círculo de provas.

Encerrada nos pensamentos que lhe armavam as fantasias e receando exteriorizá-los, pelo temor do ridículo, recorrera à evasão.

Ave cansada pelo exercício prematuro das próprias asas, inquiria por que se lhe recusara alimento afetivo no ninho, onde conseguira distendê-las.

Antes, porém, que se acomodasse em algum esconderijo da mente, para fixar-se em contristações inúteis, solicitamo-la a que viesse, por gentileza, em apoio da análise que empreendíamos, no intuito de auxiliá-la e protegê-la.

1.7.12   Docilmente, retomou as elucidações interrompidas, relacionando os primeiros dias de atividade na profissão de comerciária a que se afizera.

As rememorações externaram-se em jorro.

Entremostrou-nos o movimentado estabelecimento comercial em que Cláudio lhe obtivera a função de balconista. Pequeno mundo da preferência feminina. Bijuterias, perfumes, tecidos leves, roupas feitas.

No dia imediato àquele em que o pai adotivo lhe trouxera da rua um bolo enfeitado com 17 rosas pequenas, para comemorar-lhe o aniversário, entrara em serviço.

De começo, tudo hesitação e novidade.

Vira-se, depois, atirada aos embates do sentimento. Ligações novas, ideias renovadas.

Aliciara relações confortadoras, expandiram-se-lhe os interesses, permutava confidências, conquistava simpatias.

A imaginação agora se lhe excitava em descontrole, sugerindo-lhe adornar-se com esmero, de modo a se destacar diante do herói que lhe viria, decerto, governar o império emotivo, oferecendo-lhe um lar, pedaço de paraíso em que pudesse anestesiar o coração, desoprimir-se e achar a felicidade.

Menina bisonha, circunscrevia, até então, todos os conhecimentos, em matéria de amor, aos romances em que cinderelas anônimas acabavam em deslumbramento, nos braços de príncipes que as arrancavam da obscuridade para a glória. Entusiasmava-se com novelas e filmes que terminassem pelo altruísmo coroado ou pelas supremas aspirações humanas convenientemente atendidas.

O destino, entretanto, escarnecera-lhe da inocência.

Comparava o contato da vida prática a podão[13] implacável que lhe talara todas as flores do jardim de sonhos juvenis.

---

[13] N.E.: Variedade de foice muito afiada.

A princípio, a desilusão conturbara-lhe o ânimo, por causa de um colega que a obsequiava, repetidamente, com entradas de cinema. Conhecia-lhe a noiva, professora jovem e distinta que se lhe afeiçoara ao convívio.

1.7.13

Que mal em se verem juntos para uma fita simpática, de quando em vez? Iniciaram-se os momentinhos de encontro fraterno. Intimidade dos minutos propícios. Copacabana, aqui e ali. Um cafezinho de bar, nas horas de vento frio, um sorvete na praia, quando o calor vinha forte. Mera camaradagem. Amiguinho, fazendo o papel do irmão que não tivera.

Veio, porém, a noite em que ele se apresentou transtornado. Chegara sem a noiva, que se dirigira a Petrópolis. Acontecimento natural, conquanto raro. Nada prenunciava sucessos desagradáveis, nenhum motivo de inquietação.

Conversaram, pacificamente, nas areias do Leme. A Lua nascia plena, inspirando-lhes pensamentos mansos e alegres, enquanto se expunham ao sopro refrigerante do mar.

O trabalho na loja fora banho de suor copioso, no dia cálido.

Falavam acerca de freguesas apressadas, mencionando clientes ásperos. Riam-se, despreocupados, ao jeito de colegiais no intervalo das lições.

Ele, no entanto, começou o inesperado, reportando-se a medidas. A fita métrica, a seu parecer, não satisfazia, de todo, em casos determinados de atendimento. Necessária a adoção de recursos psicológicos para tranquilizar compradores inquietos, quando se interessassem simplesmente por fragmentos de rendas ou passamanes.

Nisso, pediu-lhe a mão pequena para confrontá-la com a dele e, respondendo, espalmara a destra sem qualquer prevenção.

Assustou-se, ao sentir-lhe a mão hirsuta e máscula comprimindo-lhe os dedos.

1.7.14   Intentou desvencilhar-se. O rapaz, contudo, fez-se claro nos propósitos infelizes. Puxou-a, num gesto brusco, de encontro ao peito, gaguejando declarações.

Na vertigem da pessoa atingida pelos efeitos de um raio, em momento de céu aparentemente azul, quis gritar, reclamar socorro, mas o sangue turbilhonava-lhe na cabeça.

Impetuosamente submetida àqueles lábios que se colavam aos dela, desfaleceu por segundos.

O hálito sedutor do primeiro homem que a retinha, submissa, destilava o magnetismo da serpente quando hipnotiza o pássaro confiante.

O desmaio, no entanto, durara um instante só. A profunda e invencível reação da feminilidade unida à consciência surdiu rápida. A noção de responsabilidade relampagueou-lhe no raciocínio. Bastou isso e o impulso sexual esmoreceu, neutralizado. Ideou a imagem da amiga ausente, compreendeu todo o perigo a que se expunha.

Aspirava, sim, a ser mulher de um homem, companheira de alguém que lhe fosse companheiro. Compenetrava-se, com humildade, da sua condição de criatura humana, moça sequiosa de afeto, prelibando emoções da maternidade, mas não concordaria com o próprio aviltamento em deslealdade ou devassidão.

Apelou para todas as energias de que se reconhecia capaz e, tocada de súbita resistência, arrojou longe o perseguidor que lhe pressionava o busto tremente.

Desembaraçada, o pranto explodiu-lhe quente e doloroso.

Interpelações da alma sincera estouraram contundentes e francas.

Onde os compromissos do noivado? Que fazia da jovem correta que lhe empenhara o destino? Trazia, assim, o coração rolando tão baixo? Não possuía, acaso, mãe e irmãs, para as quais exigia valimento e respeito?

Lívido e atarantado, o colega escusou-se, asseverando, impudente, que não a supunha meninota antiquada.

Estava comprometido, noivo há meses, no entanto — sublinhou, cínico —, a seu modo de ver, era muito natural que ele e ela, Marita, ainda jovens, desfrutassem o tempo, acrescentando, ainda, em sua filosofia desabusada, que todo viajante consciente, embora conheça o caminho certo, é livre para saborear os frutos que pendam de plantas erguidas à margem.

Zombou-lhe das lágrimas e retirou-se, gargalhando, sarcástico, para depois hostilizá-la em serviço.

Ocorreram outros impedimentos e tentações.

O sobrinho do chefe, bonito rapagão recém-casado, insinuara-se, começando por um presente de aniversário e terminando por solicitar-lhe colaboração no escritório, onde pretendeu arrancar-lhe atitudes inconfessáveis. Angariara inimigo novo e amargara preterições.

Enquanto isso, observava que Marina se alterara sensivelmente. Favorecida pelo devotamento materno, alcançara diploma de contadora, situando-se com manifestas vantagens. E, decerto pelo motivo de ganhar expressivas somas na profissão, sustinha, desajuizadamente, prodigalidades e excessos. Figurinistas de prol, penteados extravagantes, bebedeiras e tafulices.

Nesse ponto das confidências mudas, o vulto de um jovem raiou nítido. Ao estampá-lo na paisagem dos mais recônditos pensamentos, transfigurou-se a castigada criança.

Desanuviou-se-lhe o firmamento íntimo. Queixas arredadas, apreensões esquecidas.

Clareou-se a aura de tal modo, ao refletir o rapaz, que o fenômeno induzia às mais belas apreciações do entusiasmo poético. Vaso pensante que incorpora o privilégio de esculpir-se e alindar-se, à vontade, para encerrar a flor predileta. Lago consciente, mantendo a faculdade de esconder, de inopino, todos os

1.7.15

detritos de suas águas, metamorfoseando-se em espelho suave e cristalino para retratar uma estrela.

1.7.16   Marita amava o escolhido com a firmeza da árvore que se levanta sobre a raiz principal de apoio, com a abnegação das mães que preferem morrer, felizes no sacrifício extremo, se for essa a condição para que os filhos queridos logrem viver.

Enlevado com o painel, que se configurava qual retábulo[14] vivo, incutindo respeito religioso, interroguei-me quanto ao lugar onde teria visto quadro idêntico: jovem mulher plasmando aquele rosto no campo mental.

Vasculhei a memória e identifiquei-o. Era o adolescente cujo semblante repontava dos pensamentos de Marina, senhoreando-lhe o coração, de parceria com Nemésio.

Ambas as meninas jaziam espiritualmente imanadas a ele por laços idênticos. Cruzavam-se-lhes as preferências, sócias de análogo destino.

Relanceei o olhar sobre Neves, que me espreitava atento, exercitando-se em serviço de análise psíquica, percebendo-lhe a face transida de mágoa.

Bastou recolher-me o sinal e aproximou-se impulsivo, segredando-me transtornado:

— Ainda não nos entendemos devidamente. Sabe você quem é este? É meu neto, Gilberto, filho de Beatriz...

Articulei breve aceno, rogando-lhe aguardar ensejo que fosse vantajoso à conversação, e graduei, dentro de mim, os efeitos do impacto emocional. Eu, que me abeirara daquela atormentada criança, imaginando-me na posição de um pai socorrendo uma filha, sopitei, a custo, o espanto que me assaltava, para não tresmalhar-me na inconveniência da compaixão destrutiva.

---

[14] N.E.: Estrutura ornamental em pedra ou talha de madeira que se eleva na parte posterior de um altar.

Não sabia de que modo o pesar me doía mais, se ao refletir 1.7.17
em Marina, a dividir-se entre pai e filho, ou se ao concentrar a
atenção naquela moça triste, profundamente lesada nos tesouros
do sentimento.

    Estanquei no íntimo as impressões que me sensibilizavam
e prossegui, pesquisa adiante.

    A muda confissão da jovem avançou em reminiscências
vivas e francas.

    Conhecera Gilberto, precisamente há seis meses, no gabinete
do chefe. Ela prestava informações de serviço, ele representava os
interesses do próprio pai, em negócios alusivos à venda de imóveis.

    Com que deslumbramento lhe recebera os primeiros olhares afetuosos e indagadores! Elos de intensa afinidade passaram, desde então, a jungi-los um ao outro, sem que lhe fosse possível justificar a sede crescente de comunhão que a dominava.

    Para surpresa maior, na excursão inicial que lhes precedera a série de passeios e entretenimentos felizes, soubera, satisfeita, que Marina, recentemente empregada, se fizera contadora da firma em que o genitor dele se destacava como a figura mais importante.

    Riram-se da coincidência com a ingenuidade de duas crianças.

    Marita confiara-se a ele integralmente. Amava-o, sentia-
-se amada.

    Desde que se lhe apoiara ao braço, pronto a enlaçá-la e protegê-la, mais vastos horizontes se lhe descerraram à alma. Tolerava as alfinetadas do cotidiano, transformando-as em notas de perdão e alegria. A Natureza desvendava-lhe encantos novos. Admitia que outra luz se lhe acendera nos olhos, permitindo-lhe descobrir a beleza do mar; detinha, sem explicá-la, certa música nos ouvidos para assinalar, contente e embevecida, as ternas arengas das crianças e as vozes dos passarinhos. Desligara-se do calvário doméstico; o tempo voava, doce, ao coração. O amor correspondido anestesiara-lhe a sensibilidade. Nenhum peso a carregar, nenhuma noção de sacrifício.

1.7.18 Dera-se a Gilberto, copiando a passividade da planta que se rende ao cultivador, da fonte que se entrega ao sedento.

O filho de Nemésio Torres prometera-lhe casamento. Falava do futuro risonho, suscitava-lhe sonhos de maternidade e ventura. Para fazê-la integralmente feliz, apenas aguardava a melhoria econômica que adivinhava perto.

Apesar de tudo, tinha agora o coração farpeado, abatido. Convencia-se de que Gilberto se enfastiara, que ambos, precipitados à fome de prazer, haviam colhido, antes do tempo, a flor da felicidade que parecia frustrada.

Marina adiantara-se. Sempre Marina...

Na véspera, surpreendera a irmã e Gilberto num colóquio que não deixava dúvidas. Ouvira-lhes a conversação impregnada de ternura ardente, sem ser pressentida.

Nesse ponto das lembranças amargas, ao modo de ave repentinamente ferida, estirou o corpo desgovernado, abandonando-se a lágrimas convulsas.

8

Rematara os apontamentos que me propunha alinhar, e, reconhecendo que a paciente chorava, em prostração, visivelmente distanciada do exame que me fora permitido desenvolver, Neves perguntou se podíamos trocar entendimento rápido.

— Como não?

— André — inquiriu ele, sem ocultar a perplexidade —, que vem a ser isto, meu amigo? Você percebeu? Meu neto, o moço é meu neto!... Onde estamos? Quatro criaturas enoveladas... Mulher entre pai e filho, um rapaz entre duas irmãs... Ignorava o que vemos. Há dias, tento confortar minha pobre Beatriz, só isso. Não fazia a menor ideia das perturbações que a rodeiam... Ah! meu amigo, como pai, estaria agora mais consolado se a visse agonizando numa casa de loucos!...

E apontando Marita:

— Esta moça disse a verdade toda?

— Neves — acentuei —, você não desconhece que determinado grupo familiar se define como um engenho constituído de peças diferentes, embora ajustadas entre si para a função que lhe cabe. Cada um daqueles que o integram é parte das realidades que se entrosam no conjunto. Marita foi sincera. Expôs o que sabe. Ela é um pedaço da verdade que procuramos. Para descobrir o que você conceitua por "verdade toda", é inevitável consultar as pessoas que ela hospeda no mundo íntimo.

1.8.2 O amigo debuxou o leve sorriso de quem reúne compreensão e conformidade.

Arrojando-se, porém, ao desconforto com que supunha reverenciar a justiça, lastimou-se, áspero:

— Imagine você! Gilberto! Um menino... Se o pai auxiliasse... mas Nemésio é um caso de manicômio. Não tem jeito... Olhou, compadecido, para a moça em pranto e salientou:

— Veja esta menina. Correta, fiel... Submeteu-se confiante. Que culpa no vaso de porcelana violentamente destampado por um animal? E esse animal é um garoto que eu amo tanto!... Ela poderia ser a esposa que idealiza, mãe digna, dona de casa para um homem de bem... No entanto, lá se vai Gilberto, embeiçado por uma pinoia.[15] Marina e Marita... Incrível hajam crescido sob o mesmo teto! São irmãs adotivas, como acontece à serpente e à pomba...

Diante da pausa curta, não me fiz tardio nas ponderações.

Investi-me, indebitamente, na posição de conselheiro fortuito e roguei ao companheiro asserenar-se.

Achávamo-nos ali para emendar, proteger, realizar o melhor. Certo, o bem suscetível de ser plantado, naquele grupo, redundaria em socorro a Beatriz. Colocássemos nela o pensamento. A irritação lhe avinagraria o ânimo e ele, Neves, de sentimento azedado, lançaria sobre a filha ingredientes fluídicos de índole negativa, arruinando-lhe as forças.

Paciência e atividade fraterna servir-nos-iam de apoio.

Além do mais, não conseguiríamos precisar até quando perdurariam os sofrimentos físicos da esposa de Nemésio. É

---

[15] N.E.: Embeiçado por uma pinoia – enamorado por uma mulher de vida leviana.

justo prever, calcular. Entretanto, poderiam ocorrer determinações superiores, recomendando lhe fosse prolongado o prazo de estada na Terra. Nada impossível viesse a continuar adstrita ao corpo carnal, relativamente melhorada, por meses, anos talvez, conquanto os prognósticos enunciassem a desencarnação para breve. Mas e se acontecesse o inverso? Exasperação ou desânimo, de nosso lado, marcariam o término das possibilidades de cooperação. Os supervisores que nos dirigiam, não obstante compassivos e prestimosos, remover-nos-iam da cabeceira da doente, sem a menor dificuldade. Contavam com recursos para localizar-nos em tarefas, até mesmo mais suaves e mais reconfortantes, em outra parte, como quem nos agaloava em serviço. Agiriam, assim, em proveito da própria doente, impedindo os prejuízos que lhe pudéssemos acarretar com qualquer carga de vibrações desconcertantes.

Neves tolerou o aviso com paciência. 1.8.3

Acabou rogando compreensão. Retirara-se do convívio familiar, por longo tempo — justificou-se —, a fim de adestrar-se em cordura e desprendimento. Regressando, no entanto, ao abrigo doméstico, topava, a cada instante, em si mesmo, o homem que fora. Comodista, agarrado às raízes consanguíneas, absorvido no bem-estar dos que reputava como flores no tronco do coração. Sabia-se em prova árdua. Acusava-se analisado, esquadrinhado, sopesado, na própria assimilação dos princípios de caridade e indulgência que passara a ministrar, sob o influxo dos mentores sábios e amigos que lhe haviam descerrado a porta das escolas de aperfeiçoamento nas esferas superiores.

Ao jeito de qualquer pessoa terrestre, encerrando consigo méritos e falhas, declarou-se disposto a dominar-se, e, impelindo-nos a recordar antigos condiscípulos da fase juvenil, quando encorajados e vacilantes ao mesmo tempo na solução dos problemas de autocontrole, solicitou-nos colaboração a fim de que se mantivesse calado, tanto quanto possível, na presença dos instrutores.

1.8.4 A submissão do companheiro dava para comover. Acreditava-se temporariamente perturbado, acentuou humilde. Partilhava as agruras da filha. Voltara instintivamente à agressividade e à extroversão que lhe marcavam o temperamento no passado; entretanto, comprometia-se à revisão de atitudes.

Apesar disso, que lhe relevássemos qualquer desabafo inconveniente, quando nos demorássemos a sós. Sempre chegava o momento em que ele, por mais aplicado ao burilamento íntimo, sentia que as excitações, longamente acumuladas, lhe pesavam no espírito, qual nuvem de gases comburentes. Desinibia-se ou dementava-se, ao modo de alguém que carregasse bombas estourando no próprio peito.

Fi-lo sossegar-se. Não precisava vexar-se daquela maneira. Entendia tudo perfeitamente. De nossa parte, não apresentávamos qualquer traço de superioridade. Também nós, criatura humana desencarnada, conhecíamos de sobra os lances da batalha interior, em que o adversário somos sempre nós mesmos, na arena das qualidades inferiores que nos tocam sublimar.

Desaconselhável, porém, prosseguir conversando à margem do serviço.

A frágil menina desoprimia-se, em pranto. Choro vozeado, não obstante discreto. Soluços.

Dispúnhamo-nos a intervir, quando sucedeu o inesperado.

Cláudio batia, de leve, à porta, decerto incomodado pelo som lastimoso daqueles gemidos que Marita, em vão, buscava reprimir.

Respiramos confortados.

Indubitavelmente, o inquieto coração paternal vinha ao encontro da moça desfalecente, ansiando soerguer-lhe as energias, e, nós próprios, por meio de estímulos magnéticos, insistimos com ela para que atendesse.

Sexo e destino | 1ª Parte | Capítulo 8

Empregando vontade e forças para vencer a crise de lágri- 1.8.5
mas, a jovem anuiu aos nossos apelos e cambaleou, desaferro-
lhando a passagem.

Cláudio entrou, mas não vinha só. Um daqueles dois companheiros desencarnados que lhe alteravam a personalidade, justamente o que se abeirara dele, em primeiro lugar, para o trago
de uísque, enrodilhava-se-lhe ao corpo.

O verbo enrodilhar-se, na linguagem humana, figura-se o
mais adequado à definição daquela ocorrência de possessão partilhada que se nos apresentava ao exame, conquanto não expri-
ma, com exatidão, todo o processo de enrolamento fluídico em
que se imantavam. E afirmamos "possessão partilhada", porque,
efetivamente, ali, um aspirava ardentemente aos objetivos desonestos do outro, completando-se, euforicamente, na divisão da
responsabilidade em cotas iguais.

Qual acontecera no instante em que bebiam juntos, forne-
ciam a impressão de dois seres num corpo só.

Em determinados momentos, o obsessor afastava-se do
companheiro, à distância de centímetros; contudo, sempre a enlaçá-lo, copiando gestos de felino, interessado em não perder o
contato da vítima. Achavam-se, entretanto, irrestritamente con-
jugados em vinculação recíproca.

Isso conferia ao semblante de Cláudio expressão diferente.
O hipnotizador, cuja visão espiritual não nos atingia, senhoreava-
-lhe sentimentos e ideias, enquanto ele se deixava prazerosamente
senhorear. O olhar obediente adquirira a turvação característica
dos alucinados. O recém-chegado transfigurara-se. Estranho sorriso franzia-lhe a boca. Diante das percepções limitadas de Marita, era ele um homem comum; no entanto, à nossa frente, valia
por duas personalidades masculinas numa só representação. Dois
Espíritos exteriorizando impulsos aviltados, complementando
paixões idênticas na mesma tônica da afinidade total.

1.8.6 Neves fitou-me espantado. Mas não era só ele, menos experiente, que jazia transido, amarrotado. Nós também, acostumados, no plano espiritual, aos embates do sentimento, alimentávamos aflitivas apreensões.

Aquele quarto, dantes povoado pelos devaneios doridos de uma criança, metamorfoseara-se em jaula, onde Cláudio e o vampirizador, singularmente brutalizados pelo desejo infeliz, constituíam juntos uma fera astuciosa, calculando o caminho mais fácil de alcançar a presa.

Um clarividente reencarnado que contemplasse o dono da casa, naquela hora, vê-lo-ia noutra máscara fisionômica.

A incorporação medianímica, espontânea e consciente, positivava-se em plenitude selvagem. O fenômeno da comunhão entre duas inteligências — uma delas, encarnada, e a outra, desencarnada —, levantava-se franco; ainda assim, desdobrava-se tão agreste quanto o furacão ou a maré, que se expressam por forças ainda desgovernadas da Natureza terrestre, não obstante a ocorrência, do ponto de vista humano, efetivar-se na suposta mudez do plano mental.

Para nós, porém, não se instituíam apenas as formas-pensamento, dando conta das intenções libertinas da dupla animalizada, com estruturas, cores, ruídos e movimentos correlatos; amedrontava-nos igualmente escutar as vozes de ambos, em diálogo, claramente perceptível.

As palavras escapavam do crânio de Cláudio, aparentemente silencioso para a filha adotiva, qual se a cabeça dele estivesse transfigurada numa caixa acústica de aparelho radiofônico.

Magnetizador e magnetizado denotavam sensualidade do mesmo nível.

Refletindo na corrida à garrafa, momentos antes, avaliávamos o perigo aberto à menina indefesa. A diferença, ali, é que Cláudio ainda encontrava recursos a fim de parlamentar, dentro da hipnose — hipnose que ele, aliás, amimalhava.

Discorria o obsessor, comovendo-o, no intuito patente de arruinar-lhe os restos do escrúpulo, por meio da emoção: 1.8.7

— Agora, agora sim!... O amor, Cláudio, é isto... esperar, por vezes, anos a fio, para dominar a felicidade num simples minuto. Existem mulheres aos milhões; entretanto, esta é a única. A única que nos poderá, enfim, aplacar a sede. Pontos de apoio alongam-se em toda parte, mas o pássaro viaja, léguas e léguas, suspirando por descansar na penugem do próprio ninho... Na fome física, todo alimento serve, mas no amor... No amor, a felicidade é semelhante ao aro de que o homem possui a metade e a mulher detém a outra. Para que a euforia vibre perfeita no círculo, é imperioso que as metades sejam da mesma substância. Ninguém alcança a fusão de um pedaço de ouro com um pedaço de madeira. Paganini tocou numa corda só; entretanto, a corda se harmonizava com ele. Jamais arrancaria no mundo o menor sinal do próprio gênio, se apenas dispusesse para o violino das cordas de cânhamo, ainda mesmo que essas cordas o desafiassem a toneladas. Cada homem, Cláudio, para realizar-se nos domínios da vitalidade e da alegria, há de encontrar a mulher magnética que lhe corresponde, companheira na afinidade absoluta, capaz de lhe oferecer a plenitude interior, que transcenda convenções e formas...[16]

Pausava-se a voz, por segundos, para continuar, suplicante, proclamando sofismas arguciosos:

— Vamos! Marita é nossa, nossa!... Somos homens sequiosos, sofredores... Apiedamo-nos de enfermos abandonados, administrando-lhes remédio seguro; somos o apoio certo de mendigos que tropeçam às tontas... Acaso, mereceremos

---

[16] Nota do autor espiritual: Compreendemos o caráter negativo da linguagem do Espírito desencarnado, quando em deploráveis condições de ignorância, mas acreditamos seja nossa obrigação consigná-la, nestas páginas, ainda mesmo esbatida qual se encontra, prevenindo criaturas sensíveis e afetuosas, que, às vezes, abdicam impensadamente do próprio raciocínio, arrojando-se em profundo sofrimento moral, em nome do coração.

simpatia menor? Os que enlouquecem, esfaimados de ternura, serão piores do que os infelizes a se estirarem na rua por falta de pão? Você, Cláudio, tem amargado angustiosa carência. Um pedinte na praça não tem leve pitada de suas aflições. De que valem vencimentos fartos e experiências de lupanar, quando o amor verdadeiro grita insatisfeito na carne? Você vive no lar, à moda de cão na sarjeta. Escoiceado, ferido... Marita é a compensação. O cultivador, porventura, não tem direito ao fruto que amadurece? Você abrigou esta menina nos braços, embalou-a no peito, viu-lhe o crescimento, como quem acompanha a evolução da flor que desabrocha, e acabou descobrindo nela o seu tipo. Não estará você cansado de vê-la e desejá-la ardentemente, todos os dias, resignando-se ao suplício da distância, vivendo tão perto?

1.8.8   — Criei-a, no entanto, como minha própria filha... — suspirou Cláudio, crendo falar para si mesmo.

— Filha? — insistiu o sedutor. — Mero artifício social. Apenas mulher. E quem assegurará que ela também não espera por seu beijo com a sede da corça presa ao pé da fonte? Você não é nenhum neófito;[17] sabe que toda mulher estima render-se, em trabalhosa porfia.

Conjeturando-se dividido mentalmente em duas personalidades distintas, a de pai e a de enamorado, Cláudio argumentou, desencorajando-se.

Não desconhecia que a moça já se revelara. Elegera Gilberto, o rapaz com quem se dava a passeios frequentes. Era impossível que o amasse, a ele, Cláudio, em segredo. Não alentava dúvidas. Ciumento, acompanhara-os, discretamente, em excursões domingueiras, sem que lhe desconfiassem da presença ou do zelo ofendido. Nunca lhes ouvira as palavras; entretanto, apanhara-lhes, às ocultas, os gestos equívocos. Admitia-se com razão para

---

[17] N.E.: Iniciante.

convidar o estouvado a compromisso. Calculara, calculara. Todavia, quando se inclinava a pedir conselho de autoridades policiais, chocara-se com o imprevisto. Homem de prolongada vida noturna, passou a esbarrar com a filha em recantos de prazer, não apenas na companhia de Nemésio Torres, o cavalheiro que desempenhava, junto dela, a função de chefe, mas igualmente com Gilberto, o filho, em posição comprometedora. Os desregramentos de Marina, desde muito, se haviam tornado para ele em calamidades inevitáveis. A princípio, atormentara-se. Pai contundido pela licenciosidade em família. Contudo, Márcia, a esposa, ditava os figurinos. Nos primeiros tempos do consórcio, emergira entre ambos a muralha da discórdia, da discórdia que lhes emanava do âmago, em ondas torvelinhantes de aversão instintiva, cuja existência não haviam sequer pressentido, de leve, antes do casamento.

De começo, rixas e discussões. Depois, a indiferença, o cansaço total um do outro. Aventuras unilaterais. Cada qual em seu caminho. 1.8.9

Marina, evidentemente, seguira a trilha materna. Desligara-se dele. Classificava a filha, em seu juízo de homem, por mulher livre; contudo, tolerável no lar, enquanto exercesse a profissão que lhe assegurava sustento às fantasias. Em casa, habitualmente reuniam-se à mesa, a esposa, Marina e ele, à feição de três animais inteligentes, dissimulando o desprezo recíproco por meio da convenção ou do chiste.

No conceito dele, porém, Marita definia-se à parte. Flor no ramo espinhoso daqueles antagonismos flagelantes.

Afastara-a, intencionalmente, na direção do serviço. Inventara meios de obrigá-la a tomar refeições em Copacabana, para que as picuinhas do círculo doméstico, no Flamengo, não lhe torturassem o espírito.

Espiava-lhe os passos, ouvia-lhe os chefes.

1.8.10   Uma vez instalada no exercício da nova condição, ele mesmo, quanto possível, manter-lhe-ia a independência.

Amando-a com entranhado carinho mesclado de egoísmo tirânico, feriam-lhe as humilhações que a esposa e a filha não regateavam a ela, no trato mais íntimo.

Queria-a para ele, com a ternura de um pombo e com a brutalidade de um lobo. Não concordava lhe dessem a beber afronta ou sarcasmo. Tais atitudes acabaram revestindo-a de liberdade mais ampla, que Marita utilizava no culto afetivo a Gilberto, uma vez que, por vocação, se distanciava de festas.

Márcia e Marina, sempre mais absorvidas nas extravagâncias em que se inculcavam por duas irmãs doidivanas, nem deram por isso. A ausência de Marita como que as aliviava de um peso. Certificando-se de que não lhe dobrariam o caráter, acusavam-se felizes por não serem induzidas a suportar-lhe a fiscalização.

Embrenhado nos raciocínios que lhe derivavam, rápidos, do ligeiro autoexame, sob o controle do vampirizador que o influenciava, recordava-se Cláudio de que há muitos dias concluíra que Gilberto não hesitava embair[18] as duas moças, e, depois de refletir maduramente, resolvera silenciar.

Não seria conveniente sopesar as próprias vantagens? Denunciar Marita por jovem ultrajada redundaria em arredar-lhe a confiança. Apontar Marina no páreo significava insultar a filha adotiva, aplicando-lhe temíveis lesões de ordem moral. Ardiloso, deixava o tempo correr, achando preferível, a seu ver, fosse Marita machucada pelas circunstâncias. Quando se voltasse para ele, fatigada e desiludida, convertê-la-ia, talvez sem dificuldade, na amante a que aspirava.

Engodado pelo interlocutor que lhe era invisível, enfileirou as reflexões apressadas que lhe vinham à mente; no entanto,

---
[18] N.E.: Iludir; seduzir.

assoprado agora por ele, deixava-se iludir por imaginosa expectativa, formulando-se outra espécie de inquirições. Envolvido nas sutilezas do obsessor, esmerilhava o próprio íntimo, tentando saber se estava sendo inspirado com segurança naquela hora. Andaria enganado? Acaso, Marita entregar-se-ia a Gilberto, pensando nele, Cláudio, de quem se afastava por escrúpulos de consciência? Semanas havia, fizera-se a jovem mais esquiva. Estranhara. Dar-se-ia o fato de recolher-lhe telepaticamente as apreensões ou deliberara fugir-lhe, de propósito, a fim de ocultar a simpatia amorosa que, possivelmente, lhe impelia o coração de mulher a querê-lo?

Ele mesmo fornecia ao perseguidor a argumentação com que se lhe arruinava a resistência. 1.8.11

Até ali, trancara, bem ou mal, diante da jovem, os sentimentos que lhe transbordavam do peito. Não chegara, porém, aos limites do enigma? Caber-lhe-ia sofrear-se até a loucura?

O hipnotizador, em cujo semblante se podia ler a desmesurada sede de volúpia, sorriu satisfeito e sussurrou mentalmente, ganhando preponderância: "Cláudio, compreenda. Iniciativa, em assunto de amor, não é passo feminino. Velho rifão: 'laranja à beira de estrada não tem preço'. Disse um filósofo: 'prazer sem conquista é bife sem sal'. Adiante, adiante!"

Esquadrinhando o imo do companheiro, à caça de recursos com que o próprio Cláudio lhe pudesse fortificar a posse magnética, o obsessor, por segundos, cravou nele o olhar penetrante. E, decerto, exumando-lhe as desrespeitosas ilusões em matéria de ligação afetiva, que ele, Cláudio, embutira na cabeça desde menino, começou a martelar: "Cigarro! Lembre-se do cigarro e da boca! Marita é mulher igual às outras... Cigarro, cigarro na vitrina... Cigarro, cigarreira, piteira e charuto não escolhem comprador... A carne é flor desabrochada na terra do espírito, só isso. O cultivador não sabe o que seja a formação essencial do canteiro, tanto quanto desconhece o que está no fundo da planta.

Proclamava Salomão que 'tudo é vaidade'; acrescentamos que tudo é ignorância. Entretanto, na superfície das situações e das coisas, é possível enxergar claramente. Flor que ninguém colhe é perfume que se perde. Hora de amor desaproveitada vem a ser pétala no estrume. Rosa murcha, adorno para o chão. Carne sem viço, adubo para a erva. Aproveite, aproveite..."

1.8.12 Percebíamos que o desencarnado não era simples dipsomaníaco, que o álcool apenas lhe constituía porta de escape, uma vez que as palavras que selecionava para aliciar influência e o jeito astucioso de sensibilizar o parceiro, antes de empalmar-lhe o raciocínio, demonstravam técnicas de exploradores consumados das paixões humanas.

Aquele perseguidor não era vagabundo acidental.

O anseio incontido com que impelia Cláudio para a jovem e a expressão com que a fitava apaixonadamente pareciam chegar de muito longe, mas a ocasião não comportava investigações de retaguarda. O momento reclamava atenção. Necessário contornar obstáculos, improvisar medidas socorristas que protegessem a triste menina desarmada.

O excêntrico dueto prosseguiu entre os dois amigos que se entendiam sem o concurso da boca.

O magnetizador pressionava, o magnetizado resistia.

Por fim, Cláudio avançou dois passos, quase vencido.

Ideias, contradições, estímulos e arrebatamentos abalroavam-se-lhe, violentamente, no espaço estreito do crânio. A terrível batalha interior de alguns instantes esmorecia. A natureza animal ampliara domínio. O sedutor desencarnado rematava a obra.

Não mais a gritaria de Espírito. Não mais o entrechoque das mudas ponderações entrecortadas a esmo.

Sim — deduzia, transtornado —, ele era homem, homem... Marita, incontestavelmente mais jovem, não passava de

Sexo e destino | 1ª Parte | Capítulo 8

mulher. Não lhe cabia, portanto, diminuir-se. Ela chorava, ele podia acalentá-la, aquecer-lhe o coração.

Alucinado de lascívia, envolveu-a em longo olhar, inferindo que, não fossem o temor de vê-la fugir em definitivo e o receio de verificar-se por ela própria desonrado, tomar-lhe-ia o colo entre os braços, qual guri destemeroso, buscando desentranhar-lhe a ternura. 1.8.13

Entanto, os derradeiros arrazoados esmaeciam. Esbarrondara-se, dentro dele, a última trincheira que lhe cerceava os impulsos. Sujeitou-se de todo à direção do vampirizador que o comandava. Colaram-se, fundiram-se, enfim.

Marita ergueu para ele os olhos súplices, imitando as atitudes da ave perseguida, para quem não resta alternativa que não seja esperar pela piedade do atirador.

Jungido ao companheiro infeliz, Cláudio adiantou-se, acomodando-se, assumindo ares de protetor, resolvido a ultrapassar os limites da afeição pura e simples.

— Pelo que vejo, esse pilantra do Gilberto vem abusando... — sussurrou, adocicando a voz.

Em seguida, tomou-lhe a destra pequena entre as suas mãos nervosas, mal disfarçando a lubricidade duplicada que o possuía.

A jovem registrou o impacto das forças aviltadas a lhe requisitarem adesão, calando a repulsa. Escutara o apontamento, num misto de estranheza e revolta, mas, reprimindo-se, passou a responder, esforçando-se por desculpar o rapaz e atribuindo a si o desmantelo emotivo; entretanto, à medida que o pai adotivo dilatava a liberdade das atitudes, apagava-se-lhe a energia para a conversação, até que silenciou, como se o interesse ao redor do problema houvesse desaparecido de chofre. E, num átimo, realinhou na mente as impressões amargas dos tempos últimos... Assinalara, havia meses, a reservada mudança do trato paterno. Desconcertava-se ao perceber que Cláudio demorava sobre ela o olhar insistente. Amedrontara-se. Reagira, porém, energicamente, contra si mesma. Consagrava-lhe o respeitoso amor de filha reconhecida e não lhe cabia conspurcar sentimentos sempre mantidos imáculos, desde a intimidade da infância. Opusera-se à suspeita. Lutara, não queria aceitar-se visada por ele, sob a inspiração de qualquer propósito menos digno.

1.8.14 Ainda assim, por mais brandisse argumentos contra si própria, inexplicável sensação advertia-lhe o espírito, exortando-a a policiar as maneiras com que Cláudio agora a cercava. Pelos motivos mais fúteis, exagerava cuidados, multiplicando frases de dúbio sentido.

Torturada pela dúvida, afirmava a sua desconfiança e desdizia-se intimamente.

Naquele instante, porém, o instinto de defesa sentenciava prudência, segredava-lhe vigilância. Pressentindo, em espírito, a presença do "outro", arregimentou, sem querer, todas as suas forças na posição de alarme.

O contato de Cláudio comunicava-lhe insegurança.

Batia-lhe o coração desritmado, ao senti-lo ensaiando meios de enlaçar-se a ela, ávido de carinho.

— Não negue, filha — entaramelou-se o pai, um tanto trêmulo —, não desejo contrariá-la, mas venho analisando, analisando... Você não nasceu para esse meninão caprichoso. Compreendo você... Não sou apenas seu pai pelo coração, sou também seu amigo... Esse rapaz...

Marita cobrou ânimo e, antecipando-se-lhe às ilações reticenciosas, explicou ingenuamente que amava Gilberto, que lhe hipotecava confiança, que o pai estivesse tranquilo, e acentuou, sorrindo quase, que as lágrimas daqueles minutos não se reportavam a qualquer desgosto, e sim a indisposição orgânica indefinível. Deduziu, de relance, que seria justo desvelar-lhe mais ampla zona da alma, anulando mal-entendidos no nascedouro, e, intencionalmente, prosseguiu confidenciando, a expor-lhe, com lealdade, a expectativa com que aguardava o anel esponsalício, determinada a medir as reações de Cláudio, a fim de orientar, sem tergiversações, a própria conduta.

Atrapalhava-se, todavia, ao consignar-lhe a indignação pintada no rosto. Na meia-luz do quarto, podia ver-lhe a face congesta, nos esgares da ira. 1.8.15

Compreendeu que a borrasca naquele espírito voluntarioso se mostrava prestes a estalar; no entanto, continuou apresentando razões para colher reações.

E a explosão do interlocutor não se fez demorar.

Cerrando os punhos, Cláudio cortou-lhe a conversa, exclamando irritado:

— Percebo, percebo, mas não precisa maçar-me! Estimo, porém, que você me conheça melhor o devotamento.

Avançando na intimidade, qual se aspirasse a enredá-la no próprio hálito, continuou — agindo por si e pelo "outro" — na queixa primorosamente lavrada:

— Filha, é necessário que você me ouça, que me entenda...

E, assaltando-lhe a emotividade para esbater-lhe a resistência:

— Você não desconhece o que sofro. Imagine a tragédia de um homem que morre, pouco a pouco, desolado, sozinho... De um homem que dá tudo, sem nada receber... Você cresceu vendo isso... Infelicidade, solidão. É impossível que não se condoa. Esta casa é meu deserto. Chego esfalfado, diariamente, sem achar mão amiga. Márcia, apesar de quarentona, vive de jogatinas e festas... Você está moça, inexperiente, mas deve saber. Desculpe-me o desabafo, mas os próprios amigos me lastimam o drama... Estará você em condições de avaliar os conflitos de um pobre diabo algemado a companheira de vida irregular? Ela, porém, não me fere com isso. No começo, o corte sangrava, mas coração calejado não sente. Habituei-me a detestá-la. Dar-lhe o dinheiro que exige, para que suma depressa, é hoje o que me consola... Por outro lado, Marina, cujo afeto poderia proporcionar-me algum reconforto, faz empenho de humilhar-me com a própria devassidão! Sou um homem falido. Dias surgem, nos quais me reconheço o palhaço mais desditoso da Terra...

1.8.16   Nesse ponto, sob o governo do obsessor, a voz de Cláudio entravara-se na garganta.

Alterara-se de todo, comovido na aparência.

Com isso, amolgara-se a jovem, sinceramente compadecida, e, concluindo que atingira o alvo a que se propunha, acrescentou exaltado:

— Só você, somente você me prende ao lar infeliz. Ainda agora, o banco me propôs excelente comissão em Mato Grosso; entretanto, pensei em você e desisti... Por você, filha, tolero os insultos de Márcia, as ingratidões de Marina, os dissabores da profissão, os aborrecimentos cotidianos. Conseguirá você compreender-me?

A moça suspirou, diligenciando expulsar de si as vibrações de sensualidade com que a "dupla" lhe envolvia a cabeça, e falou calma:

— Sim, papai, entendo as dificuldades que são nossas...

— Nossas! — repetiu ele, ganhando novas energias para chegar à meta. — Sim, minha filha, as dificuldades são nossas, mas é preciso que você saiba que nossas também devem ser as esperanças e as alegrias. Anseio pelo instante em que você me veja não exclusivamente por pai...

Atentando no olhar da infortunada menina que se tocara de imenso espanto, acentuou num supremo esforço por revelar-se:

— Marita, pareço um velho, mas você me faz jovem... O coração é seu, seu...

O obsessor, com trejeitos de lascívia, prelibava o lance final.

Marita, no entanto, percebendo a intenção inequívoca do 1.8.17
homem apaixonado, que arrojava o rosto maduro e bem tratado
sobre o dela, intentou recuar.

— Não, não! — gemeu, suplicante, ao sentir-lhe o hálito.

Cláudio, porém, cujas forças jaziam somadas à valentia do
"outro", enlaçava-lhe o busto, copiando o procedimento de um
jovem malcomportado.

Qual se houvéramos combinado previamente a defesa,
Neves e eu saltamos na direção dela, ofertando-lhe as mãos, para
que pudesse arrancar-se, e a vítima, crendo apoiar-se nos próprios recursos, conseguiu levantar-se num prodígio de ligeireza,
estacando à frente dele, que a fitava, agora, com a expressão desconfiada de um animal repentinamente ferido.

— Papai, não me faça mais infeliz... Poupe-me a humilhação!...

O dono da casa, ao impacto da recusa imprevista, pareceu
desligar-se do amigo desencarnado, lembrando a fera que se desvencilhasse, de inopino, do encantamento mantido pelo domador; entretanto, o parceiro trazia uma carga de paixão vigorosa
demais para desistir facilmente. Retomou, impetuoso, o próprio
domínio, a ponto de antepor a máscara fisionômica ao semblante
de Cláudio. Cerrava os punhos, despedia cólera letal. Estabelecia
-se pavoroso conflito na mente de cada um. Num deles, o desapontamento e o desespero, no outro, a malignidade e a agressão.

O pai adotivo, carregando o estranho fardo de angústia,
mesclada de revolta, incapaz de compreender os sentimentos
contraditórios que o faziam avizinhar-se da loucura, passou a
clamar, inconsiderado:

— Isto é a explosão de muitos sofrimentos acumulados.
Fiz tudo para esquecer e não pude... Que fazer com esta inclinação que me arrasta? Sou palha no vento, minha filha! Desde que
a vi menina, carrego esta ideia fixa... Se eu fosse religioso, diria

que um demônio mora dentro de mim. Um demônio que me atira constantemente sobre você. Em sua presença, quero pensar em você como minha filha, crescida em meus braços, e não posso... Li muitos livros de Ciência para saber o que se passa, mas o enigma continua. Quis procurar um médico; entretanto, senti vergonha de mim próprio... É só você que eu vejo em tudo! Odeio Márcia, desprezo Marina... Tenho acalentado a esperança de uma viuvez que nunca chega, a fim de oferecer-me a você, sem condições... Tenho ciúmes, ciúmes que me afogam a alma em labaredas... Detesto esse rapaz leviano, inconsciente...

1.8.18   A voz de Cláudio amaciara-se, adquirindo tom lacrimoso. Identificava-se-lhe o abalo sentimental. O perseguidor duplicou em desprezo tudo o que ele exprimia em emotividade, provocando inesperada reviravolta. O pai enternecido deu lugar ao enamorado violento. Avinagrara-se a ternura, semelhando calda azedada. Revelando súbito transtorno, deitou à filha adotiva um olhar de escárnio, traumatizando-a de horror, a esbravejar dementado:

— Não, não posso humilhar-me assim. Você sabe que não sou nenhum tonto. Há quinze dias, acompanhei vocês dois a Paquetá, sem que me vissem... Segui-lhes o passo descuidado e feliz, como se eu fosse um cão escoiceado pelo destino... Ao cair da noite, vi quando vocês dois se enlaçaram, trocando promessas e falando bobagens, na Ribeira... Arrastei-me no matagal e vi tudo... Desde então, enlouqueci... Pelo jeito, vocês andam acanalhados há muito tempo... Você! você, que eu supunha intangível, entregue a um menino doido!... Ingênua! Julga que não tenho motivos para expulsá-la! Você imagina que me falta coragem para chamar às contas esse "filho de papai rico"?

Alterando o tratamento paternal de que se valia, rugiu brutalizado:

— Marita, fique sabendo que você agora não é mais criança! Você é apenas mulher, não passa de mulher, mulher...

A jovem soluçava. Reconhecendo-se descoberta nas mais ín- 1.8.19
timas nuanças da conduta impensada, não ousava erguer a fronte.
Neves, incapaz de remover o próprio assombro, abeirou-se de mim, rezingando:

— Você está vendo? Este homem será louco ou desbriado?

Temendo-lhe a impulsividade, fi-lo recordar as atitudes ponderosas e cristãs do irmão Félix, informando, discretamente, que me achava em oração, a exorar o auxílio da esfera superior, porquanto, ali, não dispúnhamos de maiores recursos para impedir um assalto passional de penosas consequências.

— Oração?! — chasqueou o companheiro, positivamente desencantado. — Não creio que os anjos se ocupem de casos como este. Aqui, meu amigo, e em outros lugares onde tenho visto muito bicho velho fantasiado de gente, só a polícia...

Efetivamente, os anjos pessoalmente não nos atenderam às rogativas silenciosas, enunciadas desde o início da cena desagradável; no entanto, o socorro apareceu.

Ouviu-se barulho de ferrolho em ação e alguém penetrou em casa ruidosamente.

Sobreveio o choque providencial.

Cláudio, em sobressalto, desligou-se do hipnotizador, que se lhe postou de lado, um tanto desenxabido.

Marita cobrou energias, regressando ao leito, enquanto o chefe do lar se recompôs à pressa.

Espantados, notamos, porém, a surpreendente capacidade de fabulação da qual Nogueira dava mostras. Ele próprio, sem qualquer ingerência do obsessor, começou a tramar em pensamento a desculpa com que se justificaria.

Agindo quase que mecanicamente, libertou a porta que havia prendido, perspicaz, abriu janela próxima e, de imediato, esbelta senhora surgiu, indagando apreensiva:

— Que é que há?

1.8.20   Tratava-se da esposa, que voltara de imprevisto. Dona Márcia alegava susto, asseverando ter ouvido um vozeirão ao chegar. Cláudio, no entanto, repondo a máscara das conveniências, entornou pela boca a versão que inventara, ali, naquele momento, diante de nós.

Fixou a moça, de modo significativo, e tranquilizou a senhora, dizendo-lhe, com a maior sem- cerimônia, que chegara a casa, momentos antes, encontrando o gás do fogão a volatilizar-se. Fechara as saídas que a cozinheira deixara abertas e exortou a que se lhe chamasse a atenção, no dia seguinte. Dona Justa, a companheira do serviço doméstico, devia examinar os aparelhos da casa, minuciosamente, antes de se retirar. Acentuou que, atemorizado, descerrara as janelas, arejando o ambiente. Quando envergava o pijama, aduziu com absoluta seriedade a lhe transparecer do semblante, ouvira gemidos agoniados. Correu ao aposento das meninas, surpreendendo Marita a gritar, inconsciente. Sonâmbula, sonâmbula como sempre... Acordara-a atarantado, averiguando, porém, que tudo estava em ordem.

A jovem, mergulhada na penumbra, cobriu o rosto com o lenço para ocultar as lágrimas, abandonando-se à inércia, como se transferisse a cabeça de um sono para outro.

A recém-chegada riu-se, sem suspeitar, de leve, do vulcão que faceava, e, qual se desejasse compensar-lhe a indiferença, Cláudio, de volta ao salão, esboçou um aceno gentil, convidando Márcia a descansar.

9

Instalados na sala de visita, os cônjuges entrefitaram-se de estranha maneira. Adversários declarados, em tréguas cordiais. Dona Márcia definia-se. Espécime comum das damas que lutam, garbosas, contra as arremetidas do tempo. Ninguém lhe atribuiria os quarenta janeiros integralmente dobados. Os cabelos abundantes, que os líquidos medicinais mantinham perfeitamente escuros e brilhantes, acomodavam-se num penteado gracioso que lhe guarnecia o rosto, semelhante ao das pessoas que se maquilam para efeitos de arte e que nunca se deixam analisar realmente sem que a água quantiosa lhes restitua os poros à carícia da Natureza. Delgada, na magreza característica dos que usam moderadores do apetite para a manutenção do peso ideal, apresentava-se em figurino da alta. O fundo alvo do linho, ligeiramente estampado de pequeninas flores róseas, dava-lhe ao vestido primoroso certa diafaneidade que lhe realçava a beleza quase outoniça.

    Era a mesma criatura das telas mentais de Marina, exibindo-se, porém, de modo diverso, espécie de livro claramente identificável, mas exposto numa encadernação mais viva e mais rica.

1.9.1

1.9.2   Pela herança e pela convivência, talhara, sem dúvida, o aspecto da filha única, porquanto, sentada agora, lembrava Marina em todos os traços, conquanto muito mais asserenada e amadurecida. Longe de aparentarem a verdadeira condição de mãe e filha, podiam ser interpretadas à conta de irmãs, salientando-se que dona Márcia se revelava talvez mais simpática, pela brandura estudada dos gestos.

    Via-se-lhe com tranquilidade o sorriso espontâneo, sorriso, no entanto, que mostrava o engenhoso artifício dos que se distanciam deliberadamente dos problemas alheios para que não lhes constituam empeço ao avanço. Doçura trabalhada do egoísmo atencioso, pronto a sorrir, nunca a se incomodar.

    Ainda assim, os olhos, ah! os olhos, traíam-lhe a alma sibilina. Fisgados no esposo, pareciam interessados em agarrar-lhe as mínimas reações, em proveito próprio.

    Ela não aspirava a conhecer qualquer vestígio da conduta dele, anelava encobrir-se. Serena e bem-posta, renteando o marido, dava a impressão de um viajante hábil, preocupado em ilaquear o guarda-barreira, a fim de seguir, incólume, caminho adiante, sem largar as aquisições clandestinas. Por outro lado, o marido assemelhava-se ao guarda-barreira, calejado no suborno, mais aplicado em resguardar-se que em denunciar viajores, tão matreiros quanto ele próprio. Naquela hora, sobretudo, em que fora quase detido em culpa flagrante, esmerava-se em mesuras. Amodorrava-se para ouvi-la, com a pachorra de um cão astucioso que parasse de caminhar, atento às falcatruas do gato.

    Para Cláudio, em tal circunstância, valia estudar tudo, ouvir tudo. Afinal, aquilo era inevitável. Márcia chegara ao quarto de Marita num momento psicológico. Imperioso esfumar-lhe qualquer dúvida ocorrente, à custa de uma tolerância que não mais praticava desde muito. Para isso, estirava-se, ali, sossegado e complacente.

Nos dois, porém, flutuava a desconfiança recíproca. Duas 1.9.3 bocas que se entendiam, duas cabeças que discordavam uma da outra. Cada frase vinha pré-fabricada na garganta, dissimulando o pensamento.

Adocicando a voz, a esposa comentou os aborrecimentos no bufê do baile beneficente em que havia funcionado. Muita gente. Alguns jovens embriagados, forjando obstáculos. Garotos furtando. Por tudo isso, estafara-se.

Desconfiando que o marido, não obstante mostrar-se quase afetuoso, não se inclinaria a longa conversação, quis reter o momento raro, tornando-se mais terna.

Afável, estendeu-lhe prateada carteira.

Cláudio agradeceu. Não queria fumar. Ela, no entanto, bateu, várias vezes, a ponta do cigarro de encontro a pequenina bolsa metálica, fez fogo num isqueiro diminuto, e, após envolver-se em baforadas, relaxou-se na poltrona, sugerindo a intenção de exprimir-se mais à vontade.

— Imagine, você — aduziu, cuidadosa —, que, embora o sarau esteja longe de terminar, larguei tudo. O leilão de prendas esperava por mim, quando senti um constrangimento esquisito. Tive medo. Passei minhas obrigações para dona Margarida e voltei. Atormentava-me, supondo houvesse algo atrapalhado em casa, alguma ligação elétrica esquecida, a presença de algum malfeitor. Vejo, porém, que você talvez tenha tido o mesmo palpite e chegou antes, retificando o fogão... Felizmente, tudo passou... Mesmo assim, reconheço que o meu regresso foi providencial, pois, desde muitos dias, venho espreitando um momentinho em que você esteja calmo e bem-humorado, como agora, para tratarmos, juntos, de assunto sério... Coisa que nos toca de perto, que não posso decidir sem você...

Neves e eu notamos, para logo, o regime de choques e contrachoques em que respiravam aquelas duas almas adversas, aprisionadas socialmente uma à outra, por exigências da provação. Inferindo que a companheira se lhe aproveitaria da benevolência eventual para chamá-lo a questões de responsabilidade, Cláudio despiu a máscara afetiva com que a brindara, de início, e, taciturno, colocou-se em guarda. Do sorriso, tornou ao sobrecenho. Fino sarcasmo tisnou-lhe os modos. Comandou a palavra, buscando, em vão, disfarçar o azedume. Afirmou-se fadigado, alegou esgotamento adquirido em horários de serviço extra e rematou, pedindo à esposa resumisse, quanto possível, o que tinha a dizer-lhe. Queria ler, pensar, refazer-se.

1.9.4 A esposa fingiu não ver o olhar irônico que ele lhe endereçava e começou referindo-se ao cansaço de que se sentia possuída.

Possivelmente, ele próprio ignorasse; entretanto, submetera-se a vários exames, por solicitação do ginecologista. Desde muito, atravessava as noites em claro, sofria palpitações, sufocações, sensação estranha de peso, calores no peito. O médico acreditava em menopausa precoce e receitara. Ela, contudo, supunha-se depauperada, neurastênica. Exauria-se nos problemas domésticos. A arrumadeira despedira-se. E, desde que se fora, via-se obrigada a passar roupa, encerar, e, de certo modo, auxiliar no fogão para que dona Justa não esmorecesse. O conserto da geladeira custara um dinheirão. As contas, no fim do mês, haviam aumentado. Marina trouxera duas gratificações que recebera em serviço extraordinário, mas, ainda assim, estava onerada. Tinha necessidade de 15 mil cruzeiros.

Nesse tópico da entrevista, o interlocutor fitou-a, sarcástico, e indagou:

— É só?

A interrogação, carregada de zombaria, pairou no ar da mesma forma que uma chicotada cortante.

Dona Márcia emudeceu ao impacto da desconsideração inesperada.

O marido não dispensara sequer a mínima atenção aos 1.9.5 padecimentos orgânicos de que se queixara. Desconhecia-lhe, de propósito, os achaques. Enquanto relacionava os incômodos de que se via acometida, assustava-se ao divisar-lhe a dura expressão dos olhos frios. Conhecia aquela atitude gelada de profundo desdém. Ao passo que se lamentava, tinha a impressão de que ele, Cláudio, lhe perguntava em pensamento: "por que não acaba você de morrer?" Em outras ocasiões, chegara a enunciar semelhante inquirição, com palavras redondas, claramente pronunciadas e repetidas. Por que tanto ódio?, indagava a si mesma. Não contava receber uma ternura que os atritos incessantes haviam incinerado entre ambos; contudo, cria-se com direito a pequeno retalho de acatamento. Se ele adoecia, de leve, conquanto não o amasse, vigiava-lhe a cabeceira. Zurzia o clínico da família pelo telefone. Todas as providências à hora. Entretanto, ao referir-lhe o tratamento que reputava importante, a fim de evitar uma cirurgia comprometedora, recebia dois monossílabos secos, que o marido lhe pespegava no rosto, como se a repelisse com dois calhaus.

Persistindo o silêncio que se alongava, Cláudio fez menção de retirar-se; contudo, a esposa frustrou-lhe o impulso, dizendo, agora irritadiça:

— Não saia. É preciso que você fique. Esta casa não é minha só. Acaso, não está vendo? Marina e Marita... Criam-se os filhos com desvelo, com carinho... Em crianças, são anjos; crescidos, são pesadelos. Tenho sofrido calada, mas agora... Isso não pode continuar sem que você se mexa. Entre uma e outra, não é possível a indiferença. Acolhi essa menina estranha em meus braços como se fosse minha própria filha. Suportei afrontas, esqueci minha saúde, meu tempo... Não me poupei, fiz o que pude... Nada lhe faltou; entretanto, hoje...

— Hoje, o quê? — revidou o esposo, admirado.

1.9.6   — Pois você não percebe a humilhação a que Marina se expõe? — acentuou a companheira, em lágrimas súbitas, qual se estivesse habituada a chorar quando quisesse. — Você não enxerga as dificuldades de nossa filha?

Cláudio riu-se, como quem decidira zombetear.

— Márcia, deixe de cenas... Você fala em Marina como se a nossa desmiolada estivesse na forca. Não entendo. Vejo-a feliz e desorientada, como nunca. Se me detiver em qualquer problema dela, será para admoestá-la, reprimi-la. Não fosse você com o desregramento de suas concessões e com os seus maus exemplos, haveria de corrigi-la, ainda que obrigado a interná-la no hospício...

— Que ouço, meu Deus? — gritou a senhora.

Estancara-se-lhe o pranto, alarmada que se achava, ao verificar o rumo improviso do entendimento.

— Você ouve a pura verdade — prosseguiu Cláudio, implacável. — Ainda anteontem, impelido por dever da profissão a comparecer num coquetel, oferecido a um dos chefes, numa casa de regalias noturnas, fui constrangido a pretextar uma enxaqueca e afastar-me. Sabe por quê? Nossa filha, que você pretende inculcar por santa, estava lá, positivamente nos braços de um cavalheiro maduro e bem-posto, que não a beijava paternalmente. Senti tanta vergonha que pedi a um colega me representasse, e saí, à pressa, antes que Marina me percebesse.

— Oh! a pobrezinha!... — objetou dona Márcia, faces em fogo, tremendamente revoltada.

Naquele instante, os dois tiravam, mecanicamente, os últimos disfarces. Postavam-se, em espírito, um à frente do outro, com rudeza indissimulável. Dois inimigos soberanos, aversão contra aversão.

E o diálogo azedo continuou:

— Pobrezinha, por quê?

A esposa mediu-o, de alto a baixo, com um olhar de zom- 1.9.7
baria e passou a acusá-lo:

— Não quero discutir agora a sua presença de homem velho e casado numa casa de tolerância, pois não acredito nessa história de homenagens a chefes, em horas avançadas da noite. Você foi sempre imoral, indigno, mentiroso, mas, por amor à família, esqueço tudo isso, para que você conheça toda a situação...

Refletindo na conveniência de sensibilizá-lo para os efeitos a que se propunha, dona Márcia baixou calculadamente a escala de rispidez, abrandando a inflexão da voz que se tornara por demais agressiva.

— Cláudio, atenda — continuou quase melíflua —, Marina, obediente, nunca me ocultou a verdade. Não proceda com malícia; desde a piora da esposa do senhor Nemésio, vem repartindo, caridosamente, o tempo entre as obrigações do emprego e o lar do chefe, onde a infeliz senhora vem morrendo pouco a pouco... Impossível que você não lhe admire a abnegação, porque, de modo algum, precisaria interessar-se pela vida íntima da família Torres, a ponto de velar junto deles, por várias noites consecutivas, por simples espírito de sacrifício... Não sei se você chega a vê-la quando volta de manhã, mostrando fundas olheiras e faces pisadas.

Na mente inventiva do interlocutor, entretanto, operava-se complicada reviravolta. Assinalando as palavras injuriosas de dona Márcia, sentira ímpetos de esbofeteá-la. A indignação ruborizara-o; todavia, conteve-se. Não que desistisse de revidar chasqueando, mas permanecia convicto de que Marita escutava. Aspirava a conquistá-la a qualquer preço. Mormente agora que se declarara, não estava inclinado a recuar. Prosseguiria.

Dona Márcia, enganada, aceitara a versão do pesadelo e acreditava que a moça dormisse, uma vez que lhe recebera a presença no quarto sem dizer palavra.

1.9.8   Ele, porém, sabia-se ouvido, examinado. Não adotaria qualquer procedimento incompatível com a galanteria que começara a desenvolver. Se esbravejasse, agravaria a distância. Deliberou aguentar remoques e insultos, fossem quais fossem, estudando como orientar-se na conversa para tirar o melhor partido.

Além disso, o amigo desencarnado, ao lado dele, acalentava-lhe a rijeza de alma, insuflando-lhe ideias. A fabulação de um complementava-se no outro. Concluíam, juntos, que se fazia mais razoável para eles examinar minudências e falar com intenção. Manejariam Márcia para alcançar Marita. A interlocutora ser-lhes-ia instrumento. Usá-la-iam por trampolim, rumo ao alvo.

Todas essas considerações relampeavam no espírito de Cláudio, enquanto a senhora se empenhava justificar-se na defesa da filha. Dominado pelos novos pensamentos, não sorriu, mas suavizou a expressão, como quem se resigna aos ditames da paciência.

Algo desarmada por aquela impassibilidade que se lhe figurava benevolência, dona Márcia continuou:

— Acontece que o senhor Torres se encontra francamente desarvorado diante da tragédia que a fortuna dele não pode conjurar. Dinheiro farto e coração abatido, negócios prosperando e morte à vista. Nossa menina compadeceu-se. Tanto amparou a doente que acabou descobrindo os sofrimentos do homem que se aproxima, conscientemente, da viuvez... É por isso que vem buscando revigorá-lo, como pode...

— Mas assim como estão fazendo?! Afogando-se em bebidas e prazeres noturnos, em que os dois se assemelham a duas crianças destemperadas?! Não os vi rezando pela tranquilidade da enferma...

— Deixe de ironias. Você, com toda a certeza, numa situação igual, não se consolaria com lágrimas, procuraria distrações. Não há inconveniente algum em que o senhor Torres, numa hora dessas, se dirija para um ambiente alegre, a fim de ganhar forças, e não vejo maldade em que trate Marina por filha dele próprio, afagando-a por boneca mimada que sempre foi. Muito justo, muito claro. Dona Beatriz e o esposo conseguiram somente um filho, não tiveram, como nós, a ternura de uma filhinha no lar e nem adotaram alguma pequenina estranha a eles. Marina dá conta a mim, que sou mãe, de tudo o que se passa. Você sabe que ela é profundamente sensível e carinhosa. Tem muita pena do chefe e tenta reconfortá-lo...

— Reconfortá-lo! — gracejou Cláudio, retomando a galhofa. 1.9.9

— Não adiantam sarcasmos — rogou dona Márcia, afetando desapontamento. — Nossa filha vem agindo corretamente. Tanto assim que a nossa conversa deve esclarecer grave assunto.

E, alterando o tom de voz, que se fez mais persuasivo e mais doce:

— Você não ignora que Marita se enamorou, há meses, de Gilberto, o filho dos Torres. Vendo os dois, de minha parte, em ligação constante, acreditei piamente que o jovem nutrisse por ela uma inclinação segura.

Misturando reserva e malícia, passou a historiar-lhe as entrevistas, os passeios, os telefonemas, os bilhetes... Salientou que se afligira ao apanhá-los, a sós, numa excursão domingueira, em plena floresta da Tijuca, dias atrás. Admitia que seria preciso examinar-lhes o caso. Aborrecera-se ao descobri-los, assim, positivamente isolados, sob as árvores. Mulher e mãe, inquietava-se ao pensar na filha adotiva...

Cláudio, nessa altura, marcava-lhe os avisos, de olhos em fogo e coração aos saltos.

Então Márcia também sabia... Aquele jeito arisco da esposa nas confidências não o enganava. Indubitavelmente, ela senhoreava minúcias que preferia esconder. Não chegava Paquetá. A mataria, igualmente, fora teatro dos colóquios e beijos que detestava. Não esperava aquele noticiário miúdo na própria casa.

Não supunha a mulher, assim, consciente da situação de que se conjeturava exclusivo conhecedor... Naquele minuto, olvidava a menina que se lhe desenvolvera nos braços, anulava-se na condição do pai, chamado a zelar-lhe o nome. Irrompia nele o animal ferido, o homem selvagem que lhe dormia habitualmente na polidez, espicaçado pelo ciúme.

1.9.10 Esfregando os dedos contra as palmas das mãos, num gesto que lhe particularizava o desagrado, levantou-se, deu alguns passos pela sala e resmungou:

— Ingratidão!

A esposa usufruía a cena com a volúpia de quem alcançava os próprios fins, porquanto, desde o princípio da conversação, aspirava a estabelecer um clima favorável à filha legítima em detrimento da outra. Julgava que o marido, com semelhante exprobração, resumia numa palavra o asco que provavelmente albergaria contra o procedimento da pupila que desejava arredar. Muito distante da realidade, não percebia que a indignação dele se arraigava no azedume do apaixonado que se vê preterido e, por isso, ensaiava um sorriso triunfante...

Nós, porém, conseguíamos analisar-lhe as telas mentais e verificar quanto lhe doía o desprezo. Via-se, espiritualmente, ao pé do jovem, medindo forças. Ah! se lhe fosse dado enxergá-lo, naquela hora, ao alcance das mãos! Certo lhe despejaria todo o peso da cólera na constituição de menino e moço, esfrangalhando-lhe os ossos...

— Comove-me a sua reação contra Marita!...

Registrando a frase reticenciosa da companheira, deu-se conta do papel desaconselhável que começava a assumir. Quase que se denunciara de todo. Ultrapassara os limites da circunspeção que lhe cabia conservar no próprio interesse e deliberou recompor-se. Reconheceu que Márcia lhe apreciava a repulsa, crendo vê-lo unicamente no lugar de pai, machucado pelas circunstâncias, e deixou que ela se acomodasse a essa interpretação, encastelando-se, mentalmente, na defensiva. Reprimiu o desespero que o possuía, sentando-se, de novo, a relaxar os nervos tensos. Apagou exteriormente todos os sinais de excitação, aparentou calma súbita.

A senhora, que ambicionava amontoar vantagens para a filha, longe de imaginar-se iludida naquele jogo, em que marido e mulher se nos representavam dois parceiros astuciosos, nos golpes estudados um contra o outro, falou serena, presumindo controlar agora toda a situação: 1.9.11

— Sua atitude respeitável de pai me encoraja e me alegra. Graças a Deus, sinto em você o chefe da casa e da família.

Cláudio ouvia atento.

— É necessário que você saiba — prosseguiu ela — que Gilberto não quer coisa nenhuma com Marita, que vive a derreter-se sem razão. O rapaz é apaixonado por Marina, e tudo indica possibilidades de um casamento vantajoso, que não podemos jogar fora.

O interlocutor ardiloso deduziu que chegara para ele a oportunidade da vingança. Fingindo desconhecer a trama de sentimentos em que ambas as jovens se enredavam, comentou, em voz alta, os novos aspectos do problema, a fim de ser claramente escutado por Marita, que sabia de atalaia no quarto próximo. Depois de encarecer a excelência do caráter da filha adotiva, destacando o apreço e a ternura com que se dedicaria a protegê-la, acentuou, jocoso:

— Ah! o biltre!... Então, essa farsa de vaguear com Marita, arrastando-a por aí, não é senão alcovitice e trampolinagem... O peralta está carambolando. E o bilhar dos namorados, bate-se numa bola para acertar em outra...

E relacionou pobres moças, traídas na confiança, explicou que Marita era suscetível de uma psicose de duras consequências. Se Gilberto estava propenso a desposar Marina, que se manifestasse. Não oporia embargos; no entanto, exigia franqueza.

1.9.12 Dona Márcia, repentinamente lisonjeada, ao colher-lhe as disposições tão favoráveis, arrolou as confidências da filha. O rapaz confessara-se. Admirava-lhe não só os encantos pessoais, mas gabava-lhe a educação fina. De começo, apenas se cumprimentavam de quando em quando. Ele, porém, tivera necessidade da cooperação de alguém que o auxiliasse na tradução de alguns textos franceses. Marina expusera a competência adquirida. O trabalho realizado erigia-se em característicos tão primorosos que obtivera louvor na Embaixada. Desde essa empresa, trabalhavam quase que unidos. Marina revelara-lhe que o próprio senhor Nemésio, sempre solícito, passara a nomeá-la por nora.

Cláudio, acintosamente, dizia de quando em quando:

— Márcia, não estou ouvindo bem, fale um pouco mais alto.

A companheira, elevando sempre a modulação da voz, contou que os dois, apesar da situação constrangedora da saúde de dona Beatriz no momento, traduziam poesias deliciosas de autores ingleses, marginando-as de trechos sentimentais que lhes expressavam a ternura recíproca, compondo lindo álbum cuja leitura lhe arrancara lágrimas de enternecimento. O amor entre ambos era claro como água. Indispensável apoiarem a filha na concretização de suas esperanças. Afirmava-se confortada em reconhecer, a tempo, que a cultura de Gilberto não se compadecia com as deficiências de Marita, para quem o moço não seria, por isso, um partido feliz. Asseverava, convicta, que competia a ele, Cláudio, e a ela a orientação do assunto. Ponderou ainda que o auxílio dispensado por Marina a dona Beatriz estreitara as relações entre os jovens, e, supondo o esposo agastado à vista de contrariedades prováveis para a filha adotiva, acrescentou, entre desabrida e chistosa, que Marita se arranjaria, na época oportuna. Inclinações de moças, problemas delas. O marido não acreditou em tópico nenhum do que ouvira. Pai, desiludira-se com a filha. As investidas noturnas pelos recantos boêmios, as maneiras inconfessáveis no trato com o chefe de serviço não lhe deixavam dúvidas. Ao revés, as notícias entusiásticas de Márcia acordavam-no para realidades mais agressivas. Inferia que Marina andava sem escrúpulos entre o velho e o moço. De outro modo, na condição de esposo, não lograria embair-se. A companheira figurava-se-lhe a mulher desleal aos compromissos domésticos, mulher que ele mesmo plasmara com os seus exemplos de homem refratário ao equilíbrio emotivo. Impossível queixar-se. Com a tarimba da sociedade menos digna, fizera-se Márcia astuciosa, cruel. Dissimulava para ganhar. Certamente, não lhe confiava quanto sabia. Estaria informada de todas as ligações escusas da filha com o senhor Torres, tanto quanto ele próprio. Capearia as inconveniências, incentivaria, talvez, a leviandade com propósitos de lucro; entretanto, aquele era o momento de atrair a confiança de Marita e, em face dessa razão que se lhe alteava no ânimo empedernido, calou a revolta e partilhou a farsa, afiançando confiar na menina que amavam por filha. Tentaria distraí-la, renová-la, e, de acordo com ela, Márcia, procuraria incluí-la num roteiro de turismo a Buenos Aires, para o qual fora convidado por amigos, no banco. Marita esqueceria, esqueceria. 1.9.13

O entendimento avançava, mas o serviço nos convocou ao aposento próximo, onde a mágoa da jovem explodia, inarticulada, em vibrações de intensa dor.

10

Estirada no leito, chorava Marita, desconsolada. As revelações ouvidas naquele diálogo, a curta distância, revolviam-lhe o coração, quais pinças de fogo. Sentia-se abandonada, desejava morrer.

Então — confirmava-se —, todo aquele devotamento de Gilberto não passava da superfície. Apropriara-se-lhe da alma, empolgara-lhe os sentimentos, para deixá-la sem comiseração. Recordava-se de que, realmente, semanas antes, indagara-lhe ele que outros idiomas conhecia. Algo vexada, informara que somente conseguira o curso primário. O moço retirara da algibeira uma composição de Shelley. Lera o inglês e traduzira para ela os versos lindos. Em seguida, aconselhara-lhe estudos suplementares à noite. Poderia auxiliá-la, relacionava-se com professores distintos. Ela rira-se, queria o lar, a escola do lar com ele. Apenas ali, na decepção que a molestava, compreendia a extensão do arrufo com que se despedira. Ah! sim, aspirava ao casamento com moça culta. Ignorante! — dizia para si mesma — não passo de uma ignorante. Marina era diferente, dominava outras línguas.

1.10.1

1.10.2 Tudo já estava tramado, deliberado.
À vista disso, a irmã recusava-lhe intimidade nos dias últimos. Por mais a rodeasse de mimos, mais se afastava. Agora reconhecia igualmente a causa de mostrar-se o rapaz enfastiado e irritadiço. Entretanto — perguntava-se triste —, se ele a desprezava assim, por que lhe abusara da confiança? Por que o arrebatamento com que lhe acorrentara a alma às inesquecíveis impressões da menina que se faz repentinamente mulher? Não selara com ela um ajuste de matrimônio? Não lhe testemunhava extrema ternura nos encontros domingueiros, quando se entregavam a comunhão mais íntima?

Incapaz de duvidar da legitimidade do carinho que recebera, voltava-se mentalmente para a irmã que lhe surripiava as mínimas alegrias. A nova infelicidade — conjeturava — seria culpa dela. Com toda a certeza, Marina cobiçara o rapaz, a envolvê-lo na teia de artimanhas que entretecia como ninguém. Gilberto caíra-lhe no engodo. Ave no visco. Contudo, ao descobrir toda a trama, reconhecia-se irremediavelmente lesada. Debatia-se em pranto, sob o peso das considerações familiares. Era imperioso certificar-se de que era enjeitada e ignorante. Nada sobraria para ela, tudo para a outra. Marina possuía méritos, ela não.

A exposição de dona Márcia, naquela hora, insuflara-lhe a tortura do réu que ouve sentença inapelável. Ainda assim, chorava inconformada. A contingência de perder Gilberto induzia-lhe o sentimento a matar ou desaparecer. Rememorou as tragédias lidas na imprensa, mas o fratricídio repugnava-lhe ao coração. A ideia do suicídio, contudo, qual semente a se lhe ocultar no imo do ser, evocada pelo esboço ligeiro da alma, como que germinara de súbito. Acariciou-a, de leve, e a sugestão infeliz ganhou corpo. Divagações negativas tomaram-na de assalto. "Renunciar a Gilberto e largar os planos feitos doeriam muito mais que morrer" — pensava, desolada. Mas seria justo acovardar-se, assim tanto? Repeliu

Sexo e destino | 1ª Parte | Capítulo 10

o estranho apelo e, conquanto as lágrimas, prometeu coragem a si própria. Lutaria pela felicidade. Explicar-se-ia com o rapaz, baniriam, juntos, a ameaça pendente. Entretanto, se Gilberto não lhe aceitasse os argumentos, que fazer do destino, se, com o golpe sofrido à frente, percebia também o fantasma da esquisita inclinação do pai adotivo pela retaguarda?

Por que a peça que a vida lhe pregava? Devia esquivar-se ao afeto do jovem que amava, numa consagração natural, para ganhar a paixão do homem maduro que se habituara a respeitar como pai e que lhe acenava com uma espécie de união para ela inaceitável? Estarrecia-se ao ouvi-lo naquela hora. Identificava-lhe o tom de alegria triunfante, ao dar-se conta da felicidade com que se desembaraçaria de Gilberto, no campo em que se prometia apresá-la. 1.10.3

Cláudio como que lhe falava de longe, ao dirigir-se à esposa. Aquelas referências louvaminheiras com que a obsequiava, perante dona Márcia, confirmavam-lhe a decisão de dobrá-la, demovê-la. Entre o asco e a piedade, rememorava-lhe as carícias, que somente naquela noite conseguira compreender.

Como desvencilhar-se?

Flor sacudida no vento da provação, perguntava: Por quê? Por quê?...

Sopesando as ocorrências, pela primeira vez sentia medo daquele ninho familiar a que se reconhecia encadeada por filha do coração.

De repente, elevou o pensamento à memória materna... Ah! nunca imaginara que um coração feminino pudesse encontrar dilemas tão aflitivos quanto aqueles a que se via largada, de instante para outro! Que não teria sofrido sua própria mãe, que a deixara no instante do alvorecer? Nunca soubera, ao certo, as circunstâncias que lhe haviam rodeado o nascimento. Concluía agora, porém, que talvez a genitora tivesse conhecido o cálice que ela agora amargava! Que noites de agonia moral atravessara, sozinha, ao acariciá-la no ventre! Que injúrias padecera, que privações experimentara? Ela, que tudo desconhecia acerca do pai, refletia no martírio da genitora, jovem e abandonada, quando, provavelmente, lhe aguardava, em vão, o carinho e a proteção, noite a noite. Dona Márcia, ao biografar-lhe a mãezinha, dissera "moça brincalhona". Teria sido mesmo? Possivelmente, gargalharia para não soluçar, ansiando abafar em ruídos de festa os gritos da própria alma... Quem sabe ter-se-ia dedicado a algum homem proibido, empenhado o coração a algum moço que lhe fora roubado à ternura de menina e mulher?!

1.10.4 Nas lágrimas que lhe corriam, suspirava por fazer-se criança... Por que não vivera a mãezinha, a fim de lutarem juntas?! Consagrar-se-iam uma à outra. Permutariam as próprias mágoas...

Muita vez, na loja a que servia, escutava apontamentos sobre comunicações de mortos, inteirava-se de experiências sobre a continuação da vida no Além... Seria aquilo verdade? — indagava-se. Se Aracélia, libertada, estivesse em alguma parte, indiscutivelmente lhe acompanharia o calvário, compartilhar-lhe-ia o infortúnio...

Mecanicamente, implorava ao Espírito materno a abençoasse, fortificasse, protegesse... Conquanto sem qualquer ideia religiosa definida, formulava prece muda, que valia por funda invocação...

Intentávamos consolá-la, buscando asserenar-lhe a mente, quando duas senhoras desencarnadas penetraram no quarto, de improviso.

Saudaram-nos afetuosamente, revelando a condição de entidades familiares, vinculadas àquele refúgio doméstico.

Das recém-chegadas, a que nos pareceu menos experiente adiantou-se para a menina em oração. Controlava-se dificilmente. Tremia, ao enxugar o pranto silencioso. Inclinou-se para o leito, como qualquer mãe desventurada e aflita da Terra quando teme acordar um ser querido...

Mesmo sem elucidações prévias, não nos era lícito alimentar 1.10.5
qualquer dúvida. Aquela era a jovem do retrato que Marita conservava, em imagem, nas telas do pensamento. Aracélia, amparada pela doce afeição de venerável amiga, ali estava, diante de nós! Mãe amorosa, vinha talvez de muito longe para acudir às angústias da filha... Enternecendo-nos, a pobre mãe ajoelhou-se para beijar-lhe os cabelos... E, oh! segredos insondáveis da Providência divina!... Quem conseguirá definir com palavras humanas a essência do amor que Deus situou nas entranhas maternas?!... A dama inclinou-se, muito de manso, e abraçou-a com ternura, à maneira de planta que se fechasse sobre a única flor que lhe nascera...

A castigada menina acalmou-se de súbito. Adivinhando a visita pela qual suspirava, alijou a tensão, percebendo-se mentalmente ocupada pela presença da genitora, cujos traços tentava, afetuosa, lembrar e reconstituir.

Outro quadro, entretanto, superpôs-se, comovedor.

Aracélia, que orava e chorava em profundo silêncio, buscava em pensamento outra mulher, cuja evocação lhe renovava as energias.

A mãe desencarnada via-se pequenina, junto da lavadeira singela que a trouxera, na reencarnação última, para o teatro da vida humana. Identificava-se criança, agarrada à saia daquela moça doente, que mergulhava as pernas no rio para ganhar o pão... Tão fundo atingia a acústica da memória que chegava a escutar o ruído daquelas mãos miúdas esfregando as peças ensaboadas... Recolhia-lhe, de novo, o olhar meigo, em que lhe pedia paciência... Calada, na areia, por vezes esperava, esperava, depois que a mãezinha lhe repunha o corpo frágil, a curta distância, a fim de atender ao serviço... E rememorava o enlevo e o júbilo que sentia quando os braços maternos a retomavam, para fazê-la dormir, ao som do velho estribilho, a que se acostumara no lar de telha vã...

1.10.6   De olhos parados, como se buscasse, além, no espaço infinito, o colo agasalhante que o tempo arrebatara, assumiu nova posição, colocando a cabeça da jovem no próprio regaço e, emocionando-se até as lágrimas, qual se tivesse nos lábios aqueles lábios de mãe, humilde e enferma, que jamais esqueceria, Aracélia, em pranto resignado, cantou suavemente diante de nós:

Lindo anjo de meus passos,
Descansa, meu doce bem;
Dorme, dorme nos meus braços,
Enquanto a noite não vem.
Dorme, filhinha querida,
Não chores, encanto meu;
Dorme, dorme, minha vida,
Tesouro que Deus me deu...

Qual se fora repentinamente magnetizada, Marita caiu em pesado sono.

Isso feito, a senhora, que tutelava a companheira, atraiu-a brandamente de encontro ao peito, no manifesto propósito de consolá-la e, segurando-a, falou-nos triste:

— Irmãos, nossa Aracélia ainda não está em condições de amparar a filha.

E, ajuntou, entre gentil e desapontada:

— Perdoem-nos a interferência. Nós, as mães, em certas dificuldades, nada mais temos que alguma velha canção para dar aos nossos filhos!...

Em seguida, retirou-se, sustendo Aracélia, que se lhe refugiara nos braços, soluçando...

Ainda não nos refizéramos da emoção, quando vimos Marita, em espírito, afastar-se do corpo denso, guardando a inquietação da criança que anseia inutilmente pelo calor materno... Qual ocorre, porém, à maioria das criaturas encarnadas no plano físico, mostrava lucidez oscilante, insegura... Cambaleou no quarto e, percebendo eu que Neves se dispunha a arrimá-la, sustive-lhe o impulso, fazendo-lhe sentir que a nossa intervenção direta poderia frustrar-lhe os desejos e que, a fim de prestar-lhe auxílio eficiente, era mister deixá-la à vontade, sob vigilância discreta, de modo a examinar-lhe as necessidades mais íntimas.

Sucedeu, quase que de imediato, o que não prevíamos. 1.10.7

Esfumaram-se os arroubos da filha saudosa, esmaeceram-se atitudes infantis, a menina de Aracélia desaparecera e ressurgiu nela a personalidade feminina, estudante e clara.

A moça não nos via. Guardava a mente nebulosa que caracteriza os pequeninos ainda tenros, incapazes de particularizar as impressões, quando se transferem de lugar; entretanto, qual lhes acontece, quando ao reterem ideias fixas, quais sejam o brinquedo ou a guloseima, concentraram-se-lhe todos os pensamentos num ponto só: Gilberto.

Queria ver Gilberto, ouvir Gilberto.

Semelhantes impulsos a se lhe conglomerarem na cabeça, repetidamente emitidos, galvanizavam-lhe a vontade, revestindo-lhe o pensamento de uma certa clareza, que a favorecia, porém, tão só na direção dos seus anseios de mulher. Essa penetração parcial como que lhe conferia agora seguro apoio íntimo, e Marita, figurando-se-nos senhora de si, conquanto absolutamente presa ao desejo ardente em que se obstinava, largou o aposento e, descendo os largos trechos da escadaria que contornava o elevador, deixou para trás o enorme edifício, qual sonâmbula, magnetizada pelos próprios reflexos.

Seguimo-la, atentos, não obstante confiando-a à própria discrição.

1.10.8   Cabia-nos estudar-lhe os ímpetos extrovertidos, consultar-lhe as inclinações. Não tivemos, todavia, qualquer dificuldade para adivinhar-lhe o rumo.

Em tempo reduzido, a filha adotiva de Cláudio alcançou a residência de Nemésio, que já se nos fizera conhecida.

Na certeza instintiva de quem se endereça a determinada pessoa, pelos recursos do olfato, sem atender a quaisquer convenções de forma e número, avançou casa adentro, acalentando a imagem de Gilberto, que lhe substancializava o pensamento dominante.

Impulsionada pelas percepções indefiníveis da alma, demandou amplo dormitório, localizado nos fundos da moradia, e, sem que nos fosse possível avaliar, de pronto, a resolução de garantir-lhe a liberdade, a fim de analisar-lhe as reações, sobreveio o choque doloroso.

Naturalmente sobressaltados, apenas conseguimos ampará-la pela retaguarda.

Entrando no quarto, Marita surpreendeu Gilberto nos braços da irmã, e bradou estarrecida:

— Canalha! Canalha!...

Aquelas imprecações, entretanto, nem de longe atingiram o jovem par, completamente absorto na permuta de gratificações afetivas.

Neves e eu não trocamos palavra. Precipitamo-nos, automaticamente, para a menina atribulada, intentando anular-lhe a agitação convulsiva.

Mais alguns minutos e despertou no corpo denso, obrigando-nos a pensar numa pequena fera aguilhoada, retornando à gaiola. Descerrando as pálpebras vagarosamente, denotava no olhar a feição dos loucos quando relaxam os músculos em seguida a perigoso acesso de fúria. Tateou, espantada, a fronte suarenta. Fez luz, com fome de realidade física. Atarantada, sentou-se para fixar as paredes, com mais segurança, e certificar-se de que se achava no leito e no lar.

Pouco a pouco, readquiriu a confiança, acalmou-se, refazendo energias; no entanto, acusava uma espécie de tranquilidade constrangida e amarga. 1.10.9

Pesadelo? — indagava-se, aterrada — ou quem sabe os padecimentos simultâneos lhe acarretavam crises de loucura?

Doía-lhe a cabeça, sentia-se desajustada, febril.

Marita regressara ao agasalho físico, sob pressa demasiada, sem que nos fosse possível adotar qualquer providência para anestesiar-lhe a memória.

Retinha no pensamento particularidades do quadro visto e ouvido, e encarcerada, de novo, entre as impressões superficiais dos sentidos corpóreos e a noção da verdade profunda, que não lograva apalpar, entrou em pranto agoniado, para somente dormir, com relativa calma, aos clarões do dia.

11

Colaborando nós na assistência a dona Beatriz, que enlanguescia sempre, tornamos a ver Marita, no encerramento da tarefa diária.

Chegara novembro com chuvas torrenciais.

Naquele dia, depois de algumas horas marcadas de canícula intensa, nuvens gigantescas ocultaram os picos, abreviando o crepúsculo, que se adensava, abastecido de água e névoa. Copacabana molhada, nas horas de movimentação culminante, acentuara a algazarra. Todo o povo que transitava nas ruas parecia disputar a melhor num concurso de pressa. Maratona improvisada. Veículos despejavam filas enormes de pessoas, evidentemente sequiosas de tranquilidade doméstica, que vinham do norte e do centro, carros fonfonavam no espelho irrigado do asfalto, pedindo vez. Transeuntes encapuzados acotovelavam-se, esperando as conduções que vinham do extremo sul.

A filha adotiva de Cláudio alcançou o vasto edifício, arrostando o aguaceiro.

De Copacabana ao Flamengo, o trajeto de ônibus, tão logo iniciado, fora rápido, e do coletivo até a casa o trecho de caminho

1.11.2 constara simplesmente de alguns passos; contudo, mesmo assim, despiu a capa, diante do elevador, como quem deixava a piscina. Tudo frio e sombra em torno; entretanto, mais dolorida que a tarde caliginosa, surgia-lhe a alma atormentada, por meio dos olhos pisados de cansaço e vigília.

De subida, a vizinha solicitou-lhe a atenção para os adornos leves que carregava numa cesta de arame. A jovem, chamada a si, examinou ligeiramente os papéis pintados para festiva noite de aniversário, em apartamento próximo, pronunciou automaticamente breves palavras de admiração e ensimesmou-se, abafada, para somente aliviar-se, de algum modo, ao reconhecer-se no recanto familiar.

Ninguém a esperava.

Sozinha, estirou-se no leito, procurando recapitular os acontecimentos da véspera, mas o estômago reclamava alimento. Recordou que varara o dia em absoluto jejum. Levantou-se. Consultou os recursos da copa; entretanto, os pratos que haviam sobejado não lhe acordaram o apetite. Não obstante a temperatura baixa a se lhe refletir nas mãos álgidas, sentia excitação, calor. Fatigara-se de pensar, trazia os nervos tensos. Desejou mate frio. Abriu a geladeira e serviu-se. Parou os olhos pestanejantes no telefone a distância curta. Não se conteve. Discou. Da residência dos Torres, porém, uma voz imprecisa informou que Gilberto saíra, não estava. Ela esmoreceu ainda mais...

Arrastou-se, tornando ao quarto, e descerrou a janela. Queria desafogar-se no ar fresco.

Debruçou-se no parapeito, contemplando a cidade, lá embaixo. Sob a chuva, os automóveis figuravam-se animais fugitivos.

A moça refletia, refletia... Mirando o casario iluminado, deduziu que milhares de pessoas aí se aglomeravam, suportando talvez problemas piores ou semelhantes aos dela, inquirindo, em vão, de si mesma, o porquê de encontrar-se tão entranhadamente agrilhoada a Gilberto, quando centenas de rapazes respiravam, não longe, com excelentes predicados para lhe interessarem o coração.

Sentia-se desalentada, insatisfeita. Aspirava a entreter-se, 1.11.3 fugir de si mesma.

Inutilmente fez menção de envergar um casaco e descer à rua, a fim de se distrair, apesar do mau tempo. Entretanto, não era apenas a chuva copiosa que lhe frustrava os impulsos. O espírito almejava deslocar-se, o corpo não. Exacerbação e fadiga. Tentou engolfar-se na leitura, reacomodando-se no leito, depois de apanhar uma novela, em que o marcador lhe indicava o lance interrompido, mas lembrou-se de Cláudio. O pai adotivo raramente atrasava e, desde a véspera, não conseguia recordá-lo sem temor. Reergueu-se e preparou-se para o descanso. Precavida, apagou todas as luzes. Quando chegasse, decerto acreditá-la-ia distante.

Trancada agora na sombra, atirou-se à cama, com o abandono de quem larga um fardo importuno, e passou a meditar... Realinhavou na memória todas as esperanças e sonhos, provas e inibições da existência curta, deitando lágrimas no linho do travesseiro.

Daí a instantes, escutou os passos do chefe da casa, que se movia de uma peça para outra. Pela sutileza do andar, percebeu quando Cláudio veio, muito de leve, espreitar-lhe o aposento. Experimentou a maçaneta, mas não insistiu. Ela e Marina guardavam o hábito da vedação, ao se ausentarem à noite. Ouviu o barulho inconfundível da garrafa em atividade e, logo após, assinalou-lhe o regresso à rua, ao mesmo tempo que lhe notava o nervosismo pela maneira violenta de cerrar a porta, ao sair.

Aliviada, fez-se menos inquieta.

Marita achava-se realmente só, uma vez que até mesmo os dois vampirizadores do apartamento, ao que presumíamos, andavam fora, ajustados ao companheiro.

Horas passaram, lentas, difíceis...

1.11.4 Onze em ponto, quando Neves e eu nos dispusemos ao socorro magnético. Oramos, exorando a bênção do Cristo e o concurso do irmão Félix, em benefício da moça exausta.

Mobilizamos as possibilidades de nosso âmbito estreito.

Ela, a princípio, reagiu negativamente, empenhando-se na vigília, mas cedeu enfim.

Operamos, cautelosos, reduzindo-lhe a capacidade de movimentação, obrigados que nos víamos a prever-lhe o intento de reunir-se a Gilberto, qual sucedera na véspera.

Efetivamente, desligada do corpo, expressou completo alheamento, sem manifestar o mínimo interesse pelo ambiente.

Absorvida na paixão que lhe empalmava todas as forças, monologava, ideando alto:

— Gilberto! Onde está Gilberto?

Tentou equilibrar-se; entretanto, rodopiou vacilante.

— Alguém que me ampare! — mendigou aflita. — Preciso encontrá-lo, encontrá-lo!...

Apoiamo-la, prestos.

Iniciávamos a saída quando se abeirou de nós simpática senhora desencarnada, declarando-se mensageira do irmão Félix, que nos esperava num posto socorrista.

Prestimosa, abraçou a paciente com o jeito característico da mulher e pusemo-nos mais facilmente a caminho.

Demandaríamos bairro próximo, onde respeitável instituição espírita cristã nos ofereceria aconchego — instruiu a recém-chegada, que se nos apresentara sob o nome de irmã Percília.

Notei que Neves e ela permutaram delicadezas mudas, revelando conhecimento anterior. Percília, contudo, não se demorou em qualquer consideração individual. Mais entregue ao trabalho que a si mesma, conversou com a frágil menina, encorajando-a. Esforçava-se por descentralizar-lhe a atenção, apontando quadros e ocorrências do trajeto, sem resultado. A moça não apresentava outros pensamentos, palavras e objetivos que não fossem Gilberto. Fascinação, enredando todos os reflexos. A cada apontamento afetuoso, revidava perguntando em que lugar e a que instante seria finalmente conduzida à presença dele, ao que a benfeitora respondia, com admirável senso materno, sem a menor expressão de chiste ou desagrado, qual se palestrasse com uma filha doente, procurando reajustá-la dentro de amorosa solicitude, comportamento esse com que nos impelia à imitação.

Nem Neves nem eu nos sentíamos, dessa forma, inclinados a considerar, de maneira negativa, nenhuma daquelas frases francas de menina e moça, que lhe denotavam os estímulos sexuais, limpos e inocentes, convertendo-a, naquela hora, em criança extrovertida.

Alcançando o recinto de atividades espirituais que se nos erguia por meta, fomos acolhidos pelo irmão Félix, em pessoa, acompanhado de mais dois amigos. 1.11.5

O instrutor inteirou-nos de que nos recebera o comunicado, acentuando, modesto, que, dispondo de algum tempo, deliberara vir, ele próprio, examinar o que sucedia.

Marita contemplou-o extática, indiferente, figurando-se aparvalhada, absolutamente inepta e distante para avaliar a importância do sábio que a brindava com paternais gentilezas.

Mentalmente encravada nas recordações do jovem Torres, as indagações que propunha dariam decerto para escandalizar, não estivéssemos preparados a fim de auscultar-lhe os conflitos.

Amparada por Félix que nos dirigia, tolerante, entrou no edifício, inquirindo se havia chegado, por fim, ao clube onde comumente surpreendia Gilberto; encaminhada ao compartimento espaçoso, em que recolheria o necessário socorro magnético, quis saber o motivo pelo qual se imprimira tanta mudança ao salão de baile; mirando, distanciada, pequena equipe de servidores desencarnados, que desenvolvia tarefa assistencial, em ângulo oposto, alegou que a orquestra não devia adotar silêncio

1.11.6   contínuo, e, escutando as buzinas que guinchavam na rua, procurou descobrir se Gilberto vinha chegando para dançar.

De raciocínio obliterado, qual se achava, lobrigava por fora as criações mentais que arquitetava por dentro, sem ligeira noção da realidade exterior.

Félix, no entanto, ouvia-lhe todas as manifestações inconsideradas, com a ternura de um pai. Grave sem aspereza, compreensivo sem atitudes açucaradas que lhe comprometessem a autoridade de educador. Replicava sempre entre a bondade e a circunspeção devidas a um enfermo, abstendo-se de melindrar-lhe os sentimentos ou de encorajar-lhe as ilusões.

Instalando-a em ampla cadeira, fê-la descansar na hipnose tranquila.

Calou-se Marita, ilhada nas memorizações em que se comprazia, ao passo que o instrutor lhe ministrava passes balsâmicos.

A operação magnética foi longa, minuciosa.

Em seguida, Félix rogou-lhe falar, expondo o que mais anelasse de nós, ao que a moça gaguejou acanhada, suplicando a presença de Gilberto e asseverando que alimentava dúvidas sobre se aquele era realmente o grêmio em que se entrevistavam... Pediu socorro, proteção... Inclinou-se para Percília, no impulso da criança quando tem fome do colo materno, e chorou, de manso, como a implorar que não a detivéssemos.

O irmão Félix, compassivo, informou-nos, sem que a paciente lhe penetrasse o fundo das elucidações, que, infelizmente, a intervenção efetuada em favor dela não poderia ultrapassar a superfície, prevalecendo tão só para a sustentação do repouso físico; que a paixão juvenil se convertera em psicose grave; que a pobre menina se deixara arrastar pelo desvario afetivo, a ponto de cair no pior tipo de possessão, aquele no qual a vítima adere, gostosamente, ao desequilíbrio em que se consome.

E acentuou que lhe consultara o organismo, no sentido de 1.11.7
se lhe atalhar a alienação mental começante, com o socorro de alguma enfermidade séria que, ao arrojá-la no leito, lhe modificaria a mente, predispondo-a a diferentes impressões; entretanto, o corpo da jovem não se mostrava habilitado a receber esse gênero de amparo. Marita, sumamente desorientada e enfraquecida, desencarnaria no desajuste orgânico mais pronunciado que viesse a sofrer, em caráter providencial. Não surgia alternativa senão a de esperar pela resistência moral dela própria.

Convidados a escoltá-la até a casa, Neves, Percília e eu colocamo-nos de volta.

Marita não revelava aspecto algum para melhor, quanto à condição mental, mas o auxílio magnético surtira efeito imediato e salutar, porquanto, reajustada ao corpo denso, passou a repousar sem agitação, pelo que a deixamos a dormir profundamente.

Despedimo-nos de Percília, ante o céu estrelado, e, de novo a sós, talvez porque me sentisse a indagação inarticulada, Neves confidenciou:

— André, você conhece essa senhora?

E, ao meu sinal negativo:

— Essa é a mesma que eu vi no cabaré, quando agredi meu genro, num gesto impensado; a desconhecida que me apoiou no regresso ao aposento de Beatriz, apenas com a diferença de que hoje não traz consigo o distintivo luminoso... Mas não tenho dúvida alguma, é a mesma pessoa...

12

Neves e eu permutávamos conjeturas, quando alguém nos abraçou de afetuosa maneira. 1.12.1

Era o irmão Félix, a despedir-se.

Espírito admirável pela abnegação e pela ciência, reverenciado por todos os seareiros do bem, onde passasse, referindo-se aos protagonistas do drama familiar que se nos oferecia à atenção, apresentava os olhos marejados de pranto.

Via-se-lhe não somente a piedade fraterna, mas também o imenso amor àquelas quatro almas, reunidas ali, naquele aprazível recanto do Rio.

Parados, agora, respirando as aragens que encrespavam docemente as águas da Guanabara, enquanto o céu da madrugada imprimia mais amplo realce às estrelas, enternecia-nos reconhecer-lhe o paternal carinho, qual se fora um homem comum, descansando conosco, à frente do mar.

Tão grande e tão puro o devotamento de que dava mostras, ao descerrar-nos os tesouros do coração por meio das palavras, que o próprio Neves, irrequieto às vezes, ao escutar-lhe as apreciações, cumpria espontaneamente o que prometera. Nenhuma observação impulsiva, nenhuma interjeição impensada.

1.12.2   A atitude do instrutor, ao deter-se nas lutas escabrosas do plano físico, educava cativando. Elevação em cada frase, luz do sentimento em cada ideia.

Conquistava, sem pedir, o nosso interesse na prestação de assistência voluntária ao lar de Cláudio, cuja estabilidade periclitava, na conceituação dele mesmo.

Compadecia-se — elucidava, prestimoso — daquelas quatro criaturas, atiradas ao oceano da experiência terrestre, sem a bússola da fé. A princípio, esforçara-se por abrir-lhes um caminho espiritual, mas debalde. Afundavam-se em profunda névoa de ilusão, hipnotizados pelas gratificações transitórias dos sentidos carnais, ao jeito de passarinhos agarrados à casca apodrecida de um fruto, sem a mínima disposição de consultar a saborosa riqueza da polpa.

Descobrindo algo mais à própria intimidade, relatou-nos que vira Cláudio renascer, que acompanhara dona Márcia no berço, que seguira, de perto, a reencarnação de Marina e Marita, deixando ver nas reticências as lágrimas que semelhantes realizações lhe haviam custado, sem alardear virtude ou superioridade em torno dos empeços vencidos.

Hipotecara dedicação, amizade, confiança e tempo, a fim de entrosá-los em alguma obra de benemerência, de maneira a cultivar-lhes a espiritualidade latente; no entanto, Cláudio e Márcia, de novo no estágio físico, sob o esquecimento inevitável e providencial do pretérito, haviam recapitulado certas experiências infelizes...

No mundo espiritual, antes de recomeçarem o trabalho terrestre, analisando as necessidades e os remorsos que lhes atenazavam as consciências, haviam prometido empregar o prêmio da internação no veículo carnal, edificando a sublimação íntima e corrigindo excessos de outras épocas, por meio do suor no serviço ao próximo; contudo, imperfeitamente chegados à juventude das forças corpóreas, tinham abraçado paixões que lhes frustravam todas as possibilidades de libertação próxima. Ele, Félix, e outros companheiros empenhavam-se em auxiliá-los, mas infrutiferamente. Os quatro resistiam a toda espécie de sugestão reparadora; repeliam, de pronto, qualquer projeto construtivo.

Nobres amigos de outras eras, aplicados a estender-lhes apoios preciosos, acabaram desiludidos, largando-os ao próprio arbítrio. 1.12.3

Cláudio e Márcia, principalmente, ao elegerem o dinheiro e o sexo desgovernados por chaves dos próprios dias, nada mais estavam conseguindo que desajustar os fundamentos da tranquilidade doméstica. Em razão disso, Marina e Marita não obtinham alicerces para a felicidade real. Jovens ainda, complicavam-se as duas em perigos e tentações, de que muito dificilmente se desvencilhariam sem dolorosas marcas na alma.

Tamanha se evidenciara a rebeldia de Cláudio que, naquela hora significativa e ameaçadora da existência, não contava, além da Providência divina, senão com raros amigos. Ainda assim, esses amigos — acrescentava modesto, certamente ponderando quanto às dificuldades dele mesmo — não se viam com direito a solicitar socorros especiais e, absorvidos por responsabilidades numerosas, achavam-se na contingência de apenas dispensar-lhe auxílios esporádicos, incertos.

Compreendemos aonde o benfeitor categorizado e humilde se propunha chegar e adiantamo-nos, prometendo nossa adesão decidida ao programa assistencial que ele delineasse.

Dispúnhamos de oportunidade, não nos seria difícil.

Além do tempo que me era lícito despender, atento à concessão dos meus superiores para colaborar em apoio de Neves, possuía um requerimento em trânsito, junto das autoridades competentes, para que me fosse concedido um estágio de dois anos, em alguma das organizações destinadas, em Nosso Lar,[19]

---

[19] Nota do autor espiritual: Cidade consagrada à educação e ao reajustamento da alma, no plano espiritual.

aos serviços de psicologia sexual, com finalidades reeducativas, e ciente de que ele, irmão Félix, responsabilizava-se pela direção de um dos melhores institutos desse gênero, pedia-lhe, por minha vez, me endossasse a petição.

1.12.4 Sentir-me-ia feliz com o ensejo de estudar e trabalhar, assimilando-lhe a experiência e recebendo-lhe o patrocínio.

O instrutor reafirmou a sua simplicidade, declarando que a obra pela qual respondia talvez não pudesse satisfazer-nos a expectativa, mas obrigava-se — acentuava Félix, sem alarde — a favorecer-nos os estudos que intentaríamos.

Notando-me o entusiasmo, Neves não vacilou compartilhar-me os propósitos.

Faria requisição idêntica.

Nosso interlocutor, comovido, esclareceu que isso vinha reconfortá-lo sobremaneira, porque, atendendo a ditames de afetividade e reconhecimento, alcançara permissão para recolher Beatriz, em sua própria residência, tão logo a esposa de Nemésio pudesse retirar-se da esfera física, depois da desencarnação.

Hospedá-la junto de Neves, o genitor que a filha jamais apartara da lembrança, ser-lhe-ia contentamento enorme.

Ambos desfrutariam abençoada convivência, regozijar-se-iam unidos, recordando o passado e articulando novos planos de trabalho e alegria.

Enquanto o devotado coração paterno se desmanchava em agradecimentos, Félix se despedia afetuoso.

Demandando algum refazimento, esboçávamos projetos, ideando medidas de ação.

Manifestava-se Neves tocado de energias e esperanças novas. Aguardaria a filha, sim, confiante no futuro. Almejava o reequilíbrio total, ansiava reeducar-se, a fim de lhe ser mais útil. Empregaria todos os recursos de modo a ampará-la, fortalecê-la.

Eufóricos, deliberamos concentrar, a partir do dia que se 1.12.5 anunciava, todas as nossas atividades de vigilância ao lado de dona Beatriz, prestes a se desobrigar das células doentes, e, certificando-nos de que a moradia dos Nogueiras reclamava plantão, urgia revezarmo-nos em serviço.

O amigo, contudo, ponderou com razão que a filha se abeirava do transe final, que receava não dispor da serenidade precisa, caso fosse defrontado, sozinho, por obstáculos constrangedores. Era humano, adorava aquela filha padecente. Queria afagá-la, alentá-la, conquanto não se presumisse com merecimento bastante para estender-lhe apoio e consolação.

Não seria recomendável se mantivesse, em caráter permanente, no lar dos Torres, ao passo que me reservaria o compromisso de cooperar na pacificação dos Nogueiras.

Isso apenas por alguns dias, enquanto a liberação de Beatriz estivesse pendente.

Tanto quanto possível, por outro lado, poderia, de minha parte, tornar para junto dele, partilhando-lhe o clima da filhinha agonizante, onde nos acomodaríamos aos imperativos de nossa edificação moral, estudando e servindo, para mais amplo rendimento das horas.

Aquiesci, contente, àquelas nótulas sensatas.

Foi assim que, refeito, regressei, manhã alta, ao apartamento de Cláudio, no intuito de investigar, a sós, a paisagem que me pautaria o quadro fundamental de aplicação ao dever assumido. Cabia-me conhecer as minudências, suscetíveis de adquirir maior importância, de momento para outro, esquadrinhar pontos de apoio, tomar contatos, e, se possível, ouvir pessoalmente os dois irmãos desencarnados que ali desempenhavam lamentável papel.

Entrei. Apenas dona Márcia conversando com a senhora que se incumbia das mais pesadas obrigações no recinto doméstico, a comentarem os tópicos engraçados de certo programa de televisão, que a família acabava de instalar, com espírito de novidade e alegria.

1.12.6 Tudo calmo, os vampirizadores ausentes. Limpeza e ordem.

Em dado instante, a figura de Marita invadiu-me o cérebro. Afeiçoara-me à pobre menina. Era uma filha espiritual que me tocava resguardar solicitamente.

Desassossegado, precipitei-me para a rua e, a breve trecho, vi-a na loja colorida e simpática, ensaiando sorrisos para as freguesas bem-postas.

Abracei-a paternalmente, expressando-lhe em silêncio votos de paz e otimismo. Ela respondeu, de modo instintivo, acalentando vagas ideias de reequilíbrio e esperança.

Registrava-se-lhe a melhora inequívoca.

O amparo magnético assimilado funcionara, eficiente. Ignorando por que motivo, acusava-se tranquila, mais forte. Repousara, reconstituíra-se. Retomara o gosto pelo trabalho, palestrava animadamente, selecionando algodões estampados.

Nossa presença passou a despertar-lhe reflexões. Não obstante opinasse nisso ou naquilo, entre as clientes amigas, começou a pensar, pensar...

Depois de alguns minutos, pressionada pelas lembranças, caminhou para o telefone e chamou dona Márcia, perguntando se ela viria, na parte da tarde, a Copacabana, e, informada afirmativamente, rogou à mãezinha adotiva a procurasse, se possível, às quatro. Lanchariam juntas, tinha algo a dizer-lhe.

Concluí que significaria abuso incomodá-la no trabalho, em que se obrigava a retalhar atenções, por meio dos pensamentos descontínuos, e aguardamos a ocasião adequada, a fim de inteirar-nos acerca de atividades ou problemas em que nos fosse possível desenvolver algum préstimo.

No horário previsto, acompanhamos mãe e filha até pequenino recanto de hospitaleira sorveteria, considerando a gravidade da tarefa de que fôramos investidos. 1.12.7

Postadas ambas em clima de segredo, Marita desafogou-se com dificuldade, começando a falar, discreta e humilde.

Que dona Márcia lhe perdoasse os aborrecimentos daquela hora; entretanto, não tinha culpa. Não desconhecia a extensão da mágoa que lhe cortaria a alma, daria tudo para não feri-la, mas sentiria remorsos se não lhe contasse o sucedido. Hesitara muito antes de resolver situá-la no assunto, adiantou acanhada. Sentia-se, porém, sua filha pelo coração, devia confiar-lhe tudo.

E, na ingenuidade de moça inexperiente, relatou a confissão que Cláudio lhe fizera, a descrever-lhe os modos, lance por lance. Espantara-se, sofrera muitíssimo. Jamais esperava por semelhante ocorrência. Tivesse parentes e não vacilaria mudar-se para evitar escândalos. Era, contudo, dependente, sozinha. A única família que possuía eram eles mesmos, os Nogueiras, cujo nome usava, orgulhosa, desde a infância. Andava desorientada, receosa. Pedia conselhos.

A interlocutora, todavia, escutara sorrindo, nem mesmo interrompendo, de leve, a deglutição da taça de creme, que saboreava com requintes de paladar.

Tamanha impassibilidade esfriou a disposição da jovem, que passou a resumir, quanto pôde, as confidências e alegações que se inclinava a expender; e, com indizível surpresa, não somente para Marita que lhe aguardava, ansiosa, a palavra, mas igualmente para nós, que não contávamos com o ardiloso expediente de Cláudio, defendendo-se previamente, dona Márcia patenteou, no semblante sereno, absoluta incredulidade e participou que o marido, na véspera, a convidara para conversação, à parte, comunicando-lhe certas apreensões. Dissera-lhe que, à noite, no entendimento mantido, não tivera coragem de mencionar o assombro que o perseguia, porquanto julgara prudente refletir sobre o acontecimento que tanto o penalizava, antes de avançar em qualquer conclusão. Entretanto, após meditar aturadamente, deduzira que ela, Marita, necessitava da proteção de um psiquiatra.

1.12.8 Dona Márcia perfilhou um tom de voz em que se conjugavam inquietação e advertência, e continuou informando, informando...

Dissera-lhe Cláudio haver experimentado imenso alívio ao vê-la penetrando no quarto, na noite da antevéspera, porquanto, momentos antes, ao despertar a filha adotiva sonambulizada, fora assaltado por ela com muitos beijos, que lhe ouvira frases inconvenientes, que se forçara à reação, pelo que a esposa percebera as vozes com as quais tanto se assustara. Anunciara-lhe ter refletido suficientemente e acabara aceitando a hipótese de um desequilíbrio. Rogara-lhe concurso para que um psiquiatra interferisse no problema. Assumiria ele a responsabilidade das despesas e, preocupado qual se achava, faria mais ainda... Envidaria esforços para que uma excursão à Argentina lhe restaurasse as energias, evidentemente alteradas.

Diante da estupefação que nos dominava, a senhora Nogueira tomou posição conselheiral.

Recomendou à menina procurasse esquecer, distrair-se. Explicou que não viera ao encontro no intuito de abordar o caso. Ante as alegações da filha, entretanto, não encontrava outra saída além daquela em que lhe abria o coração. Esposa e mãe, defenderia a paz de todos. Não concordava em que se tomasse partido. Cláudio, efetivamente, contraíra contas com ela, dona Márcia, nas ingratidões de marido. Isso sim. Mas, no tocante às filhas, sempre tivera a conduta de pai exemplar. Nada justo incriminá-lo. Tudo não passava de imaginação enfermiça dela própria, Marita. Fase de moça namoradeira.

E o martelo verbal tornou aos estribilhos do passado. As festas de Aracélia, as companhias de Aracélia, as desilusões de Aracélia...

Verificando no olhar da jovem a penosa impressão com que era obrigada a recolher tais lembranças, a interlocutora, sem mais fundo lastro de amor para comovê-la, modificou a tática afetiva e alinhou histórias de seu conhecimento, em que sonâmbulos realizavam proezas diversas.

Argumentou que ela e Cláudio, perante a ocorrência, que analisavam com o carinho de pais verdadeiros, e não com qualquer espírito de censura, haviam recordado que ela, em criança, muitas vezes acordava aos gritos, pela madrugada, fazendo birra e queixando-se de inexplicáveis terrores. Levada ao médico, o facultativo receitara calmantes. Rememorou, bem-humorada, a opinião de velho amigo da família, que dissera a ela e a Cláudio andar a menina atacada de nictofobia, e que, somente depois, ambos recorreram ao dicionário, a fim de aprenderem que a palavra significava "medo da noite".

Dona Márcia riu-se àquelas chistosas evocações, completamente alheia à importância do assunto. Afagou os ombros de Marita e aconselhou-lhe juízo.

A jovem, perplexa, tanto quanto nós mesmos, não teve ânimo para desmentir. Ignorava como deslindar a meada que o sedutor entretecera. Preferiu acriançar-se, aparentando aprovação com o silêncio.

No íntimo, contudo, revoltava-se.

Cláudio trapaceara e a mãe adotiva caíra no logro.

Não possuía recursos para demonstrar a verdade. Tocava-lhe tão somente suportar e esperar.

Dona Márcia, no claro propósito de evitar o problema e, aliás, denotando naquela hora elogiável sinceridade na compaixão pela moça que supunha doente, convidou-a a examinarem, juntas, o primoroso estoque de butique vizinha.

1.12.10   Marita aquiesceu conformada, e o entendimento malogrado passou superficialmente, valendo para nós por aviso grave, a fim de que reforçássemos todo o sistema de vigilância, no compromisso assistencial.

Transcorreram cinco dias sem que aparecessem acontecimentos dignos de menção. Contava justamente uma semana de contato com os novos amigos, quando, ao partilhar as inquietações de Neves, fui procurado por atencioso companheiro a quem solicitara cooperação. Avisava-me de que certa senhora demandara o banco, procurando Cláudio no assunto que nos tomava a atenção.

Ao sol da manhã em giro alto, dirigi-me para o local, encontrando-a em pequena sala de espera, contígua a extenso escritório, no qual operosa equipe de funcionários desdobrava operações de contabilidade interna.

A dama aguardava Nogueira, ausente em serviço.

A recém-chegada trajava-se com primor, exibindo, porém, o ar das mulheres que, depois de perderem as ilusões, acabam fazendo negócio dos prazeres que já não são mais capazes de usufruir.

Detínhamo-nos no exame despretensioso da personagem que tangenciava a nossa história, quando Cláudio se apresentou, lépido e bem-posto. Junto dele, o acompanhante desencarnado, qual se lhe fora a sombra, não mais me admirando vê-los visceralmente associados, pensando e falando em absoluta simbiose.

Conheciam-se os dois, porquanto ele a nomeou, para logo, de madame Crescina, inclinando-se, familiar, para a conversação cochichada, demonstrando-se ambos naturalmente acostumados aos segredos que se transmitem da boca ao ouvido.

— Alguma novidade? — indagou ele, esfregando as mãos uma na outra, com o sorriso brejeiro de quem prelibava festas.

A visitante, contudo, falou, encabulada, dos motivos que a traziam.

Recebera-lhe Marita, a filha adotiva, horas antes, e, sinceramente — informava —, não conseguira subtrair-se ao obséquio que lhe suplicara com lágrimas. Diante do interlocutor atento, prosseguiu comunicando que a moça desejava encontrar-se, na noite próxima, com Gilberto, um rapaz que, vez por outra, lhe frequentava o casarão. Escolhera para isso o compartimento separado, nos fundos, o número quatro, por mais reservado e acolhedor. A pobre criança — acentuava compadecida — formulara-lhe o apelo, em caráter confidencial. Propusera-lhe a concessão, muito abatida, nervosa. Não pudera alhear-se ao pedido. Também tinha duas filhas no mundo, também era mulher. Acedera.

1.12.11

Mas não era só isso. Marita remunerara-a, com bondade, para encarregar-se de entregar um bilhete ao filho dos Torres.

E, perante os olhos espantados do amigo, que acumulava na curiosidade o anseio do vampirizador, a confidente arrancou da bolsa o documento pequenino, em que a jovem implorava ao namorado fosse vê-la, às oito da noite, no lugar indicado. Saberia não incomodá-lo, não tivesse receio. Rogava-lhe a presença e solicitava resposta.

Cláudio lia, lia, entre ciumento e indignado. Sim — refletia —, era o cúmulo do sarcasmo. Gilberto a governá-la daquela maneira! O compartimento dos fundos, o número quatro!... Conhecia-o. E esquisita coincidência! Era o recanto que ele também, por vezes, elegia para si próprio, quando buscava a pensão alegre de Crescina para entreter-se, descansar... Marita, sem saber, compartia-lhe as preferências!... O despeito comprimia-lhe o coração, enquanto o "outro" se demorava a enlaçá-lo, estampando no rosto larga expressão de astúcia.

A empreiteira de regalias noturnas cortou a pausa longa, repetindo que não lhe era lícito esquivar-se; entretanto, acrescentou, ladina, que ele, Cláudio, era cliente de sua casa e, por isso, colocava-o ao corrente dos fatos, não só por dever de lealdade aos fregueses, como também para evitar aborrecimentos, suscetíveis de atrair os olhos da polícia, que nunca interferira nas acomodações e negócios que lhe diziam respeito.

1.12.12   Para isso, inteirava-o de tudo e pedia conselhos.

Nogueira reprimiu a cólera e vimo-lo interessado em concentrar-se mentalmente, esquadrinhando a cabeça, à cata de ideias.

Embora ignorasse que se acostumara a absorver-se nas sugestões de uma inteligência estranha à dele, buscava-lhe, sequioso, os estímulos, supondo naturalmente que batia às portas da imaginação para desencravar os pensamentos.

Obsessor e obsidiado passaram a trocar impressões, de cérebro a cérebro. Alguns momentos de ajuste silencioso e mecânico, que um observador terrestre interpretaria como vertiginosa fabulação, e os dois entraram em acordo implícito.

Alcançamos semelhante conclusão, pela rama,[20] ao vê-los repentinamente asserenados, já que não me sentia capaz de verificar-lhes planos e intentos, forçado que me reconhecia a dividir atenções entre eles e a recém-vinda, cujos informes e apontamentos não me cabia perder.

Cláudio esboçou um sorriso amarelo. Em seguida, agradeceu a gentileza de que se tornava objeto, passando a extravasar as alegações fantasiosas que começara a elaborar. Disse à amiga, surpresa, que Marita realmente assumiria, talvez em dias breves, compromisso de matrimônio com o rapaz e que, não obstante considerasse a entrevista mencionada pura irreflexão de jovens, concordava em que madame Crescina levasse o bilhete, alcovitando a conferência afetiva.

Logicamente, acrescentou a mascarar-se de bom humor, que os meninos teriam entrado em arrufo e aspiravam à

---

[20] N.E.: Superficialmente.

reconciliação. Sim, não iria pessoalmente criar qualquer obstáculo. Preferia aconselhar a filha no dia seguinte.

Entretanto, aduziu após refletir um minuto em consonância 1.12.13 com o amigo invisível, gratificá-la-ia por um obséquio, uma vez que, tendo paternal interesse em que se efetuasse o encontro dos jovens, aos quais se permitia chamar "quase noivos", solicitava-lhe fosse o bilhete entregue somente às duas da tarde, horário em que Gilberto estaria no escritório com toda a certeza.

Dona Crescina prometeu satisfazê-lo, recolhendo a gorjeta e anunciando que telefonaria para a moça depois do ajuste, a sorrirem-se ambos no aperto de mãos.

Restituído a si próprio, Nogueira, sempre enlaçado pelo obsessor, não se deu tempo a maiores reflexões.

Aproximou-se do telefone e vacilou um instante. Pensou consigo que essa era a primeira vez que se dirigiria ao rapaz que detestava.

A hesitação, porém, não passou de segundos.

Discou, resoluto, para Gilberto.

Atendido prontamente, formulou a consulta, untando a voz de cortesia. Se possível, desejava vê-lo e ouvi-lo, solicitar-lhe um favor com vantagens mútuas, mas rogava-lhe a gentileza da discrição. Entendimento pessoal para aquele instante.

O rapaz gaguejou do outro lado, denotando viva emoção, e aquiesceu sem muitas palavras.

Ambos consultaram o relógio. Onze em ponto.

Ele, Cláudio, seguiria de táxi para o almoço, em casa, no Flamengo, e esperá-lo-ia no Lido. Não se preocupasse o interlocutor. Conheciam-se bastante, mesmo sem contatos pessoais. Além disso, abordá-lo seria fácil para ele. Conhecia-lhe o carro.

Efetivamente, escoados que foram alguns minutos, achávamo-nos os quatro, Cláudio, Gilberto, o assessor espiritual de Nogueira e eu, no lugar indicado.

1.12.14   O jovem, muito pálido, assemelhava-se ao aluno culpado que comparece diante do professor, mas o sorriso largo e calculado com que era recebido colocou-o à vontade, mais apressadamente que supunha.

Caminharam, lado a lado, permutando banalidades sobre o tempo, até que se instalaram num recanto de bar, à frente de um guaraná que tocaram de leve.

Cláudio, aparando as cinzas do cigarro, de momento a momento, esforçava-se, quanto possível, por parecer natural.

Invariavelmente ligado ao vampirizador que o não perdia, começou dizendo ao filho de Nemésio que lhe entendia a situação com clareza; que o sabia, de certo modo, inclinado para Marina, a filha legítima, e que, na condição de genitor, conquanto se visse na obrigação de preservar-lhe a felicidade, não devia bisbilhotar à margem de assuntos privativos deles dois; entretanto, acentuava dramático, criara Marita igualmente por filha; amava-a enternecidamente e anelava para ela o bem-estar que sonhava para a outra.

Gilberto, inexperiente, escutava embasbacado, comovido.

O antigo bancário, aparentando elevada condescendência, asseverou que, em verdade, somente atribuiria ao destino a coincidência que vinha de observar, porquanto se achava convencido de que ambas as meninas queriam o moço, talvez com análogo afeto.

Verificava, assombrado, a máscara de paternal ternura com que Nogueira recobrira o semblante.

No íntimo, acalentava a repulsão, dura, violenta. Dissimulava, habilmente, os ímpetos de amarrotar o filho de Beatriz que, satisfeito e acalmado, lhe agasalhava as afirmações.

Reprimindo-se, prosseguiu astucioso.

Salientou que, decerto, a menina bisonha, ao albergar-lhe os testemunhos de apreço, escorregara na paixão, que lhe devastava, agora, a juventude em psicose e doença. Preocupava-se, afligia-se. Encontraria recursos para sanar as dificuldades, mas, para isso, constrangia-se a solicitar-lhe concurso, a fim de que Marita sofresse menos.

Contaria com ele e, ao registrar-lhe as primeiras palavras 1.12.15 de assentimento, baixou o tom de voz, anunciando-lhe em caráter confidencial que a filha adotiva lhe escrevera um recado. Sabia disso. Compondo o quadro estudado de interesse paternal, indagou se ele havia recebido. Ante a resposta negativa, explicou que a moça lhe endereçara um papelucho, no qual lhe rogava um encontro para a noite. Sem que lhe suspeitasse do zelo, conseguira ler o petitório, tanto assim que poderia repeti-lo. E recitou de cor o pequeno texto, sílaba a sílaba, dando a impressão de proceder assim para exteriorizar com mais segurança o próprio enternecimento.

Depois de caracterizar o papel, rogava ao rapaz dois favores: responder afirmativamente, por escrito, que estaria no local indicado, atendendo ao horário certo, e abster-se de comparecer no momento preciso.

Fantasiou que a menina andava desorientada, enferma. Temia um choque. Não dispunha de outro remédio senão pedir-lhe aquele tipo de cooperação. Isso porque, naquele mesmo dia, estava providenciando a aquisição dos documentos necessários para que ela fosse à Argentina, em companhia de Márcia, numa viagem de refazimento e recreio. Não seria prudente estragar-lhe o ânimo, naquela hora, com uma negação formal. Naturalmente que o interlocutor era dono de si. Agisse como melhor lhe parecesse. Ele, porém, nos sentimentos de pai que o moviam, receava consequências. Nada custaria satisfazer-se àquela particularidade que considerava providencial. Se Gilberto aprovasse a ideia, ele próprio, Cláudio, se incumbiria de buscá-la no endereço marcado, não só com a notícia positiva da viagem, no bolso, de modo a proporcionar-lhe renovadora alegria, ao mesmo tempo em que poderia apresentar a ela as desculpas dele quanto à ausência.

Compreensível que, com a autoridade afetuosa de pai amigo, se responsabilizasse pelas escusas do moço, uma vez que usaria o tato imprescindível.

1.12.16 Por fim, consultava-o como justificá-lo, no instante oportuno, se devia alegar a razão do bolo como negócios, serviços, empeços domésticos ou inesperado afastamento do Rio.

O filho dos Torres ouviu tudo, encantado.

A proposta pareceu-lhe uma peça vazada em profundo bom senso. Além disso, respirava feliz. Verificava haver encontrado alguém que o levaria, passo a passo, a libertar-se de um compromisso que lhe pesava demasiado na consciência.

Chegado a esse ponto, desinibiu-se. Perdera os derradeiros resquícios da desconfiança com que iniciara a conversação. E, ao desembaraçar-se, afixou a máscara fisionômica que julgou cabível à defesa das próprias conveniências, asseverando que dedicara a Marita uma boa amizade, de irmão para irmão, nada mais. Destacou que, efetivamente, notara nela determinadas alterações que o haviam desgostado, e, já que se sentia inequivocamente atraído para Marina, afastara-se cauteloso, na expectativa de que tempo e distância funcionassem.

Cláudio escutava boquiaberto, admirando-lhe a delicada frieza das justificações e indagando a si mesmo qual deles dois seria maior na arte de fingir.

Francamente encorajado, Gilberto declarou que lhe compreendia as apreensões, quanto lhe aceitava conselhos e bons ofícios. Escreveria, obrigando-se a comparecer, mas não arredaria pé de casa, mesmo porque Marina fora a Teresópolis, pela manhã, a serviço da companhia, e talvez só regressasse no dia seguinte. O senhor Nogueira, qual o chamava, buscando a menina, às oito, estaria autorizado a comunicar-lhe, da parte dele, o agravamento da saúde materna. Não seria falso, ajuntou, porquanto a genitora extinguia-se lentamente.

Cláudio, obtendo o que desejava, refletia no rosto a satisfação que, somada ao voluptuoso prazer do obsessor que o assessorava, parecia interesse afetivo, devotamento. Finalizando, asseverou-se notificado quanto à viagem da filha e reportou-se, em termos carinhosos, à situação de dona Beatriz, que ele e Márcia visitariam. Destacou as acerbidades dos impedimentos em família, durante as moléstias longas, apelou para o otimismo necessário e, ateu confesso, chegou até mesmo a exalçar a confiança que se deve ter em Deus no decorrer de tais circunstâncias.

Montada a obrigação que os jungia, separaram-se com abraço efusivo, enquanto, de nossa parte, rumamos do Lido para o Flamengo, penosamente intrigados, conjecturando sobre o que estaria por suceder.

13

Tornei ao Flamengo, apreensivo. Não conseguira auscultar as minudências do plano obscuro que se formava. Os pensamentos de Cláudio e do vampirizador entrelaçavam-se em estranhos propósitos imprecisos.

Expedi comunicação, em despacho rápido para o irmão Félix, salientando a necessidade de nosso encontro, recolhendo-lhe a resposta, que não me alentava.[21] Viria à noitinha, não mais cedo, à vista de inadiáveis obrigações.

Seria desaconselhável qualquer recurso a Neves, que sabia ocupado e, talvez, providencialmente ocupado, já que as dificuldades morais se esboçavam em labirinto e alguma ameaça de irritação nos frustraria objetivos e movimentos. Amigos outros, de cujos préstimos seria lícito dispor, jaziam longe do assunto.

Era forçoso agir só, trabalhar por mim mesmo.

O momento não comportava aflições inúteis. Necessário manejar os recursos em mão.

---

[21] Nota do autor espiritual: Diante dos microaparelhos existentes no plano físico para emissão e recepção de mensagens a longas distâncias, é desnecessário comentar as facilidades de intercâmbio no plano espiritual.

1.13.2   Para intervir sem vacilações, julguei prudente ouvir o acompanhante desencarnado de Cláudio, que eu desconhecia de todo. A princípio, encontráramos dois; entretanto, apenas um deles se mantinha constante, aquele cuja inteligência aguçada me ferira a atenção.

Não seria justo investigá-lo, perquirir-lhe os anseios?

Rememorei experiências anteriores, em que junto de outros amigos desencarnados modificara a apresentação externa, por meio de profundo esforço mental.

Aspirava a fazer-me visível na frente daquele amigo enigmático que claramente habitava o lar dos Nogueiras.

Poderia transfigurar-me, adensando a forma, como alguém que enverga roupa diversa.

Recolhi-me em ângulo tranquilo, em frente ao mar. Orei, buscando forças.

Meditei fundo, compondo cada particularidade de minha configuração exterior, espessando traços e mudando o tom de minha apresentação habitual.

Quase uma hora de elaboração difícil esgotou-se, até que me percebi em condições de empreender a conversação cobiçada.

Não me autorizava a perder um minuto.

Avancei, prédio acima, batendo à porta, cerimonioso.

Aconteceu como previa, porque o parceiro invariável de Cláudio veio atender.

Olhou-me, desconfiado, de alto a baixo, esquadrinhou-me os intuitos.

Humilhei-me, vulgarizei a linguagem quanto pude.

Semelhante atitude era indispensável pela minha necessidade de informações. Atento a isso, afetei absoluto desinteresse pelos moradores do apartamento, centralizando nele o núcleo natural de minha atenção.

Expliquei andar procurando um amigo e perguntei pelo outro camarada que vira, ali, dias antes. Vira-os, juntos, precisamente naquele local, quando transitava no corredor; entretanto, passava apressado, a peso de obrigações. Guardara, porém, a impressão de que o companheiro cujo encontro ambicionava era ele. 1.13.3

Esse o expediente mais simples que me ocorreu para cativá-lo, conversando com espírito de submissão e fraternidade naturais, de modo a ganhar-lhe alguma confiança e carinho.

Ele pareceu sensibilizar-se, tratou-me com a generosidade acidental de um fidalgo que não se desmerecia por dar migalha de consideração a um mendigo.

Compleição robusta e enorme, tocou-me o ombro com a destra, ensaiando o gesto de quem se prepara a despachar, polidamente, uma pessoa importuna, e catou minudências. Analisou-me, perscrutou-me, repisando inquirições.

Inteirando-se do exato momento em que os vira reunidos e reconhecendo os detalhes que conseguira, de minha parte, mencionar, esclareceu tratar-se de um amigo, que costumava hospedar, de vez em quando, para o reconforto de uns "drinques". Naquele momento, contudo, não estava. Ao que sabia, recreava-se numa casa, em Brás de Pina, cujo endereço indicou.

Lamentei. Solicitei-lhe o nome, estava reconhecido à gentileza do acolhimento e tornaria ao Flamengo em outra oportunidade. Estimaria nomeá-lo com a possível intimidade quando voltasse, na hipótese de ser constrangido a perguntar por ele a desconhecidos.

Ele não se fez de rogado. Respondeu cortês.

Chamava-se Ricardo Moreira. Em alguma necessidade, porém, bastaria que o designasse tão só por Moreira. Era estimado, possuía numerosas relações, contava com muitas afeições no prédio. Se chegasse a vê-lo, de novo, em companhia do colega ao qual me reportava, que o sacudisse, despertando-lhe a atenção.

1.13.4   Até ali, tudo bem. Era necessário, entretanto, que eu lhe examinasse as mais íntimas reações. Imprescindível conhecê-lo, sopesá-lo.

Acusei-me cansado, deprimido. Se ele era ali o mordomo, que me permitisse entrar, por gentileza, ainda que por instantes breves, a fim de que me fosse possível refazer as forças. Ato de bondade fraterna. Nada além de alguns minutos. Carecia de ambiente humano, amigo.

Operou-se, entretanto, a reviravolta.

Vi perdida a posição que granjeara.

Moreira arremessou-me olhar terrível, que funcionou sobre mim qual punhalada vibratória. Ajuntou frases irônicas e gritou que a casa tinha dono; que, diante dos "descascados",[22] quem mandava ali era ele; que, para atravessar a porta, seria preciso removê-lo; que eu dispunha da rua larga para dormir; e finalizou agressivo:

— Que tem você aqui? Dê o fora, que não vou com sua lata! Vá se catar, vá se catar!...

Nenhuma alternativa senão descer escadas, desabaladamente, porque avançou em minha direção, arregaçando punhos decididos.

Regressei ao aconchego do mar, entrando em prece.

Reavendo a condição que me é peculiar, voltei ao mesmo ponto.

No interior da peça, o casal acomodara-se para o almoço, com as atenções de dona Justa, em serviço.

Moreira, que não mais me assinalava a presença, instalara-se na cadeira de Cláudio e com Cláudio, de tal modo que, certo, se alimentava tão claramente quanto ele, por meio de um dos numerosos processos em que se catalogam as ações da osmose fluídica.

A conversa entre os cônjuges deslizava banal, mas, consultando o cérebro de Nogueira, convencemo-nos para logo de que o tema do dia circulava, ativamente, no sistema de conjugação mental que

---

[22] Nota do autor espiritual: Um dos pejorativos pelos quais a gíria dos planos inferiores designa os Espíritos desencarnados.

prevalecia entre ele e o acompanhante. Registrava-se-lhes o anseio por notícias que lhes facultassem conexões para o objetivo inconfessável, que começavam a entremostrar em espírito.

Agora, à mesa, a dupla exteriorizava os intentos escusos, nas formas-pensamento em que as duas mentes enfermiças se revelavam. Tudo se aclarava de súbito. Digeriam o plano em silêncio. Abordariam Marita, à feição de dois caçadores, colhendo uma lebre. Antegozavam o assalto, articulavam-se-lhes os pensamentos em lances dissolutos. Determinavam-se a surpreendê-la, em casa de Crescina, como se apanha um fruto resguardado na árvore. 1.13.5

Perplexo, decifrei a trama inteira.

Cláudio ergueu a voz e, fingindo ignorar a viagem da filha, perguntou à mulher por Marina, uma vez que, no fundo, queria notícias da outra.

Dona Márcia caiu, de imediato, na indução. Respondeu que ele, provavelmente, se havia esquecido de que a moça avisara, na véspera, que iria a Teresópolis, a serviço da imobiliária. O chefe, impedido, indicara-a para representá-lo em algumas transações importantes. Voltaria, sem dúvida, na manhã seguinte. Quanto a Marita, horas antes telefonara de Copacabana, solicitando para que não a esperassem para o jantar. Talvez demorasse em serviço extra, na contabilidade da loja, até mais tarde.

O marido pigarreou, mudou de assunto, comentou alguns sucessos políticos, e a refeição terminou sem maiores delongas.

No intuito de colaborar com eficiência, na preservação da harmonia geral, demandei a habitação de Crescina, onde não tive qualquer dificuldade para identificar o apartamento número quatro. Recanto isolado para casal, completamente desligado da comprida construção de um pavimento só.

A vivenda, pela extensão enorme, aparentava profunda calma; entretanto, pela ruidosa conversação dos desencarnados menos felizes que aí bulhavam desocupados, era possível imaginar as agitações da noite.

1.13.6   Depois de atenciosas idas e vindas pelo terreno, examinando situações, vi a dona da casa tomar o fone. Aproximei-me. Crescina perguntava por Gilberto, no escritório dos Torres. Atendida, combinou visitá-lo às duas, daí precisamente a meia hora.

O programa foi cumprido em todas as sequências previstas.

De retorno, Crescina chamou para a loja e comunicou à jovem que o rapaz escrevera. Tudo certo. Leu o bilhete, em que lhe participava a resolução de estar firme, no lugar indicado, às oito. Que ela aguardasse, confiasse.

A pobre menina exultou e as minhas inquietações doíam agigantadas.

Necessitava desdobrar medidas de proteção; entender-me com algum amigo encarnado em ligação com o grupo; sugerir providências que evitassem a consumação do projeto; criar circunstâncias em que o socorro chegasse em nome do acaso, entretanto... debalde, girei da pensão alegre ao escritório, do escritório à loja, da loja ao banco, do banco ao apartamento no Flamengo... Ninguém estendendo antenas espirituais, com possibilidades de auxílio, ninguém orando, ninguém refletindo... Em todos os lugares, pensamentos entouçados sobre raízes de sexo e finança, configurando cenas de prazeres e lucros, com receptividade frustrada para qualquer interesse de outro tipo. Até mesmo um dos chefes de Marita, do qual me acerquei, tentando insuflar-lhe a ideia de reter a jovem, no serviço, até altas horas da noite, ao sentir-lhe a imagem, na tela mental, transmitida por mim, para início de entendimento, acreditou estar pensando consigo mesmo, inclinando o assunto para questões salariais; concentrou-se, de pronto, nas vantagens econômicas, agarrou-se a cifras, encheu a cabeça com parágrafos da legislação trabalhista e expulsou-me a influência, sumariamente, monologando no

Sexo e destino | 1ª Parte | Capítulo 13

íntimo: "Essa moça já percebe o suficiente, não lhe darei nem mais um centavo." Nenhum outro recurso senão permanecer no casarão, de sentinela.

Inúteis as diligências. 1.13.7

Às 7h30 da noite, Cláudio apresentou-se com esmero, sem mesmo esquecer-se de uma peruca leve que lhe remoçava as linhas fisionômicas.

Solerte, espiou a vivenda de Crescina, a pequena distância. Ele e o outro. Moreira não parecia menos interessado.

Acompanhei-os.

O marido de dona Márcia, aperaltado, buscava um telefone, que não teve dificuldade para encontrar. Café vizinho facilitava. Discou, chamando Fafá, o porteiro da pensão, que ficáramos conhecendo em nossas investigações cordiais durante o dia. Atendido, rogou-lhe que fosse encontrá-lo confidencialmente. Questão de negócio. Não se arrependeria do segredo. Riram-se pelo fio.

O empregado, velho bonachão que o álcool já começava a excitar naquelas horas verdes da noite, veio à pressa. Atencioso e sabido, conquanto guardasse um sorriso de bondade parado no rosto, que tanto podia ser para o bem como para o mal, inclinou o ouvido para a boca de Cláudio, a fim de escutar melhor. Nogueira cochichou, solene. Solicitava-lhe concurso urgente. Precisava esclarecer-se quanto aos jovens que se reuniriam no "quatro". A moça era sua filha. Não faria barulho, não escandalizaria ninguém, mas desejava certificar-se. Nada de complicações. Necessário reconhecer o desencaminhador, de maneira a solucionar o problema de família, sem alarde. Recorria aos préstimos dele, companheiro dedicado. Não lhe dispensaria a colaboração.

Fafá disse compreendê-lo e participou que a menina esperada já se instalara. Vira-a sozinha, através da porta semicerrada.

Estava sentada no leito, folheando revistas. E, ante as perguntas que se acumulavam, confirmou que era a jovem vista por ele, cedinho, em conversação com a mundana. Sim, guardara-lhe o nome. Era Marita, sim.

1.13.8 Fez-se Cláudio mais reservado e pediu-lhe blecaute. Que o porteiro lhe fizesse o favor de desajustar o fusível na instalação elétrica. O conserto exigiria uns 15 minutos de sombra. Isso bastava para que se inteirasse de tudo, sem que a patroa e os hóspedes lhe percebessem a presença. Colocar-se-ia no escuro, em ângulo oposto à iluminação pública, e, assim, facilmente identificaria o rapaz.

O serventuário, não obstante semiembriagado, fixou expressão matreira e salientou que era problema sério, aquele. Satisfaria ao chefe, mas bico calado. Nada de envolver-se com os tiras.

Cláudio deixou escorregar para a mão dele duas cédulas de 500 cruzeiros, e Fafá, menos inquieto, indagou pelo horário exato, ao que Nogueira aclarou, afirmando faltar unicamente dez minutos, uma vez que aguardaria a luz apagada às oito em ponto.

Separaram-se os dois e, quando me perdia em dolorosas conjeturas, revigoradora surpresa me visitou o espírito. Dera apenas alguns passos na rua e fui agradavelmente defrontado pelo irmão Félix, que me abraçava.

Comovi-me. Revê-lo e confiar-lhe todas as inquietações foi trabalho de segundos.

Nas minhas frases curtas, o instrutor recolheu todo o material informativo.

Sem detença, rumamos para a vivenda coletiva, cujas lâmpadas esmoreceram de chofre, quando lhe transpúnhamos a entrada. Tive a ideia de que o acontecimento era comum, porquanto a escuridão não estabeleceu o menor alarme. Velas bruxuleantes piscavam aqui e ali.

Tomamos a direção do aposento isolado.

Cláudio estacara à porta, enlaçado pelo vampirizador. Ambos justapostos um ao outro. Dupla de sentimentos e propósitos iguais. Ambos emocionados, corações pulsando precípites, prelibavam a caça que não lhes escaparia. A distância reduzida, notei que os dois se postavam sob o halo das energias balsâmicas de Félix; entretanto, o admirável fenômeno para eles era como se não existisse.

1.13.9

Diante do quadro inquietante e enternecedor, imaginei comigo fitar dois lobos humanizados, aos quais piedoso emissário dos Céus tentasse, inutilmente, entregar a palavra e a inspiração de Jesus Cristo.

Enrodilhavam-se os dois num charco mental de lascívia, com tamanha sofreguidão que não cabia ali, naquele vulcão de apetites sexuais, a menor frincha[23] pela qual se pudesse arremessar alguma ideia de elevação.

Agressivo perfume de cravos me invadiu o olfato desprevenido. Onde sentira, naquele dia, um cheiro igual? Recordei, espantado. Aquele era o extrato usado por Gilberto. Conhecera-o na palestra do Lido. Minudenciei observações e reconheci que Nogueira tivera igualmente o cuidado de usar indumentária em tudo semelhante à do moço, inclusive a gravata, quanto ao nó e ao tamanho. Nenhuma particularidade fora esquecida.

Antes que Félix e eu pudéssemos estudar medidas de contenção, a dupla avançou quarto adentro.

Nós, que podíamos enxergar na obscuridade, vimos a pobre menina levantar-se, sussurrando frases de arrebatadora paixão e de intensa saudade, abrindo, ansiosa, os braços, sem guardar para si o mínimo resquício de vigilância... Acreditava-se diante do amado... Era ele, não devia recear... Naquele instante, em todas as suas intenções e em todos os seus nervos, um pensamento só, um apelo só: entregar-se...

---

[23] N.E.: Fresta, fenda.

1.13.10   Cláudio e o outro, a fremirem de emoção, mantinham absoluto silêncio.

Nada que pudesse evitar a integração indesejável.

Nogueira, agindo por si e pelo acompanhante, atraiu-a de encontro ao peito e beijou-a convulso.

A indefesa criança, hipnotizada pelos próprios reflexos, abandonou-se, vencida...

Irmão Félix, tangido por sentimentos que eu não poderia avaliar, deixou o recinto e acompanhei-o.

Atingindo o degrau externo da porta de entrada, vi que o benfeitor, transido, se deteve, de olhos fitos no céu... Quanto a mim, conturbado, não me sentia capaz de articular uma prece. Nada pude fazer senão calar-me, reverente, perante o agoniado coração paterno, que vinha das esferas superiores para desmanchar-se ali, em suplício indizível, velando, por meio da oração muda que lhe extravasava agora em grossas lágrimas!...

Homens, irmãos, ainda que não possais viver santamente à face dos instintos inferiores que nos atenazam as almas, animalizadas ainda por duros gravames do passado culposo, reduzi, quanto puderdes, as quedas de consciências! Quando não seja por vós, fazei-o pelos mortos que vos amam de uma vida mais bela!... Disciplinai-vos, em respeito a eles, guardiães invisíveis que vos estendem as mãos!... Pais e mães, esposos e esposas, filhos e irmãos, amigos e companheiros, que supondes perdidos para sempre, em muitas ocasiões vos acompanham de perto, acrescentando-vos a alegria ou partilhando-vos a dor!... Quando estiverdes a ponto de resvalar nos despenhadeiros da delinquência, pensai neles! Ser-vos-ão generosos, indicando-vos o caminho, na noite das tentações, à feição das estrelas que removem as trevas! Vós que sabeis reverenciar as mães e os mestres encanecidos na abnegação, que ainda respiram no mundo, compadecei-vos também dos mortos, transfigurados em afetuosos cireneus, a nos compartirem

Sexo e destino | 1ª Parte | Capítulo 13

as cruzes das provações merecidas, em dorido silêncio, quando, muitas vezes, não somos dignos de oscular-lhes os pés!...

Diante de Félix, em pranto amargo, meu coração, imperfeito e pobre, passou então a recorrer ao Evangelho e confortei-me ao lembrar que Jesus, o divino Mestre, fora também o amigo sensível e carinhoso, ao chorar, um dia, na Terra, ante Lázaro morto!... 1.13.11

Decorridos quase vinte minutos de expectação, a luz reapareceu e ouviu-se um grito agoniado, em que o espanto e a dor se mesclavam com terrível acento.

Marita, com a rapidez de uma corça dilacerada, saltou a janela, em sentido oposto, e disparou em desalinho...

Antes, porém, que nos fosse possível esboçar qualquer socorro, alguém chegou apressadamente e abordou a porta do solitário aposento, espancando-a com fúria. Esse alguém era dona Márcia.

Nogueira, assistido pelo amigo desencarnado, recompôs-se num átimo e, ao esbarrar com a esposa, fez um risinho ridicularizador, exclamando mordaz:

— Era só o que faltava!... Você também?! Aqui?...

Dona Márcia, que costumava entreter-se no pôquer, junto de amigas, não longe da pensão de Crescina, com quem mantinha relações de amizade, fora imediatamente informada por ela sobre a chegada do marido, com a observação de que ele talvez entrasse em rixa acirrada com os jovens.

O porteiro, receando complicações, aviara-se diligente, comunicando à patroa quanto sabia, e a patroa, a seu turno, julgando que a moça e Gilberto estivessem reunidos, não hesitara invocar a presença da amiga, no intuito de conjurar possíveis desastres.

A senhora Nogueira, ao chegar, inquieta, vira a filha adotiva que debandava e, topando o marido, desapontado, saindo a sós, entendeu, num relance, tudo o que se passara...

1.13.12 — Canalha! — bradou, indignada. — Eu não acreditei nessa menina infeliz! Eu que poderia ter evitado!...

E a voz da recém-chegada assumiu dolorosa inflexão:

— Como é que você não pensou? Tenho comigo todos os papéis de Aracélia, todos os seus bilhetes... Ela nunca esteve com outro homem, a não ser você mesmo!... Você nunca soube da última carta, em que ela me entregava a menina, dizendo que preferia morrer para que eu fosse feliz!... A memória dessa moça pobre e leal é a única coisa boa que eu tenho no coração... O resto você destruiu... Ah! Cláudio, Cláudio!... a que baixezas descemos nós?!... Louco! Você ultrajou sua própria filha!...

Ele apoiou-se, cambaleante, na porta, como que fulminado por um raio; dona Márcia prorrompera em soluços; entretanto, de nossa parte, era forçoso sair.

14

Adiantamo-nos, Félix e eu, ao encontro da jovem. 1.14.1
Marita estugava o passo, amarfanhada, aturdida. Da Lapa, onde se localizava a habitação coletiva que vínhamos de deixar, até a Cinelândia, correra quase. Sentia-se tangida por todos os ventos da adversidade, expulsa da Terra. Traída nos mais íntimos sentimentos de mulher, a injúria experimentada transcendia para ela toda a noção de sofrimento. Teria agradecido ao homem que conhecera por pai o punhal ou o veneno, mas não dispunha de forças para perdoar-lhe aquela afronta. A revolta sacudia-lhe os membros. Tremia, desesperada. Na cabeça, uma ideia só, ganhando extensão: o suicídio. Ansiava atirar-se sob os carros que deslizavam à frente. Morrer... desaparecer... meditava, chorando. Entretanto, era preciso viver um tanto mais. Restava um enigma: Gilberto. Por que se esquivara, a substituir-se, cruel? Que trama teria havido entre eles? Lera-lhe a missiva, conhecera-lhe a letra. Escrevera, afirmando vir... Por que desistira? Como soubera Cláudio do encontro? Por Crescina?

As interrogações sem resposta convulsionavam-na toda. Desvairava. Rangia os dentes, querendo gemer.

1.14.2   "A morte, a morte!..." — pedia, mentalmente, tentando apertar os lábios que se abriam sem voz.

Ainda assim iria consultar Gilberto, sugeriam as últimas réstias do sonho desmantelado. Sim, aprovava no turbilhão dos pensamentos em descontrole, era necessário ouvir Gilberto... Uma vez só que fosse. Imperioso conhecer a verdade, morrer com a verdade...

Quem saberia? Talvez o rapaz lhe estendesse um fio de luz, por onde se desvencilhasse da sombra... Se ele dissesse: "vive, vive para mim", conseguiria esquecer o insulto daquela noite, continuando a viver... Ao contrário, tudo extinto...

Caminhando apressada e indiferente à aragem que lhe acarinhava os cabelos, repelia-nos, em espírito, as maiores demonstrações de ternura e consolo.

Nenhuma ideia que se lhe não afinasse com a repulsão.

Decididamente, se Gilberto participara da armadilha a que se arrojara inocente, estava tudo acabado. Tão somente lhe restaria o desprezo final.

Alcançou o Largo do Passeio e parou um momento... Fitou, angustiada, aquelas árvores frondejantes que tanto amava... Galharias balouçadas ao vento pareciam chamá-la para abraços de adeus... Marita soluçou, teve medo, mas seguiu adiante... Varou a massa risonha que deixava os cinemas, recordou Gilberto e a menina feliz que ela fora, vendo namorados saboreando pipocas; contudo, seguiu, seguiu sempre, vencendo encontrões. Atingindo a Praça Marechal Floriano, abancou-se, vasculhando o cérebro atormentado...

Sentia-se, enfim, absolutamente sozinha, completamente desamparada. Comprimindo a cabeça entre as mãos, queria ideias, alguma ideia que lhe ofertasse saída do antro pungente da angústia.

Debalde, irmão Félix, ao enlaçá-la, lhe assoprava conceitos de paciência e cordura, inutilmente se referia à bondade e ao perdão. Aquele coração juvenil, conquanto bondoso, figurava-se, agora, um lago límpido que vulcão oculto, de inesperado, fazia referver. Todas as orlas abertas, em bocas de incêndio, pelas quais as ondas do pensamento fugiam precipitadas. Nenhum lugar exposto à receptividade, nenhum ponto marcado ao equilíbrio e ao silêncio.

No crânio tumultuado, uma ideia surdiu, ensejando-lhe tênue fio de esperança. Telefonar!... Poderia telefonar para a residência dos Torres. Gilberto, indubitavelmente, estaria ao pé da genitora enferma. Além disso, Marina viajara pela manhã. Uma razão a mais para que se não retirasse do carinho necessário à doente. Ainda assim — refletiu —, seria muito provável que ele, a distância, lhe embaísse a boa-fé. Insopitável desconfiança amargava-lhe o coração qual raiz espinhosa. Não descortinava, contudo, saída melhor. Conversar! Ouvi-lo! Tinha sede da verdade, ansiava saber, saber!... 1.14.3

Raciocínios contundentes entrechocavam-se-lhe na cabeça atribulada... Não, não retornaria ao lar do Flamengo... Entre voltar à casa dos Nogueiras e morrer, preferia morrer...

Perscrutou circunstâncias, analisou-se, meditou, meditou...

Pensamento estranho assomou-lhe de súbito. Disfarçar-se, fingir. Para alcançar a verdade, mentiria.

Entraria, sim, no jogo com aquilo que se lhe apresentou à imaginação como a cartada final.

Marita concluía que ela e a irmã, pela intimidade e pela convivência, tinham vozes semelhantes, maneiras afins. Chamaria o rapaz como se fosse Marina, imitar-lhe-ia, quanto possível, o tom de palestra, repetir-lhe-ia as palavras de uso mais frequente no trato doméstico. Simularia estar voltando inopinadamente de Teresópolis. O moço, assim abordado, confessaria, de modo inequívoco, tudo o que sentisse com respeito a ela própria.

A sofredora criança consultou o relógio-pulseira. Dez minutos para as nove.

1.14.4   Desejava ambiente familiar para a ligação. Lembrou-se de dona Cora, cliente da loja em Copacabana, que se lhe fizera amiga íntima e em cujo apartamento costumava telefonar, quando inevitável. Levantou-se, algo reanimada, para a busca de condução; entretanto, somente aí deu pela falta da bolsa que largara na fuga. Faltava o dinheiro, mas não desistiu. Acenou da calçada ao primeiro táxi disponível. Consultou o motorista se lhe podia fazer o favor de atender, com pagamento à porta de casa. Estava sozinha e esquecera-se do horário. O profissional correto notou-lhe a tristeza e o acanhamento. Compadeceu-se. Alegou que recusava, sistematicamente, conduzir pessoas que encomendavam serviço, criando problemas; entretanto, no caso, faria exceção e aquiesceu.

A breve trecho, seguíamos, junto dela, para Copacabana.

No endereço indicado, saltou, fez-se acompanhar pelo condutor ao apartamento da amiga, sendo recebida com a lhaneza que esperava. Segredou, envergonhada, para dona Cora que se achava em apuros, se ela não dispunha, naquela hora, de algum dinheiro para emprestar. Pagaria no dia seguinte. A dona da casa, espontânea e bondosa, não titubeou. Abriu pequena gaveta e falou sorrindo: "Só 400 cruzeiros." O marido não estava. Marita, reconhecida, explicou que a importância bastava. Depois da corrida paga, disse para a senhora que andara em serviço extra, fora em seguida ao Leblon visitar um doente, afetando que somente naquele instante conseguiria tomar o ônibus para casa. Antes disso, porém, tinha necessidade de um telefonema. Conversação com pessoa muito íntima. Dona Cora cedeu-lhe a peça inteira e acrescentou, gentil, que ia arranjar um cafezinho. Falasse à vontade, ninguém a interromperia. As duas filhinhas dormiam há muito, e o esposo, que substituía um colega no trabalho, não regressaria tão cedo. A dona da casa afastou-se para a cozinha, isolando a sala.

E, ali, diante de nós, sem que nos percebesse, de leve, os 1.14.5
corações solidários, Marita discou, sofreando a emoção de modo
a fantasiar a alegria da outra.

Escutamos, transidos, o diálogo juvenil que nos ficaria, então, na memória, gravado frase a frase:

— Da residência dos Torres?
— Sim.
— Quem no aparelho? Gilberto?
— Sim, sim.
— Oh! meu bem, pois você não está conhecendo?
— Conhecendo quem?
— Eu, eu... Marina. Acabo de chegar...
— Ah! ah! Marina!... que surpresa boa!... Por que essa demora? Venha... Estamos todos em casa, esperando... Telefonar por quê?
— Quis saber, meu amor, se você está bem, se passou bem o dia...
— Saudades!
— Eu também... Muita saudade...
— Venha.
— E a mamãe? Melhor?
— Pouquinho.
— Escute...
— Para que conversar? Corra para cá, venha logo...
— Um momentinho só... Escute. Passei rapidamente em casa, no Flamengo, para conversar com mãezinha certas coisas... Estive com duas amigas em Teresópolis que me encheram a cabeça. Estou perturbada, ciumenta...
— Que é que há?
— Marita...
— Ora... Marita! Tenho nada com ela.
— Mas eu soube...
— Soube o quê?

1.14.6 — Que vocês dois estão em compromisso. Sei que vocês andavam juntos, mas tanto assim não sabia...
— Bobagem!
— É muita conversa que não pude desmentir...
— Perda de tempo. É muita gente biruta... Morou?[24]
— Estive com papai ainda agora...

Nesse ponto da conversação singular, a voz dela titubeou. Ouvira o bastante para reconhecer-se desdenhada, batida. Entretanto, aspirava à lia do cálice.[25] Necessário inteirar-se acerca de quanto Gilberto havia descido. Receava descobrir-se. Indispensável toda precaução a fim de escalpelar o insulto de que fora vítima. A pausa, no entanto, foi curta. Gilberto, no outro lado, pronunciou a deixa oportuna:

— Então...
— Explique-se.
— Bem, você naturalmente deve saber agora o que aconteceu. O velho me procurou... Ele mesmo telefonou, sabe? Conversamos pessoalmente, acertamos tudo.
— Quer dizer que Marita...
— Imagine! escreveu-me pedindo encontro. O velho soube de tudo antes e me pediu dizer que iria, mas que eu não fosse. Entende?
— No fim de contas, como é que você se arranjou?
— Escrevi um bilhete, prometendo vê-la, mas combinei com o velho para que ele mesmo fosse buscá-la. Ele mesmo é quem propôs a solução. Você sabe, não podia deixar de atendê-lo... Primeira vez...
— Estou perplexa, nervosa... Não compreendo...
— Ele me pediu escrever aceitando, para que Marita não ficasse chocada. Disse que ela tem estado borocoxô e prometeu

---

[24] Nota do autor espiritual: Expressão de gíria. Morar significando "compreender".

[25] N.E.: Em sentido figurado, queria ir até o fim da história.

que ele iria procurá-la, de modo a dar conselhos e a reanimá-la com uma boa notícia, uma excursão à Argentina...
— Como?   1.14.7
— Olhe lá, Argentina... Uma viagem para a Argentina...
Uma risada seguiu-se e, depois dela, a consideração sarcástica:
— Sanatório, meu bem. Sanatório ou hospício. Para Marita, só sanatório, e, quanto mais longe, melhor!... Argentina para uma e Petrópolis para dois...

Nesse ponto da entrevista, a jovem baqueou.

Debruçou-se na cantoneira, inabilitada a retomar o fone, à vista dos soluços que lhe rebentavam do peito.

Escutávamos, nitidamente, a voz do rapaz, a distância, gritando:

— Marina! Marina! Diga o que há, diga, diga!...

A pequenina mão encharcada de lágrimas, no entanto, repôs o fone no gancho, com a tristeza de quem cerrava, em definitivo, as portas do coração.

A moça dedicou alguns minutos ao refazimento, reconstituiu, quanto possível, a tranquilidade fisionômica e tornou à sala.

Embaraçada, referiu-se ao dinheiro emprestado. Que dona Cora lhe perdoasse o incômodo. Se não pudesse voltar em pessoa, no dia seguinte, a companheira de seção na loja, Néli, que lhes era também íntima, faria o pagamento, considerando-se a hipótese de ela, Marita, não se achar em serviço. Bastaria procurar.

Dona Cora riu-se cordial. Não pensasse naquilo.

Prestimosa, estendeu-lhe o café, que ela aceitou constrangida. Conversa vai, conversa vem, a amiga estranhou-lhe o abatimento, a palidez, os olhos que não cessavam de chorar. Marita explicou-se, ensaiando um sorriso que não chegou a debuxar-se. Alegou-se gripada. Tinha coriza renitente, coriza brava. E, a propósito, indagou se ela julgava possível encontrar ainda o senhor Salomão, naquele instante, depois das dez, na farmácia vizinha.

Gostaria de se aconselhar com ele sobre um antigripal. Trazia a cabeça pesada, os pulmões doloridos.

1.14.8 A delicada anfitriã pediu um momento e correu ao telefone para voltar, quase de imediato, dizendo que o farmacêutico a esperaria. Estava a sair do plantão, que ela não se delongasse.

Marita agradeceu, despediu-se e seguimo-la passo a passo.

O senhor Salomão, velhinho calmo e complacente, em cujo olhar se adivinhava a brandura dos que se fazem servidores espontâneos da Humanidade nos encargos que exercem, acolheu-a solícito.

Ocultando os intentos recônditos, a recém-chegada falou-lhe do resfriado. Afirmou sentir dores, vertigens. O boticário, de modos antigos, habituado ao ofício a representar-se de médico para os amigos, nos casos sem maior importância, pediu-lhe mostrasse a língua. Examinou-a com a prática de muitos anos, ao pé de enfermos, sem achar motivo de preocupação. Aplicou o termômetro. Nenhuma febre.

Sorriu, paternal, e aconselhou-a a ir para a casa, descansar. Não deveria aceitar serviço extra até aquela hora da noite, comentou bonachão, e acrescentou que ela facilmente encontraria remédios para comprar, mas não a saúde. Indicou-lhe aspirina para a nevralgia, que supunha em ação, e... repouso.

A jovem recolheu os medicamentos, fez o gesto de quem se inclinava a retirar-se, satisfeita, e voltou à carga, aparentando recordar uma providência esquecida.

— Salomão — disse com decidida curiosidade a transparecer-lhe da voz —, não sei se você está lembrado de Joia, a minha velha cadelinha, que os meninos algumas vezes abraçaram na praia...

— Como não? Aquela inteligência de animal, brincando de esconder!... Até hoje, os netos imitam o andar de gatinhas que ela inventou...

— Pois é — prosseguiu Marita, afetando pena —, nossa 1.14.9
pequena Joia está no fim...
— Que foi?
— O veterinário explicou, mas não guardei o nome da moléstia, doença incurável. Grita sem pausa, um martírio.
Continuando, falou para Salomão que o bichinho se tornara problema no apartamento. O síndico reclamara várias vezes. Vizinhos andavam contrafeitos. Os pais aguardavam que o veterinário amigo voltasse de São Paulo, a fim de que se aplicasse a eutanásia; entretanto, haviam autorizado tanto a ela, quanto à irmã, o emprego de algum remédio que pudesse trazer o descanso final. Joia estava abatida, gasta. Lamentava perdê-la, fora-lhe companheira, no Flamengo, desde quando se ausentara da escola, simples menina. Ainda assim, aditava, era preciso enfrentar os fatos e poupar ao animalzinho maiores sofrimentos. Não teria o amigo algumas pílulas adequadas? Ouvira referências a comprimidos que, administrados em dose alta, propiciavam a morte, absolutamente sem dor; no entanto, não lhes conhecia o nome.

O farmacêutico, sem qualquer prevenção, confirmou. Sim, talvez tivesse no estoque alguns desses anestésicos de elevada potência, e salientou que se a cadelinha fora condenada pelo veterinário não deveria ser conservada.

Convencido pelas informações reiteradas da moça, dirigiu-se a pequeno depósito, procurando, procurando...

Nisso, Félix e eu abordamo-lo mentalmente.

O paternal benfeitor rogou-lhe examinasse a situação. Fitasse aquela menina, assim fatigada e só, além das dez horas da noite, longe de casa. Despenteada, olheiras fundas, sem bolsa, sem agasalho. Ele também, Salomão, era pai e avô sensível. Não desse orientação sobre venenos. Tivesse cuidado. Sossegasse aquela criança abatida com algum soporífero, fazendo-a admitir que levava o agente letal. Mentisse por piedade, mostrasse compaixão, adiando entendimento mais claro para depois.

1.14.10 Aquele homem, com toda a certeza, se agrisalhara em rudes experiências para adquirir a sensibilidade aguçada com que nos assimilou os apelos, porque, de imediato, se enterneceu. Voltou-se, discretamente, para o balcão e mirou a freguesa, pela porta semicerrada, espantando-se ao vê-la, num instante como aquele em que não se supunha observada.

Marita afigurou-se-lhe uma peça do museu de cera, amarrotada, inerte. Somente os olhos, embora parados, se evidenciavam ativos, em razão das lágrimas copiosas.

"Oh! meu Deus" — refletiu ele, desconsolado —, "isso não é coriza, isso é dor moral, dor terrível!..."

Salomão renunciou à pesquisa iniciada e sacou de largo recipiente de vidro alguns sedativos comuns e tornou-lhe à presença. Fingiu despreocupação e apresentou-lhe os comprimidos, asseverando:

— São estes. Para a cachorrinha, no estado de que você fala, basta um.

— Tão violento assim? — perguntou a jovem, diligenciando reanimar-se.

— Isso é uma bomba de aplicação muito rara.

Aparentando-se embaído, para angariar-lhe a confiança, o boticário paternal alegou, porém, que só forneceria ante a receita médica. A responsabilidade pesava-lhe muito grande.

Ela, contudo, insistiu. Que o farmacêutico não duvidasse. O veterinário assinaria o papel. Consultou se poderia adquirir dez unidades. Melhor agir na certa. Não aguentava mais os gemidos ao pé do leito.

Salomão refletiu, refletiu... Voltou ao depósito e escolheu dez comprimidos calmantes, de potencialidade suave. Se

ingeridos por ela, funcionariam beneficamente, prodigalizando--lhe sono reparador.
Marita agradeceu e despediu-se.   1.14.11
Salomão recomendou-lhe repouso, juízo.
Seguimo-la de perto.
Vagarosa, atravessou dois quarteirões pela frente, ganhou a avenida Atlântica e acolheu-se num bar.
Solicitou um copo de água simples, sem gás, em recipiente de plástico. Delicadamente atendida, transpôs o asfalto, pulou do calçamento de pedra no lençol argenteado de areia e acomodou-se no lugar que lhe pareceu mais escuro...
Aspirava a morrer ao pé do mar, daquele mar sereno e bom que nunca a enjeitara, refletia com lágrimas... Queria partir, contemplando aquele mar que a beijava sem malícia...
Antes do gesto que considerava supremo, recordou a mãezinha que não conhecera e supôs-se mais infeliz. A genitora, não obstante desprezada pelo homem a quem se entregara, conseguira um teto para o momento do grande adeus. Ela não. Fora maltratada, espezinhada, escorraçada. Devia partir do mundo com um nome emprestado que detestava agora... Classificava-se por lixo da Terra, supunha desafogar a todos, renunciando à existência. Rememorou as manhãs felizes em que desfrutara, ali mesmo, tantas vezes, o ar puro que vinha das águas e o agasalho do Sol. Parecia rever a massa domingueira, fraternalmente confundida na carícia da espuma. Atenta, imaginava-se ouvindo, de novo, a algazarra das crianças, lançando a bola ou manejando a peteca... Sim, não possuía um lar para morrer, mas dispunha da praia, hospitaleira e amiga, que reunia desconhecidos, aos milhares, sem nunca fazer-lhes perguntas indiscretas, a todos abraçando por verdadeiros irmãos...
Lamentou-se e chorou, longo tempo. Félix e eu esperávamos que dormisse para enfrentarmos os problemas eventuais.

1.14.12   Marita despejou os dez comprimidos na boca e engoliu-os de um sorvo com água pura. Em seguida, arrimou-se no encosto do passeio de pedra, qual se se dispusesse a meditar... Dos olhos, penderam as lágrimas que ela acreditou fossem as últimas, e deixou que a brisa lhe afagasse os cabelos.

Brando torpor anestesiou-a.

Consultamos o horário. Cinquenta e cinco minutos depois da meia-noite.

Félix orou por instantes.

Não pude compreender, de imediato, se por obrigações de vigilância ou se correspondendo aos apelos do instrutor, dois rondantes desencarnados apareceram, ofertando serviço. Félix aceitou, reconhecido, e, enquanto os recém-chegados passaram a velar, ele e eu empreendemos a tarefa restaurativa. Providências para que a jovem não se afastasse, em espírito, do corpo desgovernado, passes reconfortantes nos centros de força, estímulos variados em diversas seções do campo cerebral, insuflações nos vasos sanguíneos. Operações minuciosas e demoradas. Acupuntura magnética do plano espiritual, em que o orientador patenteava notável mestria.

Quase quatro horas foram despendidas, ao fim das quais, Marita repousava tranquilamente.

Reconfortado, via nos olhos do benfeitor a esperança luzindo... Nisso, porém, um gari asselvajado largou a rua e caminhou em nossa direção, regando a areia... Dando com os olhos na menina adormecida, sentiu-se mordiscado de curiosidade. Não valeram recursos manobrados pelos vigias. O fanfarrão, relativamente moço, avançou para ela e sacudiu-a, rouquejando: "Acorda, vagabunda"! "Acorda, vagabunda!"

Feriram-se-me as fibras do sentimento, não só pela criança injustamente maltratada, mas também pela imensa dor que se estampou no semblante de Félix, que, pela expressão agoniada, tudo daria para materializar as mãos e impedir aquele assalto.

"Acorda, vagabunda", "acorda, vagabunda"... 1.14.13
As palmadas estalavam no rosto, cujas lágrimas o vento enxugara piedosamente.

Frustrados, vimo-la abrir os olhos, estarrecida.

Que homenzarrão aquele que, ao vê-la estremecer, não se pejava de comprimir-lhe o busto com as mãos libidinosas?

Não obstante atordoada, perguntava a si mesma se teria morrido, se estaria no inferno renteando um demônio...

Intentou gritar, mas a garganta esmorecera.

Mesmo assim, ergueu-se aterrada e aligeirou o passo cambaleante. Superando embaraços, ganhou a calçada em que um banco orvalhado convidava ao repouso, porém não dispunha de serenidade para assimilar-nos as sugestões. Pisou, atarantada, no asfalto, indiferente aos princípios do trânsito... Oscilou, aqui e ali, estremunhada...

Automóveis deslizavam velozes, lambretas estrondeavam em correria. Pedestres iam e vinham, diligenciando alcançar o trabalho a distância ou regressando ao aconchego doméstico, depois das atividades noturnas. Agitavam-se funcionários da limpeza e veículos ocupados em serviços da madrugada.

Preparava a cidade o dia novo.

Seguíamos a pobre menina, espíritos contundidos por amargos presságios.

Parecia-me Félix um educador venerando, repentinamente descido a saracoteios na via pública, no propósito de salvar uma criança querida. Entre simpatia e respeito, eu acompanhava, penalizado, o grande instrutor que se apequenava e se afligia por ajudar...

Rapazes semiembriagados na esquina próxima, ao fitarem Marita, vacilante, gargalharam, invectivando: "Tipa de pileque! tipa de pileque!" Motoristas de passagem gritavam-lhe injúrias, e, sem que aparecesse algum braço humano que a sustentasse no atordoamento que lhe impunha reiterados tropeções, foi colhida e projetada a pequena distância, por automóvel em velocidade excessiva, qual trapo de carne que se arremessasse, violentamente, no chão.

1.14.14   O carro chispou, transeuntes acorreram.

Moças que regressavam de excursões alegres gritaram alarmadas. Uma delas prorrompeu em choro histérico, sendo contida à força. No trânsito interrompido, em que debalde se buscava positivar responsabilidades, todos os veículos despejavam curiosos que se reuniam em torno da jovem, inerme.

O corpo planara, a cabeça batera contra a pedra e, em seguida a curta reviravolta, caíra de bruços.

Pessoalmente, achávamo-nos atônitos. Não contávamos com experiência bastante para ocasiões qual aquela em que o desastre consumado exigia improvisações. Todavia, entre os clamores de quantos apelavam para o socorro policial, irmão Félix sentara-se no asfalto. Aplicando vigorosos estímulos magnéticos sobre a cabeça da menina acidentada, fê-la cobrar energias para ganhar, mecanicamente, o decúbito dorsal, a fim de que respirasse indene de maiores dificuldades, com movimentos que, para muitos dos circunstantes, significavam esgares da morte.

Marita aquietara-se de todo.

Tive a nítida impressão de que a base do crânio se fraturara, mas não me era lícita qualquer inquirição. A carga emocional pesava em demasia para que me fossem possíveis quaisquer considerações de ordem técnica.

O irmão Félix, na atitude dos pais, profundamente humanos e sofredores, acomodava-se de tal modo que a cabeça da jovem se lhe estendia no regaço. Erguendo as mãos sobre as narinas em sangue, levantou os olhos e orou em voz alta, que eu destacava da multidão em crescente vozerio:

— Deus de infinito amor, não permitas que tua filha seja expulsa da casa dos homens, assim, sem nenhuma preparação!...

Dá-nos, Pai, o benefício do sofrimento que nos consinta meditar! Ó Deus de amor, mais uns dias para ela, no corpo dolorido, algumas horas só que sejam!...

Calou-se o instrutor, como qualquer criatura terrestre, machucada de angústia... 1.14.15

Logo após, acenou para mim e recomendou-me demandar o apartamento do Flamengo, para observar o que seria razoável obter no tocante a medidas de auxílio. Que eu procurasse Cláudio ou Márcia, que lhes suplicasse apoio, compaixão. Ele, Félix, inspiraria alguém a telefonar. Os Nogueiras estariam entre ele e mim, a fim de que se inteirassem do acidente e fossem mentalmente movidos à piedade... Permaneceria ali, velando, fazendo quanto pudesse para que a desencarnação imediata não se verificasse... Quando eu voltasse do Flamengo, reunir-nos-íamos de novo...

Ao vê-lo assim humilhado na abnegação de que dava testemunho, arranquei-me à pressa não só para atender à incumbência, mas também para desabafar-me. Às vezes, é preciso que as lágrimas nos sirvam de confidentes, quando não haja alguém que nos ouça... Tanto trabalho daquele benfeitor sublime para salvar uma criança gravada de duras provas!... Tanto sacrifício de um orientador, cuja grandeza se quintessenciara nas esferas superiores, para ofertar-lhe os braços; entretanto, o malogro de tudo se me afigurava inevitável...

Antes que me arremessasse da avenida Atlântica para o Túnel Novo, ouvi muitas vozes que se elevavam, exclamando: "Morta!... morta!..." Incapaz de sopitar as lágrimas, voltei-me para contemplar no rosto do irmão Félix o efeito de semelhante notícia, concluindo comigo mesmo: "Tudo inútil, tudo inútil!..." Mas vigoroso impacto de esperança me banhou o coração!... Tive a ideia de que fontes imponderáveis de energia jorravam do firmamento claro e estrelado sobre aquele recanto de Copacabana, que o mar acariciava de perto, como a rogar-nos confiança em Deus, na linguagem ciciante das ondas!...

1.14.16 Não!... A batalha não arrefecera!...

Tínhamos conosco o suprimento do amor e a luz da oração!... Nem tudo estava perdido...

O benfeitor, guardando paternalmente nos braços aquela criança desfalecida, fixava os olhos nas alturas e, recolhido a profundo silêncio, parecia agora falar com o Infinito.

Segunda parte

médium: FRANCISCO CÂNDIDO XAVIER

1

Quase cinco da manhã, quando nos vimos na intimidade 2.1.1
dos Nogueiras.
A casa jazia quieta. Peças mudas, silêncio.
Agitava-se, porém, dona Márcia, sob a colcha leve, cansada de vigília. Varara a noite em aflição. Na penumbra do quarto, apoiava o cotovelo no travesseiro e a cabeça na mão, de pensamento longe. Tinha os olhos empapuçados de chorar. A filha adotiva não voltara. Ansiosa, esperava que o dia se levantasse... Telefonaria para a residência dos Torres para saber do regresso de Marina. Se preciso, chamaria Teresópolis. Queria comunicar-se com alguém, desentranhar-se. Sentia medo, o coração palpitava catástrofe.
Consultei-a mentalmente, procurando notícias de Cláudio.
Alcancei-lhe a resposta inarticulada. Supondo reconsiderar os sucessos da noite, passou a lembrar-lhe o retorno, horas antes, totalmente embriagado. Chegara tateando paredes, esbarrando nos móveis. Inferira que ele tentara afogar o remorso em copázios de uísque. Ouvira-lhe os vômitos, escutara-lhe as descomposturas à porta, mas trancara-se, precavida. Carraspana e ressaca rematando a criminosa aventura... Não desejava cenas.

2.1.2   Súbito, quebrou a linha de reflexões em que penetrara. Repeliu-me a influência, convicta de estar reafirmando para si mesma que atingira o ponto final da tolerância... Nada mais com Cláudio. Convertera a mágoa em nojo. Aspirava a nova atitude, suspirava por desquitar-se, fugir...

Deixamo-la engolfada nas alegações negativas, buscando o aposento dos fundos. Nogueira aí se despejara em cama de solteiro, completamente equipado, sem alijar nem mesmo o paletó. Estirava-se de lado, a expelir saliva grossa pelo canto da boca, ressonando, tranquilo, e, com ele, o vampirizador, relaxado sob os efeitos do álcool. Ambos largados, embrutecidos.

Demorava-me na inspeção, quando a campainha do telefone retiniu.

Com certeza, irmão Félix obtivera meios de abrir-me alguma porta, a fim de que me fosse possível atuar favoravelmente. Imprescindível atacar o problema, advogar a proteção de que fora incumbido.

Tornei à sala.

Dona Márcia, em *baby-doll*, punha o fone ao ouvido, carregada de escuros pressentimentos.

A voz de um homem simples repontou no auscultador:

— Estou falando com o seu Cláudio Nogueira?

— Na casa dele.

— Ele está?

Dona Márcia reconhecia de todo impraticável o ensaio de qualquer conversação com o esposo, escornado àquela hora, e respondeu positiva:

— Não, não está.

— Quero falar com ele ou com a madama.

A interlocutora, experiente demais em trotes e adestrada no jogo das conveniências sociais, pressupôs estar em contato com algum novo despropósito do marido, e indagou prudente:

— Com quem estou falando?
— Com Zeca, lixeiro. Estou em Copacabana, preciso dar notícia de um desastre...
— Que desastre?
— A senhora é a dona da casa?
— Não sou, mas trabalho aqui. Sou empregada...

Dona Márcia receava cair em complicações, na hipótese de transpor as raias do anonimato, e, à vista disso, antes que o desconhecido revidasse, acrescentou:
— Os patrões estão ausentes, mas posso dar o recado.
— Olhe — gaguejou o informante —, o caso é com dona Marita, a moça da loja.
— Que há? Diga, por favor, que há?

A senhora Nogueira sentiu-se traspassada de angústia, enquanto, de minha parte, concluí que Félix angariara o concurso de um lixeiro prestimoso para transmitir a notícia, preparando o terreno que me cabia encaminhar ao plantio da compaixão.
— Diga aos patrões que ela foi atropelada...
— Onde? Como? Quando?
— Bem, eu não sei como foi, mas vi que era ela...
— Agora?
— Há uma boa meia hora, aqui perto, na avenida Atlântica...
— Está aí?
— Não está, a ambulância já levou.
— Mas o senhor tem certeza?
— Tenho toda a certeza... Ela estava sem bolsa, ninguém a reconheceu... Mas eu conheço dona Marita, foi sempre amiga de minha mulher desde que veio para cá. Minha mulher é empregada no edifício da loja... Coitada de dona Marita, moça tão boa! Ela é que conseguiu lugar para minhas duas filhas na escola!...
— Mas, escute — dona Márcia cortou as referências, terrivelmente chocada —, como está ela?

2.1.4 — Dizem que morreu...
Embora calejada contra as emoções, a esposa de Cláudio abandonou o fone e afastou-se, pálida.
Arremessou-se à cama e agarrou a própria cabeça entre as mãos, julgando enlouquecer...
"Morta! Marita morta!" — refletiu, atribulada.
Recordou o ultraje que a pobre menina experimentara naquela noite que o dia nascente esfumara, qual se expulsasse um pesadelo, e a mente divagou... Aracélia, a servidora e amiga... vinte anos antes... o suicídio!... E agora a filha, na mesma tragédia, com o mesmo homem... Decerto, Marita, envergonhada, procurara a morte. Inexperiente, sucumbira. Ajustava argumentos por dedução. Crescina falara-lhe de encontro com Gilberto; no entanto, apanhara Cláudio em desconcerto flagrante. Tudo indicava a intromissão dele em algum arranjo dos jovens, para infligir à filha o imperdoável insulto... Indubitavelmente, a desventurada menina preferira morrer...
Nesse entretempo, intervim. Assimilei-lhe os pensamentos de simpatia e fi-la meditar nas tribulações de Marita, dentro da noite, esforçando-me por incliná-la à compaixão... Largasse o marasmo, sacudisse Cláudio, chamasse, implorasse... Se o marido não estivesse em condições de compreendê-la, que ela própria saísse à rua... Procurasse a moça... Telefonasse à polícia, refletisse nela como se fosse sua própria filha... Corresse ao pronto-socorro da zona sul, inquirisse funcionários, ouvisse médicos, visitasse a morgue...[26] Alguém auxiliaria, encontraria a criatura que a Providência divina lhe pusera nas mãos... Quem saberia? Talvez ela ainda estivesse nas raias do fim a esperar-lhe as mãos piedosas, como quem aguarda uma bênção!...
Dona Márcia ouviu mentalmente. Ao recolher-me as sugestões, imaginou a filha estendida no necrotério, comoveu-se

---
[26] N.E.: Necrotério.

e chorou... Entretanto, a senhora Nogueira não era pessoa que renunciasse a peso e medida, em matéria de questões sociais e domésticas. Reagiu para logo, crendo-se piegas. Não queria afundar-se em sentimentalismo, confessou, na suposição de que falava consigo mesma. Era necessário sopesar prós e contras. Do pesar ao cálculo, mediaram apenas alguns instantes. 2.1.5 Efetivamente, lastimava Marita e enojava-se de Cláudio, monologou, todavia, era mãe. Nada de alhear-se ao destino da filha. Marina aprumava-se. Os Torres eram ricos, talvez riquíssimos. Ambas as moças disputavam Gilberto. Afinal, a morte de Marita surgia por solução. Assim que pudesse chamar o esposo a brios, combinariam plano certo. Levantariam a hipótese de acidente, inventariam versão plausível. Ela própria afirmaria que concedera à jovem permissão para pernoitar em casa de parente enfermo, recomendando-lhe o regresso tão cedo quanto fosse possível para a obtenção de notícia urgente.

Indispensável maquinar situações, engenhar detalhes. Os chefes da loja, amigos de Marita, se interessariam pelos fatos. A imprensa tomaria atenção. Cabia-lhe preparar-se a fim de facear repórteres e fotógrafos. Pensou no modelo azul com que se apurava na representação a funerais e vasculhou a memória para saber onde colocara, distraída, os óculos escuros.

Quando a manhã se adiantasse, despertaria o esposo, com vista ao ajuste. Conversariam seriamente. Até lá, fantasiaria a história conveniente ao público, em função da felicidade e do futuro de Marina. Se a outra estava morta, para que preocupar-se? Importava-lhe agora a filha, somente a filha... E, depois que a filha se casasse... nada de Cláudio. Não se sentia inútil, mas andava cansada de dar no batente, suportando inibições e contrariedades por um esposo que, desde muito, se lhe fizera detestável. Não se escravizaria. Recebera um convite de Selma, companheira de infância, para negócio que considerava lucrativo, na Lapa.

Na frente um café, acompanhado de aperitivos e guloseimas e, nos fundos, quartos de aluguel...

2.1.6 Reconhecendo que dona Márcia se imobilizava, mentalmente, em digressões esconsas, tornamos à presença de Félix para a obtenção de roteiros precisos.

Acomodada num leito de emergência, Marita figurava-se em coma.

Félix, assistido agora por dois médicos desencarnados, em serviço na grande instituição socorrista, se mantinha sereno, apesar da tristeza que lhe velava o semblante.

Acolheu-me, paciente. Ouviu-me.

De posse das informações de que me fizera mensageiro, recomendou-me esperá-lo alguns minutos. Sairíamos à cata de reforço.

Enquanto isso, auscultei a jovem acidentada, que jazia inconsciente, em terrível depressão. Escassas reações dos centros nervosos, anoxemia, sensíveis alterações dos capilares, lesões no peritônio. Os esfíncteres descontrolados davam passagem a líquidos e excrementos que empastavam a veste.

Félix mobilizou as providências cabíveis e rogou aos colegas desencarnados nos substituíssem por instantes.

Demandamos a residência de Cláudio.

A caminho, notei que o benfeitor, em silêncio, adensava a própria forma, transfigurando-se na apresentação. A ocorrência, que eu conseguia apenas depois de paciente elaboração mental, obtinha-a Félix com esforço ligeiro. Rápidos momentos e imprimiu ao corpo espiritual novo ritmo vibratório.

O instrutor assumira as características de um homem vulgar.

Por que a transformação?

— André — respondeu, assimilando-me os pensamentos —, ninguém pode fazer tudo senão Deus. Você é também médico e não ignora que, em certas ocasiões, é imperioso pedir remédio ao pilriteiro. Na Terra, às vezes, para socorrer um santo é necessário dosar um veneno. Marita, em súbita decadência física, precisa agora dos préstimos de alguém que a ame infinitamente. Chegou a hora de esmolar para ela o socorro dos que a feriram amando...

A voz do amigo carregava-se de pesar; contudo, não nos era possível comentar a filosofia que enunciava, uma vez que atingíramos o prédio em que se dependurava o ninho dos Nogueiras, banhado pelo sol recém-vindo. 2.1.7

Subimos.

Qual aconteceu comigo na véspera, o instrutor bateu à porta semicerrada.

Após reiterados chamamentos, Moreira veio atender, como qualquer ser humano estremunhado.

Não me via, porquanto de tempo não dispusera eu para a metamorfose necessária, mas, renteando Félix, desenrolou comprida fieira de insultos, que o benfeitor recebeu com humildade. Quando terminou, algo desenxabido pela ausência de qualquer resposta que lhe alimentasse a ira gratuita, Félix comunicou-lhe o acidente. Sabia-o interessado na proteção da moça, rogava-lhe amparo. Diante da incredulidade com que era acolhido, solicitou-lhe fizesse a gentileza de verificar se a menina amanhecera no lar.

Moreira correu ao interior e voltou, coçando a cabeça. Sim, atenderia ao apelo, mas não despertaria o dono da casa enquanto não averiguasse a realidade.

Carrancudo, ladeou o instrutor, sem dizer palavra, do Flamengo ao estabelecimento de socorro público, mas, topando a moça, entregue à miserabilidade orgânica, o peito se lhe explodiu numa torrente de lágrimas, semelhante a rocha que se partisse de repente para revelar uma fonte...

Rodou sobre os calcanhares e arrancou-se qual flecha.

Félix, confortado, explicou que, pelo visto, Cláudio não tardaria, informando-me de que, segundo lhe era lícito ajuizar, Marita conseguiria pequena moratória. Mais alguns dias no corpo amarfanhado, quinze a vinte no máximo... Tempo de meditação, preparo valioso ante a vida espiritual... O cérebro seria protegido, mas não recuperado. Desorganizara-se. Dentro de algumas horas, a moça poderia pensar e ouvir com regularidade, reaver alguns recursos da sensibilidade e enxergar imprecisamente; entretanto, não mais contaria com o centro da fala. Naquele estado, aditou ele, permaneceria facilmente na esfera física, por muito tempo ainda, mas o peritônio sofrera contusões de efeitos irreversíveis. Não valeriam antibióticos, por maior fosse a carga. Ainda assim, sentia-se reconhecido aos supervisores espirituais, que haviam advogado a pequena dilação. As horas finais ser-lhe-iam preciosas. Desfrutaria o ensejo de aprontar-se para a renovação, enquanto Cláudio, Márcia e Marina talvez reconsiderassem caminhos.

2.1.8   Arrecadava-lhe o otimismo comovidamente.

Transcorridos pouco mais de cinquenta minutos, Cláudio, seguido por médico que se lhe afeiçoara à família e que conhecia Marita desde muito, deu entrada no posto de assistência. Márcia, sob a pressão de Moreira e interrogada pelo marido, liberara as informações de que dispunha.

O facultativo recém-chegado deixou o bancário no vestíbulo para efetuar a inspeção, identificando a menina sem maiores dificuldades. Feito isso, tomou providências, junto aos colegas, para que a jovem fosse imediatamente transferida para o Hospital Central dos Acidentados, com vistas ao tratamento urgente e minucioso. E depois de ligações telefônicas no preparo da instalação necessária, determinou as medidas inadiáveis. Que limpassem Marita, que se lhe purificasse o ambiente, que mesmo acreditada em coma fosse tratada com o máximo apreço.

Seja dito, no entanto, que não se registrara, ali, qualquer desleixo. As condições precárias da moça exigiam repouso, quietação. Justo observá-la, antes de qualquer alteração suscetível de agravar-lhe os constrangimentos.

Sexo e destino | 2ª Parte | Capítulo 1

Com efeito, iniciada a laboriosa remoção que Cláudio e 2.1.9 Moreira seguiram de longe, a cabeça, pendida para trás, impeliu o sangue a movimento retrógrado e surgiu a possibilidade de asfixia. Félix controlou, quanto pôde, as mãos dos condutores, e, tão logo a vimos ajustada em novo leito, vali-me do socorro magnético de profundidade que as circunstâncias exigiam. Sentei-me, de maneira a guardar aquele corpo abatido em meus braços, envolvendo-o no meu próprio hálito, numa operação que nos permitiremos nomear aqui por adição de força, cujos resultados se destacam surpreendentes, quando a criatura retida no envoltório físico se mostra nos últimos lances da resistência.

Nesse ínterim, Félix aconselhou que eu me adensasse na apresentação, a fim de que Moreira me enxergasse os exercícios. Conservava a esperança de vê-lo oferecer-se para manter a respiração da moça em boa ordem.

Orei, empenhando-me na consecução do objetivo, e, quando Nogueira e o acompanhante vararam a porta do quarto em que a administração nos localizara, o vampirizador deitou-me olhar espantadiço.

Cambalcaram sensibilizados, aflitos...
Incoercível emoção me tomou a alma.
Cláudio abeirou-se, trêmulo, da filha e rompeu em soluços.

Tanto quanto me era dado perceber, aquela hora significava para ele doloroso balanço de consciência.

Instintivamente, tornou à infância e à mocidade... Lembrou as leviandades primeiras. Irreflexões do passado corporificaram-se-lhe na memória. Enfileirou na imaginação os desvarios sexuais das trilhas percorridas. Cada jovem que iludira, cada mulher de cujas fraquezas abusara repontavam-lhe na tela mental, como que a lhe perguntarem pela filha que a vida lhe trouxera...

2.1.10   Aquele homem que me inspirava sentimentos contraditórios e de quem teria desejado distanciar-me, tocado de aversão, me insuflava agora um enternecimento que somente as lágrimas exprimiam!...

Perante a enfermeira impressionada, Cláudio ajoelhou-se e, com ele, pôs-se Moreira genuflexo... Em choro convulso, o pai alisou aqueles cabelos despenteados, contemplou a fisionomia de cera que a morte parecia estar modelando, mirou a face e os lábios intumescidos por equimoses, aspirou o ar deteriorado que se lhe exalava dos pulmões e, mergulhando a cabeça nos lençóis, gritou vencido:

— Ah! minha filha!... minha filha!...

Quase no mesmo instante, a fronte de Moreira vergou, como se esmagada de sofrimento... Ambos jaziam, ali, debruçados, rente aos meus joelhos, com a mesma rendição dentro da qual Marita se me conchegava ao regaço.

Reconheci que a Providência divina, em seus desígnios, não me aproximava unicamente da vítima. Os verdugos também pediam amor. Segurando a moça inerme, à altura do peito, afaguei-os com a destra, sustentando-me em prece... E a prece clareava-me o pensamento, corrigindo-me a visão!... Sim, tentando consolar aqueles dois homens que o remorso dobrava em tormento indizível, refleti nos meus próprios erros e compreendi os propósitos da vida!... Não!... Eles não eram os estupradores, os obsessores, os inimigos, os carrascos que eu detestara na véspera!... Eles eram meus amigos, meus irmãos!...

2

Confrangido, mas sereno, Félix acercou-se de Nogueira, 2.2.1 administrou-lhe energias de refazimento e, após levantá-lo, despediu-se, asseverando que voltaria.

Que não me inquietasse, falou bondoso. Estaríamos juntos, enviaria cooperadores, tomaria providências.

Respondi, sossegando-o. Afeiçoara-me àquela menina que, afinal, era nossa filha em espírito. Não, não a deixaria na dura fase da desencarnação.

Entrementes, Cláudio afastou-se, buscando o especialista.

Moreira, que me observava desde a chegada, fitava-me agora com simpatia, que me empenhava em conservar.

Em dado momento, interpelou-me. Amaciou o tom de voz e disse reconhecer-me. Queixou-se. Vira diversos irmãos desencarnados avizinhando-se da porta e acenando com asco. Apontavam Marita com desprezo, referiam-se a figurações despudoradas, traçavam gestos no ar, sugerindo quadros obscenos, e um deles chegara ao desplante de abordá-lo, indagando quem era aquela mulher que transpirava carniça.

2.2.2   Tratei de consolá-lo. Aquilo passaria. Esperávamos companheiros, abastecidos com os recursos necessários, a fim de que isolássemos o recinto.

Satisfazendo-lhe as perguntas, esclareci que, sem querer, assistira ao desastre e condoera-me daquela moça sozinha, jogada no asfalto.

Quis saber minudências; contudo, temendo embaraços, prometi-lhe que, logo aparecesse oportunidade, colheria informes seguros para nós ambos.

Tentando harmonizá-lo com as exigências do serviço que nos defrontava, roguei-lhe permissão para cooperar. Ficaria contente se ele me aceitasse o concurso, ali, ao pé daquela jovem que a provação humilhava. Colhera alguma experiência em hospitais e poderia ser útil.

Moreira comoveu-se e aprovou a ideia. Sim, aclarou, devotava-se a ela com ardente afeição e me reconhecia o desinteresse em servi-la. Contaria comigo, reportou-se a compensações. Conhecia meios de auxiliar-me, defender-me-ia, ser-me-ia companheiro fiel.

Em seguida, examinou curiosamente o processo pelo qual a respiração de Marita era auxiliada e pediu-me instruções. Queria substituir-me. E com tanta diligência e humildade se colocou no meu posto que, em minutos breves, atendia à manutenção da jovem, com segurança superior àquela que me esforçava em cultivar.

Procurei adestrá-lo. Obedeceu docilmente e guardou nos braços aquele corpo amarrotado, que se transfigurara num fardo de dor, salpicado de fezes. O perseguidor da véspera, tocado no âmago, enlaçou-a com a dignidade de um homem piedoso que socorre uma irmã, empregando-se no trabalho de instilar-lhe energias e reaquecer-lhe os pulmões com o próprio hálito.

Sensibilizado, ao identificar-lhe a transformação, concluí que nem sempre é o salva-vidas, tecnicamente construído, a peça que assegura a sobrevivência do náufrago, e sim o lenho agressivo que teimamos em desdenhar.

Retirei-me, por instantes, à busca de Cláudio e encontrei-o em compartimento próximo. Valia-se do intervalo, em que era constrangido a esperar pelo médico, para telefonar. 2.2.3

A voz inconfundível de dona Márcia vinha do outro lado. O esposo falava, sob traumatismo evidente; ela, no entanto, não respondia fora da destreza mental que lhe conhecíamos. Folgava em saber que a filha estava ainda viva. Melhor encerrassem o assunto. Se a Medicina já estava em cena, desistia de aumentar as aflições que lhe inçavam a casa.

Nogueira passou do noticiário às súplicas. Seria conveniente que ela viesse amenizar a situação.

A senhora, porém, mencionou compromissos inadiáveis. Estava de saída para a aquisição de linhas, destinadas à confecção de vários enfeites encomendados por Marina. Compreendia que a moça talvez não se recuperasse; entretanto, inclinava-se a crer que tudo não passava de episódio sem importância. Marita sempre fora exagerada em questões de sensibilidade, gostava da ostentação de ridículo. Além disso, se estivesse tão mal quanto o marido supunha, ele, na condição de pai, se achava lealmente junto da filha, eximindo a ela, dona Márcia, de sacrifícios maiores do que aqueles que já lhe sobrecarregavam os ombros. Fez chiste, mascarando de sarcasmo o desapontamento com que recolhia a informação de que a filha adotiva não estava morta, impelindo todos os constrangimentos da família à estaca zero. Recordou ao esposo que o Rio não era interior e que doente algum se podia dar ao luxo de contar com mais de uma pessoa acalentando o leito, numa capital que excedia o tamanho de Babilônia. Declarou-se cansada de bobagens e arrufos entre jovens namorados e afirmou preferir tricotar a fazer adulação para uma filha que não era dela e que sempre timbrara em loucura e faniquito. Rematava, aconselhando para que não se complicassem com despesas. Que ele ouvisse os médicos e removesse a menina, quanto antes, para casa.

2.2.4 Nogueira, desolado, insistiu, pintando o quadro em que se contristava; entretanto, a senhora encerrou a conversação, atirando-lhe uma frase que lhe despedaçou as últimas esperanças:

— Bem, Cláudio, tudo isso é problema seu.

Nogueira discou para a residência dos Torres.

Marina ainda não voltara.

Desacoroçoado, chamou para a casa do chefe. Atendido, prestou sucinto relatório da apertura, indagando sobre a concessão de férias no banco. O diretor sossegou-o. Compreendia a emergência, também era pai. Não apenas despacharia favoravelmente a petição, mas se colocava igualmente ao dispor dele para qualquer eventualidade.

Tornando ao aposento onde Moreira velava, entrou em conversação com o facultativo de serviço.

O médico registrou-lhe a inquietude e compadeceu-se. Asseverou que era cedo para um pronunciamento mais claro. Empreenderia exames, prescrevera transfusões de sangue e antibióticos, estudaria as reações. Mesmo assim, não dispensaria a consideração de um neurologista, na hipótese de surgirem complicações, em vista da pancada forte havida no crânio.

Nogueira concordou e, humilde, solicitou permissão para instalar-se junto da filha. Não se queixaria de preços, advogava para ela o melhor tratamento.

O clínico prometeu cooperar, favorecer.

Daí a instantes, Marita foi novamente transferida de quarto, onde Cláudio, Moreira e eu passamos à intimidade mais ampla. Aqueles dois Espíritos, que se avalentoavam por bagatela, manifestavam-se agora diferentes, submissos.

O esposo de dona Márcia trazia os olhos marejados de pranto. Partira-se-lhe a alma. A convicção de que a filha tentara o suicídio, por culpa dele, requeimava-lhe o coração, qual lâmina esfogueada que se lhe enterrasse no peito. De tantos escândalos escapara, de tantas proezas se ocultara, impassível; entretanto, aquele corpo abatido que a morte espreitava parecia encerrar-lhe o destino. Sentia-se arrasado, a ponto de não lhe importar nem mesmo a confissão de todos os delitos da existência, em praça pública... Delitos que supunha para sempre esquecidos, nos escaninhos do tempo, assomavam-lhe agora à lembrança exigindo reparação... sobretudo, Aracélia!... A genitora de Marita, que ele próprio aniquilara, a peso de sarcasmo e ingratidão, parecia alcançá-lo pelo túnel da consciência... A imagem daquela moça inexperiente da roça crescia-lhe por dentro. Lastimava-se, acusava, perguntava pela filha, pedindo-lhe contas!...

Conjeturava-se Nogueira às portas da loucura. 2.2.5

Não fosse a resolução de recuperar a filha prostrada, usaria o revólver contra si mesmo. Afigurava-se-lhe o suicídio como a válvula de livramento. Adotá-lo-ia, raciocinava taciturno. Se Marita morresse, não desejava sobreviver. Cerrar-lhe-ia os olhos e destruir-se-ia sem compaixão.

Ao passo que as reflexões amargas lhe obscureciam a mente, colava-se Moreira aos pulmões da triste menina, num espetáculo comovedor de paciência e dedicação. De minha parte, assinalava-lhe o devotamento sincero, os propósitos puros. O corpo injuriado não lhe inspirava repugnância. Enlaçava Marita com a veneração de quem se consagra a uma filha padecente para quem todos os cuidados e todos os carinhos são sempre escassos... De quando em quando, passava uma das mãos no rosto para enxugar as lágrimas... Aquele Espírito, que eu conhecera áspero e agreste, amava profundamente, porque é preciso amar a alguém com extremada ternura, para sorver-lhe com alegria o hálito fétido e acariciar-lhe a pele manchada de excrementos, com o enlevo de quem preserva um tesouro imensamente querido ao coração...

2.2.6   O silêncio era apenas cortado, de vez em vez, pelos movimentos da enfermeira que vinha fiscalizar o soro a descer no braço, gota a gota, ou aplicar injeções, segundo os avisos médicos.

O dia avançava. Três da tarde. Calor. Para Cláudio, as horas assemelhavam-se a correntes que arrastava no cárcere do remorso. A noção de isolamento agigantou-se-lhe no espírito. Voltou ao telefone e procurou por Marina.

A filha atendeu. Palestraram.

Cientificara-se do acidente por dona Márcia; no entanto, esperava que a ocorrência desagradável não passasse de susto. Não, não lhe era possível comparecer no hospital. Dona Beatriz, que passara a considerar igualmente por mãe, piorara muitíssimo. Aguardava-se-lhe o fim a qualquer hora. Que o pai a desculpasse; entretanto, admitia que a irmã devia estar satisfeita ao saber-se assistida por ele. Impossível pedir mais.

Nogueira regressou ao quarto, esmagado pelo desânimo.

Ninguém para migalha de apoio, ninguém a entender-lhe o suplício moral.

Às cinco, no entanto, alguém apareceu, um velho que solicitara a recomendação de clínico prestimoso.

A sós com Nogueira, apresentou-se.

Era Salomão, o farmacêutico.

Declarou-se amigo da moça acidentada. Estimava-lhe a lhaneza de trato, apreciava-lhe as gentilezas. Vizinho da loja, partilhava com ela o café, quando obrigado ao lanche fora de casa. Surpreendera-se com a notícia do atropelamento e deliberara visitá-la, mesmo porque acreditava tivesse sido um dos últimos amigos que Marita ouvira na véspera.

E, diante da curiosidade e do reconhecimento do interlocutor, narrou quanto sabia, pormenor a pormenor.

Evidente, concluiu, que alguma desilusão recôndita lhe ditara o gesto desesperado. Recordava-se, perfeitamente, de lhe haver notado o pranto que ela, em vão, buscava disfarçar. Teria ingerido os soporíficos que lhe dera, e, identificando-lhes o caráter inofensivo, certamente que se projetara sob um automóvel em disparada...

Cláudio ouviu, chorando... Intimamente, aceitou a hipótese. 2.2.7 Sem dúvida, a filha não pudera sobreviver ao insulto de que ele próprio se acusava. Aquele desconhecido confirmava-lhe as impressões. Refletiu no suplício moral da jovem humilhada, antes de se lançar ao gesto infeliz, sentiu-se o mais abjeto dos homens, no arrependimento que lhe azorragava todas as fibras da consciência, e agradeceu ao interlocutor, sofreando os soluços. Abraçou Salomão, num impulso de louvável sinceridade, e salientou que ele, o visitante gentil, era o verdadeiro e talvez o único amigo daquela criança que procurara a morte e que tudo fariam para reaver.

O farmacêutico apiedado arriscou um alvitre.

Confessou-se espírita e assinalou que os passes, sob a cobertura da oração, beneficiariam a menina prostrada. Ignorava quais os princípios religiosos de sua família; entretanto, possuía um amigo, o senhor Agostinho, a quem poderiam recorrer. Confiava na prece, no amparo espiritual. Se Cláudio permitisse, buscá-lo-ia. Nogueira aceitou com humildade. Afirmou-se sozinho. Não lhe seria lícito recusar um auxílio que lhe era oferecido com tanta espontaneidade. Apenas admitiu que se via na obrigação de rogar o consentimento das autoridades.

O facultativo, que lhes atendeu ao chamado, ouviu a petição. Homem experimentado em angústias humanas, fitou Marita, não só com a inteligência do técnico que observa um aparelho a caminho do desmonte para verificações finais, mas também com o sentimento de um pai afetuoso, e asseverou que Cláudio dispunha do direito de prestar à filha a assistência religiosa que desejasse e que, abstendo-se de ferir o regulamento da instituição, fora do quarto, ali estava como em sua própria casa.

2.2.8 Compadecido, ele mesmo favoreceria a vinda de Salomão com o espírita que indicasse. E, às oito da noite, o boticário de Copacabana entrou com o amigo que carregava pequeno pacote, em que se encontrava um livro.

Nogueira espantou-se. Aquele homem, que o saudava fraternalmente e que lhe era apresentado por senhor Agostinho, frequentava o banco, onde se alinhava entre os clientes mais respeitados. Conhecia-lhe a posição de comerciante distinto, conquanto não lhe desfrutasse a intimidade. Entretanto, se o recém-chegado o reconhecia, não dava qualquer mostra.

Interessou-se delicadamente pela moça e inteirou-se de todas as minudências do desastre, com as atenções de quem escuta a própria família.

Logo após, entre Cláudio e Salomão, orou emocionado. Suplicou a bênção do Cristo para a menina atropelada, qual se expusesse, diante de Jesus invisível, uma filha profundamente cara, e, em seguida, ministrou-lhe passes de longo curso com o devotamento de quem lhe transferia as próprias forças.

Cooperamos com ele, sob o olhar penetrante de Moreira, que tudo observava como que sequioso de aprender.

A operação, saturada de agentes reconstituintes do plano físico, infundiu grande bem à moça, melhorando-lhe a condição geral. Relaxou-se-lhe mais intensamente o esfíncter da micção, a respiração desoprimiu-se e conseguiu entrar em sono calmo.

Cláudio solicitou a presença da enfermeira e, enquanto a serviçal modificava a rouparia, os três conversavam em saleta próxima. Informado, então, de que Nogueira jamais tivera contato com princípios religiosos, Agostinho ofereceu-lhe o livro que trazia, um exemplar de *O evangelho segundo o espiritismo*, e prometeu voltar na manhã seguinte.

3

Nogueira, reinstalado no aposento, ensimesmou-se, refletindo, refletindo... 2.3.1

Lá fora, a noite de chumbo e, com ele, o silêncio, apenas entremeado pela respiração sibilante da filha...

Se fosse unicamente Salomão o interventor inesperado — pensava, cismarento —, e talvez não se permitiria maior detenção no assunto. Aquele vendedor de remédios que lhe confidenciara os sucessos da noite, inspirando-lhe, aliás, gratidão e simpatia, parecera-lhe excelente pessoa; entretanto, na simplicidade bonachona com que se apresentava, poderia não passar do crente de boa-fé, lamentavelmente embioçado na superstição... Agostinho, no entanto, agitava-lhe o espírito. Comerciante abastado e instruído, não se deixaria enrolar em tapeações. Conhecia-lhe a agudeza de raciocínio, a honestidade. Além disso, possuiria ocupações mais vantajosas em que aplicar atenção e tempo.

Que doutrina aquela, capaz de induzir um cavalheiro dinheiroso a entrar em prece, num quarto de hospital, chorando de compaixão por arrasada menina à beira da sepultura? Que princípios impeliam, assim, um homem educado e rico a esquecer-se no socorro aos infelizes, a ponto de tocar-lhes as matérias fecais, imbuído daquele amor que somente os pais conhecem nas entranhas do coração?

2.3.2   Fitou Marita que dormia, calma, e recordou os dois homens abnegados que lhe haviam trazido alívio, sem nada perguntar... Ele que jamais se aproximara de ensinamentos religiosos, habitualmente tratados por ele com manifesta desconsideração, acolhia-se agora a vasta série de porquês.

Abafado, agoniava-se com a sede de algo... Sem o apoio fluídico de Moreira, que dedicava todas as energias à moça em decúbito, lembrou o cigarro, mas dizia de si para consigo que não era mais o cigarro o objeto que desejava.

Aspirava a sair, correr ao encontro de Agostinho e Salomão, a fim de perguntar-lhes pela fé em Deus. Anelava inteirar-se de como conseguiam entesourar tanta crença. Ambos haviam suavizado a opressão que lhe supliciava a filha... Naquele instante, indagava a si mesmo se não era igualmente digno de piedade. Marita repousava no sono das vítimas, que a justiça resguarda na paz inviolável da consciência, enquanto ele se atormentava na vigília dos réus!... Reconhecia-se enfermo da alma, náufrago que afundava no redemoinho do desespero... Queria agarrar-se a alguém, a alguma coisa. Singela raiz de confiança mantê-lo-ia à margem da queda total!... A solidão asfixiava-o. Tinha fome de companhia.

Sugeri-lhe a leitura. Que ele abrisse o volume com que fora brindado. O livro conversaria em silêncio, ser-lhe-ia companheiro. Não se comprometesse a digerir-lhe, de vez, todas as instruções. Consultasse trechos, aqui e ali. Respigasse ideias, selecionasse conceitos.

Assimilou-me a indução e tomou a brochura, compulsando-a. Ainda assim, tentou reagir. Acusava-se incapaz, inquieto. Não retinha a menor parcela de serenidade para ler com aplicação ao assunto.

Insisti, porém.

Os dedos nervosos tatearam o índice. Relanceou o olhar pelas legendas. No capítulo XI, esbarrou com um item sob o título: "Caridade para com os criminosos". Aquelas sílabas invadiram-lhe o cérebro atribulado quais gazuas de fogo. Sentia-se descoberto por tribunal invisível. Sim! — monologou, desconsolado — é imprescindível examinar-se. Na própria conceituação, qualificava-se por malfeitor, foragido da grade. Durante o dia inteiro fora visto e acatado, ali, sob aquele teto, como pai carinhoso, mas sabia-se estuprador, filicida... Carregava a dor irremediável de haver impelido a filha querida à loucura e à morte!... Que condenações enfileiraria aquele volume contra ele? Merecia escutar a própria sentença, junto daquela que lhe caíra sob o golpe aniquilador...

Procurou a folha indicada e oh! surpresa!... o livro não lhe amaldiçoava a presença. Leu e releu, chorando, aquelas frases que ressumavam brandura e entendimento. Identificou-se à frente de um apelo à fraternidade e à compaixão, que não pintava os delinquentes por seres infernais, ausentes da órbita do amor divino. A pequena mensagem concitava à tolerância e terminava rogando preces em benefício dos que sucumbem na voragem do mal.

As lágrimas borbotaram-lhe mais profusamente dos olhos!... Aquelas palavras chamavam-no à razão. Percebia que o mundo e a vida deviam estar banhados de profunda misericórdia. Classificava-se por matador e achava-se ali, reconsiderando o próprio caminho, com suficiente lucidez para analisar-se e pensar... Aquele primeiro contato com as verdades do espírito fendia-lhe, de alto a baixo, a cidadela do ateísmo. Com a sofreguidão do sedento que atravessa longo deserto, mortificado de sede, atirou-se aos textos, de cujos caracteres ideias esclarecedoras e balsâmicas vertiam, sublimes, lembrando torrentes de água pura. Esquadrinhou vários temas... Adquiriu conhecimentos rápidos acerca da reencarnação e da pluralidade dos mundos, meditou nas maravilhas da caridade e nos prodígios da fé, por meio das chamas imortais do Cristianismo que ali renasciam para ele, reaquecendo-lhe o coração!...

2.3.4 Quando olhou o relógio, os ponteiros marcavam duas da madrugada.

Varara quatro horas mergulhado no livro, sem perceber. Sentia-se outro. O cérebro clareara-se, crivado de pensamentos renovadores que lhe suscitavam ardentes inquirições. Aquela era uma doutrina que lhe permitia sentir e indagar livremente, qual filho no regaço de mãe... Em verdade, conjeturava, se Deus não existisse, se não houvesse uma vida além da Terra, por que se entregava, daquele modo, a tão funda compunção? Se tudo na existência acabaria em animalidade e lodo, que razões lhe ditariam o suplício moral diante da filha, que lhe inspirava contraditórios sentimentos? Amava tanto aquela menina desventurada!... Por que não lograra sustentar-se, na posição de pai, infenso aos impulsos do sexo? Que forças o haviam arrastado até a condição do verdugo em que se aviltara? A ideia da reencarnação relampejou-lhe na cabeça. Ele e ela remanesciam de experiências anteriores... Indubitavelmente, algemada a dominadoras alucinações afetivas, teriam vivido no passado, padecido e chorado juntos!... Aquela devoção por Marita era para ele comparável ao *iceberg* que mostra reduzido fragmento, ocultando o peso enorme na vastidão das águas... Naquele momento, algo lhe dizia, na acústica do espírito, que ele, Cláudio, a trouxera, de novo, para o mundo, por meio da paternidade, a fim de orientá-la com limpeza e abnegação!... A sabedoria da vida restituíra-lhe o carinho, no sorriso filial, por algum tempo, para que retificasse os erros do tirano amoroso que deveria ter sido em épocas passadas e as paixões cujos rescaldos lhe calcinavam agora o coração... As realidades do destino se lhe alteavam do pensamento, belas e difusas, como o brilho dos raios de luz ao fundirem a névoa...

Ainda assim, não se desculpava. Reconhecia ter agravado os próprios débitos. 2.3.5

Entrevendo as realidades da vida além-túmulo, apelava para os amigos que vira partir!... Que se apiedassem dele e de Marita! Que suplicassem a Deus para trocar-lhe a existência pela dela... Ele, que se classificava pai criminoso, expiaria, no mundo espiritual, as próprias faltas, para, em seguida, renascer na Terra, mutilado, ressarcindo os débitos contraídos. Que ele se afligisse, expungindo as nódoas da alma; entretanto, que a filha vivesse e fosse feliz!... E, se lhe cabia continuar, ainda, no mundo, transportando no peito a angústia daquela hora, que a deixassem mesmo assim, abatida e muda, em seus braços! Teria forças para carregá-la!... Ser-lhe-ia apoio, refúgio!... Que ela ficasse! Que se lhe desse oportunidade de transfigurar, junto dela, todos os caprichos de homem rude em manifestações de amor puro... Aconchegá-la-ia, de algum modo, ao coração. Obteria uma cadeira de rodas, conduzi-la-ia a qualquer parte. Acolheria sem reclamar quaisquer obstáculos; entretanto, implorava à Providência divina poupasse Marita ao gládio da morte para que não faltasse a ele o ensejo de reajuste e reparação!...

Abracei-o, sugerindo-lhe esperança. Que não esmorecesse. Confiasse. Quem estaria na Terra, sem problemas? Quantos, naquela mesma hora, em outros lugares, se achariam em lutas semelhantes? Aquele volume, que lhe sacudia o pensamento, se mantinha, ali, qual sinal de trânsito na estrada do destino. Valia interpretar o remorso por marca vermelha, suscitando parada. Conviria frear o carro dos próprios desejos e pensar, pensar!... Todos atingimos um dia de reconciliação com a própria consciência; que não descrtasse da luz que lhe acendiam na marcha. Compreendesse que a Lei de Deus não se afirma em condenação, mas sim em justiça e que a justiça de Deus nunca se expressa sem piedade. Que ele meditasse, concluindo que se nós outros, os homens imperfeitos, já conseguíamos adicionar compaixão à justiça, por que motivo Deus, que é o Amor infinito, haveria de exercê-la implacável? Ali, transpúnhamos a escuridão da noite... A alvorada não tardaria e, com ela, o sol diurno que chegava sempre novo!... Que levantássemos todos os sentimentos para a renovação que começava!...

2.3.6 Moreira, que me avistava enlaçado a ele, endereçou-me ansioso olhar, como a inquirir pelas ideias que eu lhe insuflava. Antes, porém, que me viesse substituir, cioso do lugar de conselheiro que me permitia ocupar, apelei para Cláudio, inclinando-o a iniciar, ali mesmo, a obra reparadora.

O bancário não vacilou.

Fundamente enternecido, levantou-se, caminhou na direção da cama e ajoelhou-se à cabeceira.

Confessava a si próprio que, pela primeira vez, depois de muito tempo, fitava o semblante da filha sem que a mais leve tisna de fascinação sexual lhe alterasse os sentimentos.

Tremeu-lhe o coração, atormentado.

Acariciou-a com uma espécie de ternura que jamais experimentara, deixou que as próprias lágrimas lhe orvalhassem o rosto e suplicou em surdina:

— Perdão, minha filha!... Perdão para seu pai!...

A rogativa desfaleceu na garganta que os soluços embargavam...

Marita evidentemente não respondeu; no entanto, o afago paternal instilou-lhe energia diferente e tanto Moreira quanto eu próprio registramos, espantados, o gemido que ela desferiu, denotando sinais de retorno a si mesma.

Cláudio, esperançado, desligou-se. O carinho impregnara-se nele de súbito respeito. Intimamente comparou aquele afeto imaculado que lhe nascia ao lírio alvo que desponta num charco.

Outros gemidos repetiram-se imprecisos, dolorosos...

O genitor escutava-os, ralado de angústia. Daria o que 2.3.7 tivesse para traduzir aqueles vagidos de criança inconsciente... Conjeturou, porém, que eles exprimiam padecimentos físicos inenarráveis e agoniou-se em choro convulsivo. O ex-vampirizador, transfigurado em servo diligente, ergueu-se, presto, e veio abraçá-lo, no intuito de propiciar-lhe reconforto, mas notei que os dois amigos jaziam, agora, perto e longe um do outro. Juntos por fora e distantes por dentro. Ombros unidos e pensamentos opostos. Moreira fora atingido pelos acontecimentos, mas não tanto. Patenteava enorme afeição por Marita, lutava por ela, mas, no fundo, não escondia o propósito de seguir controlando Cláudio, no resguardo de seu próprio interesse. Identificando o parceiro tocado no coração pelos sentimentos edificantes que a leitura lhe sugerira, revelava o desapontamento semelhante ao de um pianista que surpreendesse o instrumento favorito com as teclas mudas. Alarmado, desfechou-me perguntas. Sosseguei-o, afirmando que o cérebro de Nogueira se anulava, naquele instante, por arrasadoras comoções; entanto, no íntimo, certificara-me de que ele dera um passo adiante e de que o companheiro menos feliz deveria elevar-se no mesmo diapasão para desfrutar-lhe a convivência, se não quisesse perder-lhe a companhia.

A mente do bancário emergia daquelas horas reduzidas de estudo compulsório, sob a tormenta moral, ao jeito de paisagem quando varrida de terremoto. Nenhuma analogia com o que era antes. Em razão disso, enfadava-se o outro, melindrado, triste.

Mesmo assim, Moreira retomou o trabalho de manutenção da jovem prostrada.

Nisso, porém, chegaram dois auxiliares, Arnulfo e Telmo, que vinham, da parte do irmão Félix, colaborar no auxílio à menina.

Ambos simpáticos, espontâneos.

Apresentei-os ao mantenedor magnético, surpreso, cuja posição espiritual reconheceram de pronto; contudo, na gentileza característica dos corações generosos, envidaram todos os esforços para não constrangê-lo com qualquer linha divisória de tratamento. Rodearam-no de otimismo e bondade, qualificando-o na categoria de colega estimável.

2.3.8 Na antevéspera, aquele irmão, que se avalentoava no Flamengo, não aceitaria tal camaradagem; todavia, Marita ali respirava, entre dois mundos... fatigada, dispneica... Por Marita, suportava as alterações, sofreava os impulsos.

A madrugada abeirava-se do dia.

Acercamo-nos de Cláudio.

Indispensável fazê-lo descansar, dormir.

Moreira, com iliudível desgosto a se lhe estampar na fisionomia, observou-nos o cuidado na administração dos passes balsâmicos, aos quais o paciente aquiesceu sem qualquer contradita.

Aliás, é de mencionar-se a sensação de alívio com que Cláudio nos respondeu ao toque sugestivo. Acabava de viver minutos de martírio inominável. Aspirava ao repouso, mendigava esmola de paz.

Todavia, enquanto se lhe relaxavam os nervos tensos à pressão do sono que lhe impúnhamos brandamente, Moreira a tudo assistia, no crescente desagrado da pessoa que contempla a agitação e a mudança de sua casa, conturbada em serviços de reforma que não pediu. Lançava ondas de azedia e amargura no sorriso amarelo. Tudo para ele surgia deslocado, revirado... Entre o amigo que lhe fugia ao comando e a jovem, cujo corpo físico se decidia a preservar, sentia-se atônito, desenxavido...

Compreendendo que não lhe seria lícito incompatibilizar-se conosco, simplesmente em face da assistência que o esposo de dona Márcia recolhia de nós, aplicou-se com mais veemência às atenções para com a moça, cujos pensamentos mais profundos empenhava-se agora por auscultar. Marita, a seu turno, porque assimilasse mais amplo montante de força, acabou reassumindo o leme dos centros cerebrais, que ainda se lhe mantinham à disposição. Recuperou a sensibilidade olfativa, percebia, raciocinava e ouvia com relativa segurança; contudo, estava hemiplégica, nada enxergava e extinguira-se-lhe a fala, de modo irreversível. A princípio, admitiu-se acordando no sepulcro. Ouvira muitas narrações alusivas a mortos que despertavam no túmulo, lera depoimentos relacionando sucessos dessa ordem e assistira a vários filmes de horror. De alma opressa, supunha-se num transe desses, estendida ali no leito que tomava por ataúde, no silêncio de aflições inapeláveis... Forcejava por gritar, reclamando socorro; no entanto, veio-lhe a ideia de haver esquecido o processo de articular as palavras. Sabia-se pensando com a própria cabeça, mas ignorava agora os movimentos coordenadores da voz. Apesar de tudo, reconhecia-se consciente. Sentia, memorizava. Recordou os acontecimentos que lhe haviam inspirado o propósito de morrer. Arrependia-se. Se a vida continuava, para que provocar o fim do corpo? — considerava, desditosa. Lembrou as ocorrências da Lapa, a entrevista com Gilberto pelo telefone de dona Cora, os comprimidos de Salomão, o sono em frente do mar, o desconhecido prestes a assaltá-la, a corrida para o asfalto, a queda sob o automóvel em movimento... Depois, aquilo ali... O corpo estatelado que lhe parecia de pedra, a consciência ativa, as percepções aguçadas e a incapacidade de expressão... Intimamente, o esforço desesperado para fazer-se notar; no entanto, sentia-se entalada por gargalheira de chumbo. Irritou-se, debalde. Fremia de impaciência, de espanto, de dor... Mágoa e revolta, petitórios e indagações esmaeciam-se-lhe, imanifestos, no âmago do ser. Por mais se empenhasse a chorar, desoprimindo-se, as lágrimas se lhe represavam no peito, sem nenhum canal que lhe extravasasse as agonias. Os olhos, tanto quanto a língua, se lhe figuravam desligados do corpo...

2.3.9

2.3.10   Estaria morta — perquiria a jovem num misto de perplexidade e sofrimento —, ou quase a morrer?

Escutou os passos da enfermeira de plantão e registrou a respiração sibilante do pai, sem a possibilidade de identificar-lhes a presença, e, em vão, tentou pedir explicação para o cheiro nauseante que a cercava.

Transcorridas duas horas de angústia recôndita, que Moreira assinalava com acuidade e precisão, a moça como que se aquietou mentalmente e, perscrutando-lhe, por minha vez, o campo íntimo, notei que se fixava lamentavelmente em Marina.

O companheiro desencarnado que, até então, se fazia suporte psíquico de Cláudio e que necessitava de base moral para garantir o próprio reequilíbrio, encontrou pasto robusto a nova desorientação.

Descobri o perigo, sem poder conjurá-lo.

Percebendo-se demitido da complacência do amigo que se lhe transformara em joguete, procurava-lhe na filha motivos outros em que se lhe facultasse permanecer atrelado à demência.

De nossa parte, não era possível pressionar a menina acidentada, no sentido de lhe sustar as lamentações. Qualquer dispêndio de energias, além das estritamente necessárias ao seu sustento, poderia precipitar-lhe a desencarnação.

Insciente das complicações que gerava com semelhante procedimento, a filha de Aracélia reconstituiu na imaginação as aperturas da existência. Acusava a irmã por todos os infortúnios. Exibia-lhe a figura na tela da memória como se fosse a inimiga imperdoável... Marina a furtar-lhe as carícias maternas, Marina a surripiar-lhe as oportunidades, Marina a roubar-lhe as afeições, Marina a subtrair-lhe o eleito dos sonhos juvenis...

Não valeram ponderações que lhe endereçávamos, inquietos.

A influência de Moreira, que lhe amimalhava as incriminações, surgia naturalmente muito mais vigorosa para ela, que diligenciava encontrar simpatia e adesão.

Aquela desventurada menina desconhecia os poderes do 2.3.11
pensamento. Não sabia que, fora da indulgência e da brandura, invocava desagravo e, assim procedendo, não apenas enredava a família em duras provações, mas igualmente punha a perder o valioso trabalho de recuperação daquele amigo necessitado de afeição e de luz.

O ex-assessor de Cláudio, ao absorver-lhe as confidências mudas, em que relacionava os pesares mais íntimos, dos quais não tivera ele conhecimento, retomava, pouco a pouco, a brutalidade que, anteriormente, lhe marcava a expressão. Esvaeciam-se-lhe as melhoras de espírito.

A pretexto de auxiliar a protegida, reavivava os instintos de vingador.

O olhar, que se adoçara de compaixão, readquiriu a lividez dos alienados. Sumiram-se todos os indícios de retorno à sensatez e à humanidade que patenteava, desde o momento em que renteara a moça abatida.

Inútil seria qualquer tentame para reconduzi-lo à serenidade. Embebendo-se nos queixumes daquela que classificava, para ele, como a mulher querida, restaurava em si mesmo a selvageria da fera sequiosa de sangue. Respondendo-nos às petições de calma e tolerância, clamava que não, que não... Ninguém o faria renunciar à guerra pela tranquilidade daquela que amava; alegava desconhecer, até então, o martírio que a irmã lhe aplicara durante a vida inteira e insistiria no desforço...

Ao vê-lo abandonar o serviço a que voluntariamente se impusera, incapaz de refletir nas consequências da própria deserção, compreendi que o ex-obsessor convertido em amigo fora assaltado por crise de loucura e inclinei-me a considerar se o irmão Félix não errara solicitando a permanência de Marita no corpo desarticulado, tal a extensão dos males que o ex-vampirizador seria capaz de estender, a partir daquela hora; no entanto, reprimi-me... Não! eu não detinha o direito de julgar o companheiro destrambelhado que se afastava de nós, enquanto o sol da manhã se aprumava no céu. O irmão Félix sabia o que fizera e, com certeza, em outro tempo, não me desequilibrara nem desacertara em ponto menor...

2.3.12 Competia-me simplesmente trabalhar, socorrer.

Transferi nossos encargos às atenções de Arnulfo e Telmo e demandei a residência dos Torres, o único lugar para onde Moreira, a nosso ver, decerto rumaria.

Entrei...

Na casa silente, cochichava-se a medo. Lágrimas no semblante dos servidores humildes.

Dona Beatriz, em coma, esperava a morte.

Neves e outros afeiçoados do mundo espiritual rodeavam o leito. Dedicada enfermeira observava a senhora prestes a mergulhar no grande repouso, diante de Nemésio, Gilberto e Marina, que se acomodavam a pequena distância.

Aturdido, porém, verifiquei que Moreira não se achava ainda ali. A surpresa, entretanto, se desfez para logo, uma vez que, transcorridos alguns momentos, o ex-acompanhante de Cláudio, seguido por quatro camaradas truculentos e carrancudos, penetrou, desrespeitosamente, o recinto... E, sem a menor comiseração pela agonizante, acercou-se da filha de dona Márcia e gritou encolerizado:

— Assassina!... Assassina!...

4

Debaixo da agressão, Marina experimentou irreprimível 2.4.1 mal-estar. Empalideceu. Sentia-se sufocar. Registrava todos os sintomas de quem recebera pancada forte no crânio. Jogou a cabeça para trás, na poltrona, esforçando-se por esconder a indisposição, mas debalde. Os Torres, pai e filho, perceberam-lhe a vertigem e acorreram pressurosos.

Nemésio tomou a palavra, atribuindo o desmaio à fadiga de quem se movimentara durante a noite inteira, sem o mínimo descanso no decorrer do dia anterior, ao redor da dona da casa, cujo corpo se consumia com dolorosa lentidão, ao passo que Gilberto trazia água fresca, antes de telefonar para o médico.

No ambiente espiritual, o impacto não foi menos constrangedor.

Neves fitou-me, irrequieto, como a rogar socorro para não explodir. Conhecia Moreira, de nossa primeira visita ao Flamengo; entretanto, ignorava os acontecimentos que nos apoquentavam desde a antevéspera. Pelo olhar de censura que nos arremessou, concluí que julgava o aposento da filha invadido por malfeitores desencarnados, numa investida sem qualquer significação, incapaz de ajuizar quanto às causas que impeliam o ex-conselheiro de Cláudio àquele gesto de revolta, para o qual arrebanhara colegas infelizes, efetuando um ataque categorizado por ele à conta de empreitada punitiva e justiceira.

2.4.2   Uma das senhoras desencarnadas, que aguardava o momento de acolher Beatriz, liberta, abordou-me, pedindo providências.

Moreira e os aderentes despejavam ditérios e obscenidades, injuriando a dignidade do recinto, depois de haverem burlado a vigilância mantida em torno da casa. Não formulava o pedido para que se articulasse a contenção deles, a propósito de preconceitos humanos. Aceitava os recém-chegados na posição de credores da maior comiseração; no entanto, a senhora Torres estava nas derradeiras orações, em vias de partir. Esmolava tranquilidade, silêncio.

Em determinadas terapêuticas, não se pode restabelecer a normalidade orgânica senão removendo o centro de infecção, e, ali, o pivô da desarmonia era Marina.

Afastada a moça, retirar-se-iam com ela os agentes da desordem.

Abeirei-me da menina carecedora de piedade. Supliquei-lhe saísse. Fosse repousar. Não teimasse ante a solicitação nossa em seu proveito.

Ela obedeceu a contragosto.

Pediu licença aos amigos, a fim de esperar o médico na dependência dos fundos, e acompanhei-a.

O bando, porém, renteou-me e Moreira interpelou-me. Queria saber de minha simpatia pela jovem que ele hostilizava. Indagava, desabrido, se eu não a conhecia suficientemente, se não lhe assistia às bacanais entre pai e filho e por que me interessava de modo tão especial por aquela a que ele chamava bisca, bonita por fora e devassa por dentro.

Ironizando-me a escassa inclinação à conversa, reportou-se, com enérgicas rabecadas, à dama que nos havia rogado a execução de medidas para afastá-lo do quarto, declarando que não era covarde para incomodar moribundos, e perguntou, insolente, por que razão as entidades veneráveis e amigas, que ele apelidava por "aquelas mulheres", nos compeliam a retirá-lo, quando ali deixavam Marina respirar à vontade, acentuando que, por ser franco e áspero, não se considerava pior.

Crivou-me de objurgações repassadas de fel. 2.4.3

Desafiando-me, por fim, a enunciar o meu ponto de vista, utilizando palavras que colocavam em jogo a confiança com que me honrava, desde a véspera, arrisquei-me a ponderar que Marina, apesar de tudo, era filha de Cláudio Nogueira e irmã de Marita, aos quais tributávamos ambos calorosa afeição. Qualquer fracasso em prejuízo dela seria desastre para eles. Não me cabia reprovar corrigendas, capazes de lhe fortalecer a vigilância, com manifesta vantagem para ela; no entanto, por amizade aos Nogueiras, não concordaria em que fosse massacrada.

Ele sorriu e obtemperou que as apreciações não eram de todo desprovidas de senso, prometendo que amainaria o desforço, mas não desistiria da correção.

Despachou os cooperadores, recomendando aos quatro lhe aguardassem as ordens no pátio lateral, e acompanhou-nos, segurando-a, descortês.

Indiferente a qualquer ideia de companhia espiritual, Marina penetrou na câmara, encostou a porta e ajeitou-se no leito, cerrando os olhos.

Relaxou. Aspirava a dormir, descansar... mas não conseguiu.

Moreira, insensível, indicando o propósito de arrasar em mim qualquer simpatia pela contadora indefesa, participou-me que ia submetê-la a interrogatório a respeito de Marita, para que eu lhe *ouvisse o depoimento inarticulado* e avaliasse o caso por mim mesmo.

2.4.4   Suspirei pela obtenção de respostas que enobrecessem o inquérito mental em preparo; contudo, minhas esperanças se desvaneceram no nascedouro.

O indesejável patrocinador de Marita, erguido por si mesmo à condição de juiz, pespegou um pejorativo contundente aos ouvidos da moça e reclamou-lhe a opinião sobre a irmã hospitalizada. Que se manifestasse, que expusesse o seu ponto de vista a respeito daquele suicídio comovedor.

Marina, embora debilitada, conjeturou-se tangida pelos próprios pensamentos a lhe buscarem atenção para a irmã acidentada e, presumindo monologar, deixou que os pensamentos lhe pululassem do cérebro, sem o travão da autocrítica.

Compadecia-se da irmã — parafusava, calculista —; no entanto, confessava-se agradecida ao destino por se ver livre dela. Indiscutivelmente, não teria tido coragem de impeli-la à morte; todavia, se ela própria deliberara desaparecer, cedendo-lhe posição, sentia-se aliviada. Gilberto inteirara-a de um telefonema que recebera na noite da antevéspera. Confiara-lhe as impressões. Nada de trote. Pelo jeito, deduziram que Marita lhe imitara a voz, efetuando sondagem... Convencida de que o rapaz não a desejava, preferira morrer. Gilberto fora claro. Pelos tópicos da conversação pelo fio, dos quais lhe transmitira os pormenores, Marita investigara-lhe os sentimentos, no intuito de arrancar-lhe uma declaração indireta. Desiludida, optara pela renúncia. Em razão de tudo isso, não lhe cabia perder-se em divagações. Se o jovem Torres a amava, no mesmo grau de carinho com que se lhe entregara, e se a outra resolvera sumir, nenhum motivo para ralar-se. O próprio Gilberto, semanas antes, perguntara-lhe, de estranha maneira, pelas esquisitices da irmã. Julgava-a desequilibrada, neurótica, ao que se lhe referira à paternidade anônima. O filho de Nemésio acreditava em sífilis na cabeça, asseverando que Marita não servia para casar.

Após ligeira pausa no pensamento, como quem apaga uma 2.4.5
luz e a reacende, alterando o cenário, a jovem do Flamengo seguiu pensando, memorizando...

Telefonara para casa, durante a noite, e a mãezinha informara que Marita ainda não havia morrido; contudo, o médico esclarecera a ela, dona Márcia, em ligação confidencial, que a Ciência não dispunha de meios para recuperá-la e que o óbito era questão para daí a alguns dias. O facultativo solicitara-lhe atenções especiais para Cláudio, esmagado de angústia. Recomendara-lhe nada dizer ao marido, quanto à opinião aberta que expunha, parecer que formulava apenas para com ela, ao reconhecê-la mais calma diante do sofrimento. Que ela, na condição de mãe, se premunisse contra emoções muito fortes, a fim de sustentar a família no transe que sobreviria a qualquer momento.

Aquelas elucidações, no silêncio, feriram Moreira nas últimas fibras.

As notícias médicas, assim desdobradas, portavam para ele os efeitos de um tiro.

Não se resignava à ideia de perder Marita, no plano físico. Ela, inconscientemente, despendia recursos fluídicos que se casavam com os dele, fornecendo-lhe sensações de euforia, robustez. Retirava dela os estimulantes mentais que lhe vigorizavam a masculinidade, tanto quanto se valia habitualmente de Cláudio para viver sobre a Terra como qualquer ser humano.

Entre a frustração e a inconformidade, designou Marina com um nome chulo e justificou-se, diante de mim, quanto à determinação de puni-la. Infantilizado, colérico, bradou que nós ambos víamos, juntos, o regozijo com que cismava no infortúnio da outra; que eu não lhe podia negar a frieza de sentimentos; que a minha palavra apoiasse a dele, em momento oportuno; que eu lhe servisse de testemunha.

2.4.6   Marina, porém, continuava meditando, aclarando, qual se aditasse, espontaneamente, impressões marginais ao tema que Moreira lhe propusera.

Amava a Gilberto, sim. Apenas a ele. Descobriria recursos para desvencilhar-se de Torres, pai. Quanto mais corria o tempo, com maior segurança afiançava a si mesma pertencer ao rapaz. Anelava desposá-lo, ser-lhe a mulher em casa e mãe de seus filhos...

No entanto, quando o esboço do lar futuro se lhe configurou na imaginação, o meu interlocutor arremeteu-se contra ela e bramiu:

— Nunca!... Você nunca será feliz!... Você matou sua irmã... Assassina! assassina!...

Agredida sem que me fosse permitido protegê-la, porquanto a minha interferência isolada se fazia desaconselhável, em benefício dela mesma, a jovem experimentou-se invadida de estranho mal-estar.

Aquelas incriminações percutiam-lhe fundo, qual se alguém lhe varasse o pensamento.

Ofegou em desassossego.

Começou a refletir acerca de Marita, sob novos aspectos, estabelecendo confrontos. Debalde esgrimia ideias, tentando impugnar o remorso que se lhe infiltrava na consciência. Julgava contraditar-se. Gemia em desconforto. Ignorava-se em luta com uma Inteligência que se lhe mantinha invisível, a pedir-lhe contas do proceder. À medida, porém, que o adversário martelava as censuras, às quais aderia por saber-se culpada, passou a perder posição. Enevoava-se-lhe o raciocínio, mobilizou todas as energias para não desmaiar, temia a loucura...

O contendor desafiara a fortaleza, proclamando-lhe as brechas. A fortaleza resistiria, incólume, se fosse inteiriça; entretanto, as brechas existiam e, por elas, o inimigo lançava petardos de maldição e sarcasmo, gerando a demência e invocando a morte.

Em vão, diligenciei no silêncio, articulando agentes mentais de auxílio para que a vítima se libertasse; contudo, a menina, bastante hábil para movimentar-se, entre os homens, sem comprometer-se na superfície das circunstâncias, jazia desarmada de conhecimento enobrecedor, com que se advertisse, recuando na trilha percorrida para adotar direção diferente. 2.4.7

Marina, à mercê da força que lhe espatifava os recursos psíquicos, sentia-se derrotada...

Da impassibilidade ante o desastre ocorrido com a irmã, transferiu-se à opressão, ao temor...

Ao toque do inquisidor que lhe vasculhava a cabeça, começou a imaginar que Marita, em verdade, não intentaria o suicídio, se nela houvesse achado uma companheira honesta e piedosa.

Rememorou a noite em que divisara Gilberto pela primeira vez. O jovem saía de um cinema, em companhia da irmã, amparando-a contra a chuva. Tamanha a doçura daqueles olhos, tão grande o carinho daqueles braços!... Julgou encontrar Nemésio mais moço. Comprometida com Torres, pai, presumia enxergar no filho os atributos de juvenilidade que lhe faltavam... Capricho ou afeição, apaixonara-se pelo rapaz, cortejara-o abertamente. Enlaçara-o com os dotes de inteligência, até acender-lhe na alma entusiasta o anseio de compartilhar-lhe sonhos e emoções. Convidara-o a entretenimentos, agarrara-lhe o coração. Instalara nele a necessidade dela, tornara-o dependente, escravo. Manobrava-o inteiramente, o que a irmã, inexperiente e sincera, não se animara a fazer, conquanto lhes conhecesse, por meio dele próprio, o compromisso oculto. Ao sabê-lo aprisionado à outra, requintara-se, aliás, nos processos de sedução. Acariciava-o, impunha-se, manietava-o, à maneira da aranha entretecendo o fio veludoso para cativar o inseto que se dispõe a devorar...

Perante o libelo do juiz inesperado, perguntava-se pela tranquilidade própria. Examinando, escrupulosamente, as atitudes que assumira, verificava, espantada, que lesara a si mesma. O remorso figurou-se-lhe trado invisível a verrumar-lhe o crânio. Lágrimas abundantes lhe subiram do peito aos olhos, lembrando jorros de água que a broca somente consegue arrancar, ao subsolo, ao tatear lençóis mais fundos.

2.4.8 O médico, assistido pessoalmente pelo dono da casa, apanhou-a em crise de pranto. Não obstante apreensivo, consolou-a, erguendo-lhe o ânimo. Falou em cansaço. Elogiou-lhe a pontualidade e o devotamento de enfermeira, prescreveu-lhe tranquilizantes. Que ela repousasse, que não desamparasse a si mesma.

Marina, porém, não ignorava que a consciência se debatia em pânico, que era inútil qualquer tentame para largar o foro íntimo. Quando o facultativo se despediu, retomou o choro convulso, diante de Nemésio, que, intimidado, trancou a porta e se abicou junto dela, no intuito de confortá-la e confortar-se.

Constrangido a facear com a cena de ternura, sem fundamentos de afeição recíproca, inquietei-me por Moreira, que zombeteava, lançando frases ultrajantes.

Nemésio rogava à moça tratar-se, refazer-se. Tivesse paciência, que se regozijassem ambos. Nada além de mais alguns poucos dias e estaria em pessoa, no Flamengo, para os derradeiros arranjos do casamento. Contava com ela e queria fazê-la feliz. Encantado, beijava-lhe o rosto molhado, qual se aspirasse a sorver-lhe as lágrimas, enquanto a jovem, francamente conturbada, lhe arremessava olhares de esguelha, entremeados de compaixão e repulsa.

Convidei Moreira à retirada. Ele, porém, desapiedado, indagou se me falhava a coragem para conhecer Marina tanto quanto ele, e, porque me inclinasse a defendê-la, acrescentou que não se achava ali na posição de carrasco. Escarninho, recomendou-me não acusá-lo, asseverando que detinha tanta culpa na indisposição da jovem quanto aquela que teria um bisturi na ablação de um tumor.

Pedi-lhe, em consideração a Cláudio, nos auxiliasse a proteger-lhe a filha, menina recruta na guerra contra o mal, embora se acreditasse suficientemente sabida.

Por que não nos conservarmos à porta, resguardando-a? Um momento talvez chegasse em que passaríamos a rogar-lhe concurso. Não obstante alegar que nunca se acomodara à alcovitice, que não tinha vocação para capa de malfeitores, aquiesceu e saímos. Do lado externo, porém, à vista de referir-me à hipnose, no campo afetivo, expendendo considerações ao redor da paciência, que nos toca exercer junto de todas as pessoas em distúrbios do sexo, ele riu-se abertamente e comentou, galhofeiro, que não me adiantava falar grego, diante de obscenidades que para ele possuíam nomes próprios, e advertiu-me que quando o pai se retirasse viria o filho e que eu perderia a graça e o latim de qualquer jeito.

Efetivamente, quando o chefe da casa se retirou, o rapaz, cansado da vigília noturna, veio em nossa direção e entrou no quarto.

O colega endereçou-me olhar significativo; contudo, antes que se desregrasse na crítica, apareceu alguém com bastante simpatia e piedade para desfocar-nos a mente.

Era o irmão Félix.

Pela sua expressão, dava-me a perceber que se inteirara de todos os sucessos em curso; no entanto, abriu os braços para Moreira, à feição do pai que reencontra um filho. O amigo, que volvera ao desequilíbrio sentimental, por sua vez, reconheceu-se invadido por eflúvios regenerativos e recordou, sensibilizado, o primeiro encontro em que o benfeitor lhe solicitara colaboração para Marita, e enterneceu-se.

Félix, sem um gesto que lhe exprobrasse a deserção, apelou para ele com absoluta confiança:

— Ah! meu amigo, meu amigo!... Nossa Marita!...

E, ante as indagações do interlocutor, que o tratava como de igual para igual, esclareceu que a menina piorara. Dores agudas lhe mortificavam o corpo. Afligia-se, fatigada. Desde o momento em que ele, Moreira, se afastara, tudo indicava que a pobrezinha entrara em regime de carência. A sofredora criança necessitava dele, esperava por ele, a fim de aliviar-se.

Ante as frases sinceras que o atingiam no fundo, o ex-assessor de Cláudio acudiu incontinente, regressando em nossa companhia para o hospital, onde realmente a moça se estirava em situação lastimável.

Quatro horas haviam escoado, modificando-nos a tela de serviço.

Averiguamos que o pedido de Félix não se alicerçava num artifício piedoso. Escorada por Telmo, que lhe insuflava energias, Marita não lhe assimilava a influência com tanta segurança.

Sem qualquer propósito de censura, é lícito registrar que faltava entre eles aquela harmonia necessária às crenas das rodas de engrenagem determinada, num plano de sustentação. Telmo, rico de forças, apoiando-a, lembrava um sapato novo e precioso em pé doente. Cedendo lugar ao recém-chegado que o rendeu, pronto, verificou-se, de imediato, alguma desopressão. Marita ajustou-se, mecanicamente, aos cuidados que Moreira lhe oferecia. Ainda assim, a peritonite instalava-se dominante.

Aumentara o mal-estar.

A filha de Aracélia gemia sob a atenção atribulada de Cláudio, que a observava, azorragado de sofrimento íntimo. Entretanto, agora, o ex-vampirizador do Flamengo encontrava enorme diferença. Acicatada pelos padecimentos físicos, Marita não dispunha de facilidades para pensar senão nas próprias dores, contundida, suarenta, amarfanhada... E o martírio corporal que lhe transfundia todos os impulsos, num gemido que não conseguia articular, provocava em Moreira, unicamente, simpatia e compaixão.

5

No entardecer do dia imediato, enquanto seguíamos de 2.5.1
perto a crescente renovação íntima de Cláudio, que, por algumas
vezes, já conseguira se entender com Agostinho, adquirindo mais
amplos recursos de cultura espírita, a filha de Aracélia repousava,
sob o patrocínio de Moreira, que se reconfortava ao identificar
o resultado compensador do próprio esforço. Ele mesmo, agora,
compreendia que a moça se lhe afinava, com mais segurança, ao
apoio fluídico. E regozijava-se com isso.

A Providência divina abençoava o lavrador bisonho, propiciando-lhe a ventura de contemplar os grelos promissores das primeiras sementes do bem que ele plantava.

Se algo distante do posto, durante alguns minutos, a jovem, cujo corpo espiritual se revestia de inexprimível suscetibilidade, em vista do desgaste físico, passava a gemer, denotando sofrimento agravado, para calar-se, em súbita acalmia, tão logo o sustentador retomasse a posição.

Moreira sentia-se útil, orgulhava-se. Encontrava motivos para conversar conosco, permutando impressões. Solicitava esclarecimentos a fim de entrar em processos mais eficazes de auxílio. Adquirira interesse para o trabalho. Assemelhava-se a um homem que houvesse debalde suspirado, muito tempo, pela condição de pai e, tendo achado uma criança, conseguira com ela ocupar o vazio do coração.

2.5.2 Cláudio, a seu turno, não se circunscrevia à própria transformação. Desdobrava-se por dispensar à filha todo o carinho e toda a assistência de que se via capaz.

O facultativo amigo trouxera pela manhã um neurologista. Falou-se em modificação do tratamento e na consequente internação da menina numa casa de saúde em Botafogo; entretanto, a peritonite desaconselhava a mudança rápida. Por essa razão, concordou-se na aplicação maciça de antibióticos, até que a melhora esperada autorizasse a medida.

O genitor não regateava cuidados nem desencorajava qualquer providência tendente a socorrê-la, custasse o que custasse.

Chegada a noite, o irmão Félix veio até nós e, após felicitar Moreira pela tarefa que realizava, participou-nos a desencarnação de dona Beatriz.

A esposa de Nemésio desligara-se, enfim, do corpo que o câncer combalira.

Verificada a estabilidade dos serviços em andamento, o instrutor convocou-nos a tomar-lhe o rumo, na direção dos Torres.

Seguimos.

De jornada, conquanto discreto, desabafou-se.

Preocupava-se com Marina. Indispensável protegê-la contra a obsessão começante.

Afastara-se Moreira; no entanto, permaneciam lá, no pátio interno, os arruaceiros e vampirizadores que ele contratara. Perseguidores gratuitos e infelizes que, inevitavelmente, trariam outros para tumultuar a vida mental da moça, comprometida pelo remorso.

Os termos e a inflexão de voz do irmão Félix acentuavam-lhe a grandeza de alma. Ele não via na filha de dona Márcia a jovem corrompida que nós mesmos, em alegações destituídas de qualquer malícia, não hesitávamos enquadrar nas linhas da prostituição, nem lhe conferia certificado de aviltamento nas ideias recônditas. Reportava-se a ela como quem menciona terra nobre que a desídia do cultivador entrega à serpente. Marina, na conceituação dele, era uma filha de Deus, credora de veneração e ternura. Confiava nela, esperaria o futuro.

Antes, porém, que as circunstâncias me exigissem algum pronunciamento, esbarramos com a moradia da família que a morte visitara. 2.5.3

Entramos atentos.

Lustres providos de luz intensa punham à mostra a reduzida assembleia que se habilitava ao velório.

Aqui e ali, frases convencionais, atiradas sem maior sentimento aos ouvidos do esposo e do filho da senhora desencarnada.

Nemésio e Gilberto não entremostravam grande pesar nas fisionomias cansadas e impassíveis. A moléstia prolongada no reduto doméstico estragara-lhes a resistência para a representação de peças sociais, mesmo singelas. Amarrotados pelas vigílias consecutivas, não ocultavam a própria desopressão. Referiam-se à morta, no feitio de um viajor atormentado que, de há muito, deveria ter ancorado no porto do extremo refrigério.

O invólucro abandonado por aquela alma boa e veneranda recolhia atenções especiais, para apresentar-se no catafalco de luxo, ao passo que ela mesma, inconsciente, se asilava nos braços de irmãs afetuosas, sob o olhar comovido de Neves e de outros familiares em carinhoso desvelo.

O irmão Félix, assumindo o comando, deu instruções.

Beatriz, que se preparara laboriosamente para aquela hora, seria conduzida, com presteza, à organização socorrista do plano espiritual, no próprio Rio, até que restaurasse as forças, de modo a seguir viagem.

2.5.4   Tudo harmonia nas disposições traçadas.

Entretanto, quando o triste retrato físico de dona Beatriz foi trazido ao estrado de repouso que se lhe improvisara, Marina apareceu em pranto de compunção. Chorava, tocada de dor sincera e inexprimível. Parecia, naquela reunião de etiqueta, a única pessoa ligada por laços de amor à piedosa dama, que encerrava, calada e humilde, a derradeira página da existência naquela casa que a fortuna abrilhantava. Ao fitar aquele corpo hirto, caiu de joelhos, em lágrimas copiosas. Invejou aquela cujo último sorriso de complacência ali se estampava sereno, qual se estivesse satisfeita por deixá-la no lugar que ocupara, durante tantos anos, ao pé de um esposo que a enganara sempre.

— Ah! dona Beatriz!... dona Beatriz!...

As palavras soluçadas escapavam daquele peito juvenil, como se quisessem traçar uma longa confissão.

Acercamo-nos da moça, no propósito de auxiliá-la; entretanto, Félix considerou que o desafogo lhe faria bem.

Marina, fatigada de insônia e desgastada pela ação dos obsessores que lhe exauriam as forças, sentia medo.

Contemplava o envoltório descarnado de dona Beatriz, através das lágrimas, refletindo nos segredos da morte e nos problemas da vida...

Se a alma sobrevivia ao corpo — pensava, inquieta —, decerto que a senhora Torres vê-la-ia agora sem o mínimo subterfúgio. Certificar-se-ia de que ela fora, ali, não a enfermeira espontânea, e sim a mulher que lhe dominava o esposo e o filho...

Atemorizada, rogava-lhe entendimento, perdão.

Que diria aquela boca silenciosa para ela, se pudesse falar, depois de auscultar a verdade?!...

Beatriz, porém, naquele instante conduzida ao refazimento, jazia inacessível às complicações da sociedade terrestre. E, em lugar dela, era o próprio remorso que se lhe alteava na imaginação, acusando, acusando...

A mágoa da jovem provocava simpatia nos circunstantes e despertava, tanto em Nemésio quanto no filho, novos motivos de atração. Diante do choro pungente, ambos fitavam-na, enternecidos, exprimindo reconhecimento nos olhos, cada qual desejando nela a companheira ideal para casamento próximo, sem a menor suspeita quanto às convicções um do outro. 2.5.5

Naquela mesma noite, assinalei a falta de dona Beatriz no ambiente caseiro.

O afastamento da filha de Neves e dos amigos espirituais que lhe frequentavam a companhia deixara a vivenda qual praça desarmada de quaisquer recursos que lhe garantissem a ordem.

Transcorrido algum tempo sobre o velório em si, vagabundos desencarnados nele tiveram acesso livre.

O nível dos pensamentos descambou para a conversação libertina. Nem mesmo a dignidade que a morte infundia ao recinto foi acatada. Relatos jocosos irromperam, suplementados pela chacota dos próprios anedotistas. Um dos presentes comentou, entusiasta, os espetáculos debochados de que fora testemunha, em recente viagem ao estrangeiro, suscitando o interesse de vampirizadores que ouviam as narrações, seduzidos pela tentação de repeti-los, na versão deles próprios.

Não contentes, por fim, com os licores aristocráticos, desde muito guardados nos armários da família, beberrões encarnados e desencarnados impeliram Nemésio à encomenda telefônica de vinhos e uísques, rapidamente gorgolejados por gargantas sequiosas.

O irmão Félix, prevendo a leviandade, recomendara se aplicasse à matrona desencarnada recursos anestesiantes, a fim de que se lhe mantivesse o isolamento do licencioso festim, praticado em nome da solidariedade afetiva perante a morta.

2.5.6 Os derradeiros afeiçoados de Beatriz, no plano espiritual, se retiraram discretos, e nós mesmos não tivemos outro recurso senão largar a residência, alta madrugada, depois do socorro a Marina, relegando os despojos da nobre senhora às grossas nuvens de emanações alcoólicas que instalavam, por toda a habitação, atmosfera dificilmente respirável.

Somente no dia seguinte, acabados os funerais, voltei do hospital ao ninho dos Torres, onde a filha de Cláudio se demorava. Telefonemas diversos entre mãe e filha examinavam a nova situação. Dona Márcia reclamava o regresso, Nemésio desejava que a secretária lhe amparasse a moradia. Ele próprio, em dado momento, chamou dona Márcia pelo fio, solicitando-lhe concessões. Que Marina permanecesse orientando as servidoras que lhe atendiam a casa. Mais algumas semanas e tudo se aclararia satisfatoriamente.

A senhora Nogueira, honrada com a gentileza, não vacilava confiar. Aquiesceu lisonjeada, feliz.

Em cada frase que o chefe lhe deitara de longe aos ouvidos, pressentia a aliança de Nogueiras e Torres pelo casamento entre os jovens.

Marina, entretanto, explorada nas próprias energias pelos agentes da perturbação que Moreira lhe pespegara, definhava no leito. Trancara-se no quarto. Doía-lhe a deslealdade que cultivara incessantemente diante da filha de Neves, culpava-se pelo desastre que arruinara Marita, a quem não tinha coragem de visitar ou rever. Ela que se vira, até então, vitoriosa em todas as partidas, sentia-se derrotada, à feição de contendor arredado da arena pela própria imperícia. Chorava. Ouvia vozes, declarava-se perseguida por vultos estranhos. Fugia de todos, enfadada, nervosa. Se recebia Nemésio ou Gilberto, caía em crise de pranto que os conselhos não removiam nem os medicamentos conseguiam sedar.

Sexo e destino | 2ª Parte | Capítulo 5

Escoados cinco dias de apreensões, Nemésio telefonou para dona Márcia, com mais clareza, rogando-lhe permissão para um entendimento pessoal, no Flamengo, na manhã seguinte. Informado de que o chefe da família Nogueira não poderia afastar-se do hospital, insistiu com a interlocutora para que lhe acolhesse a visita. Marina andava abatida. Tencionava levá-la a Petrópolis. Mudança de ares, renovação de paisagem. A menina tombara em prostração, em face dos sacrifícios que lhe exigira a esposa morta. Pretendia homenagear-lhe a dedicação com a permanência de alguns dias no clima serrano, mas, para isso, estimaria ouvir a família, fazer planos.

2.5.7

Dona Márcia, aspirando a expor respeitabilidade familiar, indagou se Gilberto iria também, como que temendo acumpliciar-se em alguma ligação indesejável e prematura entre os jovens. Nemésio, porém, apaixonado bastante pela moça, não era capaz de penetrar a sutileza da esposa de Cláudio, que assim se exprimia no intuito de fazer-se passar, diante dele, por severa guardiã das virtudes domésticas; e a senhora Nogueira, aguardando Gilberto para genro e ignorando a intimidade entre a filha e Torres, pai, não atinava, em toda a extensão, com aquele efusivo atestado de garantia moral que Nemésio, automaticamente, lhe oferecia, pedindo-lhe confiança.

Estivesse tranquila. A moça seguiria exclusivamente com ele e uma governanta. Mais ninguém.

Dona Márcia louvou a medida, agradeceu.

Mesmo assim, a entrevista ficou marcada para o dia seguinte.

No momento aprazado, acompanhamos Nemésio ao Flamengo, como quem estuda ingrediente perigoso antes de aditá-lo a processo curativo em andamento.

A recepcionadora não esqueceu particularidade alguma do bom-tom, à vista do luto em que os Torres haviam entrado.

227

2.5.8   Enfeites discretos na sala, hortênsias azuis, conjunto de peças em roxo para o café.

O negociante quedou agradavelmente surpreendido. Cumprimentando a anfitriã bem-apessoada num modelo de algodão transparente e suave, não sabia se a progenitora era uma segunda edição da filha ou se lhe cabia interpretar a filha por segunda edição dela.

Comodamente sentados, a palestra começou pela troca de sentimentos recíprocos. Pêsames pela morte de dona Beatriz, pesar diante do acidente ocorrido em Copacabana. Moléstia de Marita, cansaço de Marina. Devotamento de Cláudio pela filha hospitalizada. Elogio a parentes. Apontamentos ao redor das aperturas da vida.

Dona Márcia, com requintes de apresentação, comentava todos os assuntos propostos, com aprumo de inteligência. Otimismo irradiante, finura de trato.

Nemésio, encantado, fumava e sorria, admirando-lhe a personalidade.

Conversa vai, conversa vem, a viagem a Petrópolis surgiu à tona e o diálogo mais vivo desenrolou-se entre aquela que o visitante esperava para sogra e aquele com quem a interlocutora não contava para genro.

— A senhora descanse — recomendava Torres, eufórico —, Marina seguirá em minha companhia, tudo em ordem. Creia que a mudança de ares é a terapêutica adequada. A pobrezinha merece repouso, excedeu-se em trabalho...

— Não tenho objeções — acentuou a genitora de Marina, estranhando o lume daqueles olhos percucientes que lhe investigavam as reações —; no entanto, o senhor sabe... sou mãe. Além disso, tenho o marido ocupado com a outra filha que, apesar de adotiva, é para nós um pedaço do coração... Uma viagem, assim, à pressa...

— Oh! mas não se preocupe, de modo algum; afinal, não sou mais uma criança... 2.5.9

— Sim, mas o senhor compreende... enquanto sua esposa estava de cama, a permanência de minha filha em sua casa era justa, mas agora... Sei que Marina não se encontra no convívio de estranhos, o senhor para nós não é somente o diretor da firma em que ela trabalha, o senhor para ela é também um amigo, um protetor, um pai...

— Muito mais do que isso!...

A senhora Nogueira estremeceu. Que projetava dizer o entrevistador com semelhante afirmação, diante das frases que articulara intencionalmente reticenciosas, aguardando que ele lhe fornecesse alguma esperança positiva no enlace próximo dos filhos? Sem querer, tornou a refletir, de escantilhão, nas suspeitas de Cláudio. Os passeios e divertimentos do abastado comprador de imóveis com a menina, que ela admitira fossem apenas motivos de consolação para um velho sofrido, assumiriam o aspecto inconfessável que o marido lhes conferia? "Muito mais do que isso!..." Aquelas palavras, no tempero de ternura com que eram ditas, viravam-lhe a cabeça. Acordavam-na para a realidade que nem de leve pressentira. Ainda assim, não se dispunha a acreditar. Impossível! impossível que Marina...

Num átimo, empregou toda a sua curiosidade feminil no rico negociante, fisgando-o, de alto a baixo. Excessivamente humana para não examinar o jogo em que se encontrava sem conhecer exatamente a posição que lhe competia na defesa do próprio interesse, descobriu no viúvo, que supusera arcaico e patriarcal, atrativos marcantes, suscetíveis de impressionar favoravelmente qualquer moça desprevenida. Conhecia Gilberto em pessoa, classificando-o, aliás, como um rapaz notável; entretanto, concluía, ali, que o velho ganharia do moço em qualquer torneio de sedução. Ela que se orgulhava de experiências avantajadas, em matéria de ligações afetivas, receava agora... Quis falar, inventando uma saída brilhante, mas engasgava-se. Os olhos conquistadores, na elegância daquele Brummel amadurecido e circunspecto, perturbavam-na. Tremeu, desconcertou-se.

2.5.10 Nemésio sorriu, atribuindo-lhe a emoção ao contentamento de mãe que se garante quanto ao futuro da filha, e observou:

— A senhora não tem razões para afligir-se. Marina é credora de minha melhor consideração. Esteja convicta de que, nestes dois meses de trato diário, ela vem desfrutando a maior liberdade em minha casa. É hoje dona de nossa absoluta intimidade. Estou certo de que a senhora é dama de nossa época, sem clausura e sem preconceitos. Não se agastará, desse modo, ao saber que Marina em meu lar faz o que quer, gasta o que quer, dorme onde quer, sem que ninguém a incomode...

Dona Márcia escutou as alegações com deferência e inferiu que Nemésio lhe estimava a filha desinibida, liberta. Mesmo assim, ficou sem saber onde Torres, pai, diligenciava chegar, reportando-se à independência que Marina usufruía... Não lograva perceber em que situação o cavalheiro a desejava mais livre, se junto dele ou se junto do filho... Hábil o suficiente para não se arriscar a qualquer apreciação capaz de arruinar-lhe vantagens futuras, recompôs as energias, esboçou um sorriso brejeiro e falou afável:

— Bem, eu não tenho uma filha namorando no tempo dos mártires; no entanto, gostaria que o senhor fosse mais explícito...

E, deixando-a quase a estatelar-se de pasmo, Nemésio copiou a doçura de um menino e confessou-lhe o próprio romance. Amava-lhe a filha, aspirava ao matrimônio. Enlutara-se, mas, em breves semanas, o tributo social desapareceria. Que ela, dona Márcia, conservasse o segredo perante o marido. Rendera-se-lhe ao entendimento afetuoso e extravasara o coração, solicitando-lhe auxílio.

Sexo e destino | 2ª Parte | Capítulo 5

Ante aqueles olhos dominados de assombro, que ele interpretava por júbilo materno, relacionou parte da fortuna que amontoara. Enumerou seis dos melhores apartamentos que possuía, alugados em condições excelentes, salientou os negócios da imobiliária, cujos lucros eram satisfatoriamente compensativos, embora manejasse capitais alheios, a juros módicos, para os empreendimentos de maior vulto.   2.5.11

A senhora Nogueira sentia-se perplexa, esmagada.

Não sabia em que pensar, se no inusitado da situação, se na sagacidade da filha. Reconhecia-se excedida em astúcia, atirada para trás.

Em fração de segundos, imaginou a posição de Gilberto. Como estaria o rapaz, arrebatado à outra?

Mulher experiente, conquanto, por vezes, chegasse a conclusões tardias quanto ao esposo e à filha, em matéria de inclinação e conduta, não se enganava sobre as ligações que Nemésio intentava esconder na conversação deleitosa. A inflexão apaixonada com que o viúvo esmaltava cada frase, no momento em que as flores no sepulcro da morta não haviam emurchecido, dispensava para ela quaisquer circunlóquios. Aquele homem lhe mencionava a filha, não na expectativa do admirador ingênuo, mas sim com a certeza do amante consolidado.

A que estouvamentos se entregara Marina no lar dos Torres? — conjeturava inquieta. Se empolgara o próprio chefe, enredando-lhe o espírito nas teias de lamentável alucinação, que procedimento adotara perante o jovem, alterando-lhe os rumos? Inferindo, porém, que as qualidades de Nemésio, com os cabedais financeiros de que se seguiam, não eram, em seu conceito, um partido para desprezar, ouvia tudo, imobilizando um sorriso complacente no rosto.

Quando se dispunha, no entanto, a mergulhar no assunto, o telefone chamou.

2.5.12   A campainhada valeu-lhe por desafogo. Intervalo providencial que lhe modificava o pensamento, conferindo-lhe tréguas para analisar os episódios em curso.

Era o médico amigo, em aviso confidencial.

Satisfazendo-lhe a solicitação, formulada dias antes, participava-lhe a piora de Marita. Se desejasse vê-la com vida, não atrasasse a visita. Cláudio não compreendia a gravidade do problema e ainda sonhava com o reerguimento da moça; entretanto, nele, clínico amadurecido, já não havia lugar à esperança. Reportou-se à peritonite, ao processo renal, à caquexia, às feridas que haviam surgido das contusões...

Dona Márcia agradeceu e fez-se pálida, a tal ponto que Nemésio se viu forçado a correr de um lado para outro a fim de ampará-la. Inteirando-se do que ocorria, ofereceu-se para conduzi-la até o leito da filha. Explicou que usufruiria não somente a satisfação de acompanhá-la, como também aproveitaria o ensejo para cumprimentar a jovem acidentada e levar um abraço pessoal ao pai de Marina, que considerava, antecipadamente, um amigo e familiar.

Assustada, aflita, a senhora Nogueira aceitou e, a breves instantes, os dois se punham de automóvel, a caminho do hospital, com as aparências de um casal elegante e feliz, rolando sobre o asfalto para uma visita de cerimônia.

6

Valendo-nos da condução, seguíamos igualmente para o 2.6.1 hospital, em objetivo de serviço.

Enquanto o automóvel chispava, a senhora Nogueira fitava Nemésio ao volante, apreciando-lhe a sisudez aparente e o porte desempenado. Inquietava-se consigo mesma, uma vez que refletia naquilo em que não queria pensar. À vista daquele tipo galhardo, indagava-se por que razão Marina preferira o filho ao pai, se o genitor, cavalheiro dinheiroso e simpático, era, em tudo, a pessoa capaz de assegurar-lhe independência e posição.

De quando em quando, envolvia-lhe o perfil numa olhadela mais comprida e concluía, de si para consigo, que a juventude não tinha lógica.

Mais alguns minutos e penetramos no estabelecimento, onde o par foi recepcionado pelo facultativo com quem dona Márcia se comunicara momentos antes.

O médico, gentil, notificou ter avisado Cláudio sobre a possibilidade da surpresa, mas dona Márcia desconversou, para não dar ao pai de Gilberto a impressão de que se dispusera a vir até ali pela primeira vez. Referiu-se à temperatura, comentou particularidades do ambiente, qual se repetisse observações corriqueiras. E o clínico, longe de perceber-se a servir de instrumento, respondia-lhe às perguntas calculadas, atendendo-lhe, involuntariamente, aos fins em pauta.

2.6.2 Foi assim que, ao transpor a entrada do aposento indicado, Nemésio guardava a convicção de acompanhar um símbolo vivo de ternura materna.

Cláudio, abatido, acolheu, a seu turno, os recém-chegados, entre sóbrio e atento. A princípio, o desconforto íntimo... Depois, a conformação. Sofria demais para escolher discutir e aprendera o suficiente, naqueles dias de angústia, para inclinar-se a reclamações. Aliás, ao facear com Nemésio, endereçou-lhe o olhar do homem atribulado que roga a outro homem comiseração e socorro. Recebeu-lhe o amplexo franco, depois das apresentações promovidas pela mulher, e imaginou-se na condição de um aluno em exame.

Torres, que ele conhecia tão bem, conquanto a distância, figurou-se-lhe diferente. Sabia-o ostentando-lhe a filha em noitadas vadias e vezes diversas sopitara o ímpeto de esmurrá-lo, ao retirar-se humilhado de recintos alegres para não aguentar desacatos; entretanto, agora lhe contemplava o rosto, imbuído de sentimentos novos. Identificava-se num teste de compreensão e de tolerância. Num átimo, associou os ensinamentos espíritas cristãos que lhe metamorfoseavam o íntimo com Marita em decúbito, fixou Nemésio e Márcia, e deduziu que não lhe competia julgar aquele homem que lhe explorava a família. Mecanicamente recordou Jesus e a lição da primeira pedra... Estabeleceu confronto rápido e catalogou-se em nível inferior. Torres entretinha-se com uma jovem que lhe dava liberdade, e filha de outro homem. Ele, porém, não vacilara em abusar da própria filha, depois de encantoá-la na sombra, por meio de embuste soez. Com que direito assumiria, ante a própria vítima tombada, o papel de censor?

Indubitavelmente — concluía em reflexões instantâneas 2.6.3 —, amigos espirituais traziam-lhe o negociante detestado, experimentando-lhe a renovação. E a ele próprio, também — considerou, humilde —, cabia o dever de sopesar as próprias reações, categorizar-se tal qual era, no fundo da consciência.

Naquela prova de segundos, volveu o olhar para a esposa e não mais encontrou em dona Márcia a inimiga cordial de tantos anos. Aquele semblante embonecado por excessiva maquilagem, na presença das concepções novas que passara a nutrir, mascarava um coração insatisfeito, cujos desastres haviam sido provocados por ele mesmo. Exterminara-lhe os sonhos, logo após o casamento. Recordou-se de como se enfadara, desapiedado, da esposa, então menina cândida e espontânea, tão só por vê-la disforme, na gravidez de que Marina sobreviera, e de como transferira, na direção de Aracélia, os instintos de homem selvagem. Desde o choque em que se vira coagida a criar duas filhas, em vez de uma, a personalidade real de Márcia desaparecera. Desequilibrara-se. E ele, em vez de regenerar-se, recuperando-a, jamais regressara da caça de aventuras. Como exigir contas da mulher, se devia acusar-se? Nada lhe impedia fugir do autoexame, abraçando conversas triviais; entretanto, inferiu que não conseguiria ausentar-se da própria alma. Mais justo esquadrinhar-se, suportar-se... Percebeu que Nemésio e Márcia, expectantes, lhe estranhavam a atitude e, muito mais para não incomodá-los que por subtrair-se a qualquer crítica, dirigiu o olhar para a filha desfigurada, que somente as energias de Moreira conjugadas com a alimentação artificial retinham no corpo físico, e falou para o genitor de Gilberto, com inflexão de profundo sofrimento:

— Veja o senhor... nossa filha está muito mal...

Os recém-chegados fitaram, atônitos, aquele cadáver que ainda respirava...

2.6.4   Sentiu-se dona Márcia esmagada de assombro, mesclado de piedade, mas reprimiu-se.

Torres, por sua vez, apertou os dedos contra as palmas das mãos, num gesto peculiar de nervosismo. A moça descarnada devolvia-lhe a imagem de Beatriz. Recuou automaticamente, procurando o pai de Marina a fim de exprimir-lhe amizade, mas deparou com Cláudio, de lenço ao rosto, tentando, debalde, sofrear o pranto que lhe escorria do queixo hirsuto.

A senhora Nogueira fez as honras.

Conquanto abalada, não somente ao consignar a decadência da pupila, mas igualmente ao testificar a inesperada sensibilização do marido, controlou-se o bastante para falar com desembaraço.

Doseou as verdades que ouvira do médico, respeitando o pesar do esposo, recapitulou a versão do acidente que ela mesma engenhara, para satisfazer aos amigos, e rogou desculpas pelo traumatismo com que Cláudio se apresentava. Confessava-se também machucada — observou, polidamente —; contudo, ao ver o marido subjugado pelo desgosto, não tivera outro recurso senão reabilitar a resistência própria, a fim de que não escasseasse comando à situação.

O esposo, em lágrimas copiosas, compreendeu que ela mentia para impressionar e que enfileirava frases bem postas, no intuito de dar a entender que não arredava pé do hospital; no entanto, não lhe rebateu as afirmativas.

Limitava-se a chorar em silêncio. Em lugar da indignação a que se rendia, em outros tempos, quando a via fingir, penalizava-se agora. Imaginava-se na posição do viajor que houvesse espalhado farpas em todo o caminho, por onde seria fatalmente impelido a regressar...

Confirmando-lhe as impressões, dona Márcia levantou-se e, contendo a repugnância que o cheiro desagradável do leito lhe causava, ajeitou os travesseiros da filha inanimada, derramou algumas palavras de carinho e, verificando que Nemésio se mantinha constrangido no ambiente que as exalações do processo renal tresandava, conclamou ao regresso.

Não seria lícito reter o senhor Torres por mais tempo, alegou. Quanto a ela, que Cláudio a esperasse. Voltaria mais tarde. 2.6.5

Despedidas e protestos de solidariedade surgiram à tona.

O irmão Félix, presente, seguira o encontro em todas as minúcias e ponderou que se eu volvera ao estabelecimento, em objeto de serviço, pela mesma razão me aconselhava o retorno ao lar de Nemésio, a fim de socorrer Marina, cujo problema obsessivo se agravava. Conviria, porém — acrescentou —, acompanhar ambos os visitantes, de maneira a estudar-lhes as reações, com fins de auxílio.

Aboletei-me no carro para a volta.

Torres, dominando-se, escolheu caminho mais longo, em marcha lenta.

A tortura de Nogueira suscitava-lhe falsas impressões. Cotejando-se com ele, qualificava-se por homem de rija têmpera que, dias antes, assistira à morte da própria companheira, sem quebrar-se, ao passo que o genitor de Marina se derretia ao pé de uma filha adotiva, cuja situação, naquela hora, pedia a tranquilidade do necrotério.

De vez em vez, deitava olhares furtivos para dona Márcia, supondo compreendê-la melhor. A mãezinha daquela que pretendia desposar, perfeitamente comparável à filha em beleza e inteligência, não seria feliz junto daquele cavalheiro chorão.

O comerciante esperto retomara as características próprias. Pouco a pouco, olvidou a menina acidentada e o bancário arrasado que classificava por maricão e passou a exaltar o encantamento do dia em curso, qual se aspirasse a despertar dona Márcia para a convicção de que se achava no auto, sob o patrocínio de um companheiro compreensivo e vigoroso, capaz de assegurar-lhe a euforia. Indagou se ela frequentava os passeios cariocas mais estimáveis. Referiu-se aos almoços suculentos das Paineiras, aos piqueniques da Pedra do Conde, aos banhos em Copacabana, à vista inigualável no Pico da Tijuca nos dias ensolarados, onde o binóculo parecia trazer a restinga de Marambaia para dentro dos olhos...

2.6.6   Dona Márcia conhecia todos os sítios mencionados, quanto a palma das mãos; contudo, fez-se de ingênua. Sabia, de experiência própria, que os homens da casta de Nemésio preferem as mulheres frágeis e acanhadas, que se voltem para eles com a bisonhice das criaturas necessitadas de proteção. Declarou nada conhecer dos pontos guanabarinos mais frequentados, além do Pão de Açúcar, que visitara numa excursão, aliás muito rápida, junto das filhas ainda pequeninas. Afetando-se novata em matéria de experiências romanescas, informou que se casara muito nova e que, desde então, a existência lhe fora um suplício entre escovões e panelas, com a obrigação de tolerar um marido resmelengo,[27] segundo ele próprio, Nemésio, pudera verificar. Que lhe avaliasse o martírio de mulher acorrentada a um matrimônio infeliz pela mostra de Cláudio choramingas, a recebê-los sem uma palavra de cordialidade e de apreço.

Torres gostou das definições. Riu-se. Falou em psicoses. Reportou-se a neurologistas distintos.

Dona Márcia debuxou um sorriso malicioso, fitou-o demoradamente e disse que era muito tarde para tratamentos, que havia muito tempo vivia separada do esposo, embora continuassem sob o mesmo teto.

Acostumara-se a sofrer, declarava suspirando.

Nemésio entendeu a insistência daqueles olhares e experimentou recôndita satisfação ao averiguar-se requestado.

---

[27] N.E.: Resmungão, rabugento.

A presença da futura sogra não lhe desagradava. Não fosse 2.6.7
Marina — pensou —, e não hesitaria atraí-la a convívio mais íntimo. A manhã toda na companhia daquela mulher que reputava formosa e inteligente constituíra-lhe um tônico. Esquecera-se, distraíra-se. Mesmo assim, não julgou conveniente precipitar-se. Puxou o relógio e, verificando que faltavam apenas cinco minutos para meio-dia, convidou-a para o almoço. Conhecia excelente restaurante no Catete.

A senhora Nogueira aceitou. E a refeição transcorreu alegre.

Esforçava-se a convidada em pressentir as escolhas do anfitrião, de modo a compartir-lhe os pratos prediletos. Sóbria, acomodou-se à água mineral e, no cardápio, comeu pouco. Em compensação, pensou muito e falou o possível, no intuito de cativar o companheiro. Em dado momento, refletiu nos riscos a que Marina se expunha e, abemolando a voz, provocou a deixa. Prevendo a despedida próxima, asseverou não desejar o encerramento daquele encontro feliz sem agradecer-lhe o devotamento à filha. Além disso, rogava-lhe permissão para assinalar que a moça era demasiado jovem, que temia pela inexperiência dela...

Torres, lisonjeado, reiterou a confiança na escolhida, não sem um gesto significativo para a interlocutora, como a dizer-lhe que, embora lhe aguardasse a filha no lar, não queria que a sogra lhe olvidasse a dedicação de amigo certo. A esposa de Cláudio apanhou a sugestão no ar e asseverou, de modo galante, que, na qualidade de mãe abnegada, anelava para a filha a felicidade que o mundo não lhe pudera conceder.

Entre ambos, o contrato afetivo não apresentava qualquer dúvida, apesar de todos os itens do acordo se evidenciarem por entrelinhas e alusões, suspiros e reticências.

Quando o genitor de Gilberto disse adeus, no Flamengo, retomou o volante admitindo-se visitado mentalmente pela imagem da senhora Nogueira. Fugindo-lhe à influência, opunha-lhe a figura da filha. Em face disso, entrou em casa, decidido a encontrar-se com Marina, de pronto.

2.6.8 Recolhido ao quarto particular, tomou o pijama, calçou os chinelos silenciosos e, absorto, andou, de manso, na direção do compartimento em que pretendia surpreendê-la, comunicar-lhe impressões e, sobretudo, dissipar os pensamentos intrometidos que dona Márcia lhe suscitara.

Empalmou, de leve, a maçaneta e abriu a porta sem ruído; no entanto, fez força para não cair, garroteado de assombro. Gilberto e a moça beijavam-se em amplexo apaixonado, efusivo. De costas para a entrada, o filho não lhe assinalou a presença; todavia, Marina, a situar-se de frente, cruzou o olhar com o dele, viu-lhe o rosto crispar-se, esverdinhado, e desmaiou.

A cena foi rápida.

Retirou-se Nemésio, à maneira de um cão espancado, arrastando-se em terrível asfixia. Dificilmente, ganhou o quarto e precipitou-se no leito, a sentir-se arrasado de sofrimento.

Ponderações contraditórias vararam-lhe o crânio. Como deslindar o enigma doloroso? Teria Gilberto abusado da menina enfraquecida ou dividia-se a jovem pelos dois? Intentou erguer-se, mas, como se houvesse recebido uma pedrada por dentro do coração, doía-lhe o peito, suava frio, sufocava-se.

Decorrido um quarto de hora, Gilberto, insciente do vulcão de lágrimas que o pai se empenhava a esconder, veio participar-lhe que Marina piorara, depois de ligeiro delíquio. Voltara da síncope, francamente possessa. Gritava, chorava, mordia-se, feria a si mesma...

Nemésio, porém, pousou nele os olhos magoados e pediu-lhe comandar as medidas necessárias. Chamasse o médico, telefonasse para o Flamengo e insistisse com a genitora para vir, e explicou, não sem esforço, que ele também tornara da rua incompreensivelmente abatido...

Aplicando-me a socorrer Marina, reconheci a obsessão 2.6.9 instalada. Os vampirizadores que Moreira trouxera, coadjuvados por outros, haviam dominado, de todo, a jovem desprevenida. O choque experimentado esbarrondara-lhe as últimas resistências. Marina, sob o jugo dos malfeitores desencarnados, jazia hipnotizada, vencida...

Em breve tempo, dona Márcia, em pessoa, renteava a filha, que a recebeu, dementada, irreconhecível.

O médico optou pela hospitalização imediata, que Nemésio declarou patrocinar com a impassibilidade de quem cumpre um dever. Dona Márcia, por desencargo de consciência, entendeu-se com Cláudio pelo fio, suavizando a notícia. Inteirava-o de que a filha se extenuara em trabalho excessivo, arrojara-se a grande fadiga mental e o facultativo indicava ligeira estação curativa, numa clínica de repouso. Ela, com a responsabilidade de mãe, não opunha qualquer embargo; entretanto, não lhe seria lícito deixar de ouvi-lo, aguardava-lhe a opinião.

Nogueira não contraditou e dona Márcia deu-se pressa em confiar Marina a estabelecimento psiquiátrico de nomeada, cujos portais a menina transpôs, inspirando cuidado e compaixão.

Regressando à bela vivenda, depois de dois dias, encontramos Gilberto atarantado e infeliz; contudo, mais dedicado à moça que antes. Nemésio, porém, ruminava a antiga concepção do amor como chinelo no pé e, apenas decorridas 48 horas sobre o acontecimento, já permutava confidências com a senhora Nogueira, a respeito dos fatos novos, e ambos, na maior intimidade, já haviam encontrado motivos para desculpar aquilo a que chamavam "loucuras da mocidade", cultivando consolações um no outro.

7

Duas semanas precisamente sobre o desastre em Copacabana e Marita amanheceu preparada à desencarnação. 2.7.1

Moreira inspirava piedade. Aqueles dias abençoados de ensinamento e dor lhe haviam alterado a vida íntima. Percebendo que a menina entrara nos derradeiros lances da decadência orgânica, chorava consternado.

Marita desligava-se, pouco a pouco, de toda a relação com o mundo corpóreo. Nem mesmo o calor daquele amigo generoso que a sustentava, qual se lhe ofertasse um pulmão suplementar, a interessava mais...

Conquanto imóvel, sentia-se agora lúcida, profundamente lúcida. Os olhos quedavam quase apagados; no entanto, o apoio magnético incessante lhe descerrava a luz da visão espiritual.

Nos últimos dois dias, atingira avançada renovação. Assinalava com absoluta clareza as palestras frequentes que Cláudio mantinha com médicos e enfermeiros, gravava as preces e os comentários de Agostinho e Salomão na hora do passe.

De começo, ao experimentar que as mãos paternas lhe asseavam o corpo, desesperava, clamando de si para consigo que não se conformava com tanta humilhação... Lançava pensamentos de revolta contra o destino que a jungia daquele modo a um homem que odiava; entretanto, à força de perceber-lhe a ternura reverente, expungindo-lhe as excreções que se lhe agarravam à epiderme ferida, acabou plantando no coração um sentimento novo. Enterneceu-se, transfigurou-se. Ouvia-o falar em Deus e, às vezes, identificava-lhe os dedos a lhe roçarem a fronte, ao mesmo tempo que entremeava afagos e orações... Num dos minutos comovedores em que ela cismava, sem atinar com os motivos daquela transformação, Félix aproximou-se... acariciou-lhe paternalmente os cabelos em desalinho e disse, na convicção de quem centralizava todas as energias, a fim de sugerir-lhe, com êxito, a atitude aconselhável:

2.7.2 — Filha, perdoa, perdoa!...

Ela registrou, emocionada, a voz desconhecida e recordou a mãezinha que a deixara no berço.

Sim — concluía —, somente o amor materno voltaria do túmulo para inclinar-lhe o coração incendiado à fonte da indulgência...

Perdoar — monologou —, que outra coisa lhe competia fazer diante da morte? Sim, devia partir olvidando mágoas e afrontas... Reconhecia-se na armadura dos ossos, à feição de pinto no ovo. Tênue pancada ou breve movimento conseguiria despejá-la e deveria sair, conquanto não soubesse para onde... Por que não seguir, apagando as labaredas que lhe requeimavam os sentimentos?!...

Meditou naquelas mãos que a despiam, enxugando-lhe a pele molhada para vesti-la outra vez, com o carinho apenas visto nas mães quando tocam, de manso, os filhinhos doentes, e concluiu que lhe cabia desculpar, esquecer...

Compadeceu-se, então, diante do pai irrefletido. Perdoar-lhe, sim!... Pensou nisso com o júbilo de quem achara uma bênção... Ele agora a respeitava, limpava-a, orava... Viveria na Terra, talvez carregando amargas penas, enquanto ela viajaria para regiões que ignorava, apegando-se, porém, à confiança naquela voz que lhe impelia o espírito atribulado à calmaria do perdão... Rememorou-lhe o pranto da noite em que lhe declarara a paixão desproposidada e tocou-se de entendimento. Pobre pai aquele que nunca desfrutava refúgio no próprio lar!... Teria um cérebro normal um homem assim, varado em casa, diariamente, qual se fosse um cão infeliz?! Quem poderia saber se ele se aproximara dela na condição de um enfermo buscando lenitivo que não sabia qualificar, na turvação dos próprios sentidos? Provavelmente havia recebido, na pensão de Crescina, o assalto de um louco, e não a injúria de um homem!... Por que não justificar o pai que se dementara?!... Reconstituiu-lhe, na memória, os gestos de brandura e de amor nas brincadeiras da infância. Cláudio lhe fora o único amigo... Se chorava em pequenina, recolhia-se-lhe ao colo, buscando o regaço de mãe que não tivera. Demorou-se a revê-lo nas telas da imaginação, transportando-a nos braços para que se distraísse, admirando os bichos do jardim zoológico... Degustava, de novo, mentalmente, os sorvetes que ele lhe adquiria, prazeroso, nas tardes de verão... Recordava, recordava... Não, não! — bradava-lhe a consciência — o pai não era perverso, era bom... Como recusar-lhe compaixão se dona Márcia o abandonava, se Marina lhe evitava a presença? Decerto, sofrera muito, antes de conturbar-se... Como não exculpar a loucura de uma noite, num benfeitor de vinte anos? Por que não morrer abençoando semelhante dedicação? De que modo condená-lo, se ele, Cláudio, prosseguia ali, paciente e abnegado, tolerando-a?!... Recordou a mãe adotiva, imaginou-se diante da irmã e aspirou, em espírito, à reconciliação com elas... Quem afirmaria que dona Márcia e Marina também não estivessem sob desequilíbrios ocultos? Quem diria com certeza que não fossem doentes? Naquele instante em que se harmonizava com Cláudio, queria igualmente conciliar-se com ambas. Estavam perdoadas por todas as

2.7.3

incompreensões e, no íntimo, pedia-lhes perdão por todos os dissabores que, involuntariamente, lhes tivesse causado!... No desfile das reminiscências, Gilberto não faltou. A figura do rapaz surdiu-lhe na cabeça, envolvida das doces vibrações do sonho que lhe constituíra a luz da vida!... Não conseguiria odiar a quem amava tanto!... Gilberto teria encontrado razões para afastar-se dela e também, naquelas reflexões graves e extremas, lhe aparecia na ternura revestido com a beleza de um companheiro amado e limpo!...

2.7.4 Ao enunciar esses pensamentos, Marita sentiu-se mais leve, quase feliz!...

Intentou movimentar-se, gritar ao pai que ela o considerava um homem de bem, que não detinha motivo algum para acusá-lo, que os sucessos na moradia de Crescina tinham sido apenas um lamentável engano, que ela realmente morreria, rogando-lhe, no entanto, viver e continuar a ser bom!... Contudo, só ao pensar no próprio soerguimento, teve a impressão de que se algemava a uma estátua. Nenhuma reação favorável nos membros hirtos, nenhuma voz na garganta que lhe parecia de pedra; todavia, tão grande e tão heroico se lhe externou o esforço da alma renovada que bagas de pranto lhe rolaram dos olhos semimortos.

Desde esse minuto solene de pacificação, começou a distinguir, vagamente, vozes e formas do plano espiritual, entre alegre e amedrontada, qual se estivesse acordando num clarão traspassado de bruma...

Fitando-lhe o semblante orvalhado de lágrimas, Nogueira, reanimado, chamou o médico.

Aquilo não seria indício de reação, de melhora?

O facultativo, porém, meneou a cabeça, circunspecto, e pediu mais tempo de observação, a fim de pronunciar-se, concluindo, no entanto, de si para consigo que a menina se achava em condição pré-agônica, transtornada, delirante...

Clareado o dia que antecedeu a noite da desencarnação, o 2.7.5 clínico prestimoso convidou Cláudio a entendimento e comunicou-lhe, por fim, que a moça não mais viveria muitas horas. Para a Ciência, tudo terminava... Que ele, pai afetuoso e crente, orasse segundo a fé que alimentava no coração, buscando forças...

Nogueira baixou os olhos e agradeceu humilde.

Telefonou para Agostinho e Salomão, participando-lhes o aviso.

Os amigos vieram à noitinha.

Rogou orassem por ele, queria ser digno da fé que aceitara. Pela primeira vez, pediu um passe em favor de si mesmo. Baixou os olhos e espalmou as mãos para recebê-lo, imitando o gesto de uma criança infeliz suplicando uma esmola.

O velho farmacêutico e o negociante consolaram-no. Não seria justo reter a menina padecente num corpo qual aquele, deprimido e irrecuperável; no entanto, ao se despedirem, achavam-se ambos engasgados de emoção.

Cláudio, mais desolado que nunca, às nove horas solicitou licença para trancar-se. Queria estar só com a filha, dizer-lhe adeus. Ninguém recusou aquele favor suplicado com humildade.

Isolado à frente dela, Nogueira demorou-se a meditar... Recompunha o pretérito na memória, imaginando as estradas percorridas por ruínas das quais se via afastado para sempre. Entretanto, ao fixar a agonizante, pelo amor purificado que lhe passara a dedicar, simbolizava, na existência junto dela, o futuro de que se via distante. Entre o passado que lhe inspirava repugnância e o porvir na comunhão espiritual com a filha querida, sentia-se esmagado, sozinho...

Enternecia-nos as recônditas fibras da alma contemplar aquele homem vergado ao peso do suplício moral, fugindo a recordações para entrar em prece... Os gritos inarticulados do peito jugulado de angústia ao apelarem para Deus, no silêncio do quarto, assemelhavam-se a cânticos de dor que as lágrimas sufocavam!...

2.7.6 Às onze, o irmão Félix e outros amigos, incluídos Neves e Percília, estavam conosco.

Em todos os semblantes, a expectativa discreta, com exceção de Moreira, que se agitava em pranto.

O instrutor levantou-o num gesto de brandura, comunicando-lhe que a tarefa terminara. Que não se deveria vitalizar, por mais tempo, aqueles pulmões que a morte começava a enregelar. O triste amigo obedeceu, em choro convulso.

Em seguida, impondo as mãos naquela cabeça despenteada, Félix transmitiu-lhe subitâneo calor.

Marita senhoreou inopinada agilidade mental.

Supunha-se reviver, renascer. Escutava os ruídos em derredor, com extrema acuidade auditiva...

O benfeitor abeirou-se de Cláudio e segredou-lhe algo. Certo, sugeria-lhe conversar, despedir-se.

Ignorando-se tocado pelo mentor espiritual, vimo-lo revestido de estranha coragem. Nogueira ergueu-se, avançou dois passos e ajoelhou-se ao pé da agonizante... Pousou a cabeça rente ao corpo imóvel, mas a intensa emotividade traiu-lhe as energias. O pranto abalava-lhe os membros, ao jeito de tempestade sacudindo os galhos de um tronco prestes a cair.

Marita percebia-lhe o arfar do tórax, na escala ascendente dos soluços, e desejou acariciá-lo; contudo, os braços se lhe afiguraram parafusados à cama.

Amparado nas forças magnéticas de Félix, que passou a apoiá-lo inteiramente, Cláudio cobrou ânimo, recolheu o exemplar de *O evangelho segundo o espiritismo*, que deixara na cadeira próxima, e falou com voz trêmula:

— Filha do meu coração, se você me escuta, atenda seu pai, por piedade!... Perdoe-me!... Não sei se você sabe que estou transformado... Conheci Jesus, minha filha, e sei hoje que Deus é misericórdia, que ninguém morre, ninguém... Sei que a justiça está em nós mesmos, que sofremos pelos males que praticamos, mas Deus não nos recusa o resgate!... Compreendo o mal que fiz a você, sou um criminoso, mais nada... Pense, minha filha, no remorso que carregarei pelo resto da vida!... Você sabe que vou agora caminhar sem ninguém, aguentando a solidão que mereço... Onde você estiver, compadeça-se de seu pai!... Confie em Jesus e nos bons Espíritos!... Eles sabem que você não se suicidou, sabem que sou um assassino... Ah! minha filha, pense nesta palavra assim tão triste!... Assassino! Auxilie-me a lavar esta mancha da consciência! Rogue por mim aos enviados do Cristo, para que eu tenha a força de fazer o que devo fazer!...

Cláudio fez ligeira pausa ao ver que o rosto da filha se cobria de lágrimas e, ansiando reconhecê-la devolvida à própria consciência para que lhe assinalasse a renovação, guardou a íntima certeza de que ela o escutava, em plena lucidez, bendizendo-lhe os votos de melhoria. Aflito e expectante, na convicção de que estava sendo ouvido e entendido, continuou: 2.7.7

— Apesar de tudo, filha querida, não fique triste com minha súplica!... Sou um réu, mas tenho esperança! Veja a revelação de Jesus que eu achei!...

Em seguida, com as mãos trementes, num gesto de piedosa confiança, colocou-lhe o livro na destra inerme.

A filha desperta registrou a presença do volume sobre os dedos inteiriçados e respondeu com o pranto mais vivo, mais copioso.

Nogueira, encorajado por aquela manifestação de inteligência, levantou a voz e rogou-lhe escutasse o que tinha a dizer...

Declarando saber-se diante de amigos espirituais, que lhe testemunhariam a sinceridade, e certo de que empenhava a própria alma nas afirmações que se dispunha a formular, abriu-se à filha. Confessou ali, diante dela, todas as faltas de que se acusava; relatou-lhe o drama de Aracélia; asseverou que sinceramente ignorava fosse ela filha dele, o que apenas viera a saber por informação de Márcia, porquanto, leviano e inconsequente qual fora na mocidade, admitia, erroneamente, que Aracélia desempenhara o papel de companheira para vários homens; participou-lhe que a esposa o chamara à realidade, na noite horrível em casa de Crescina; descreveu como se abatera, atormentado pelo arrependimento; desde que a vira prostrada, implorava-lhe perdão por havê-la induzido ao suicídio... Comunicou-lhe haver lido e aprendido muito sobre reencarnação, desde o primeiro dia de hospital, e asseverou-se persuadido de que ambos se achavam ligados através de múltiplas existências; disse que a paixão alimentada por ele teria sido fruto da invigilância e da crueldade que ainda trazia no coração... Acrescentava, porém, ali, ante os padecimentos dela que lhe constituíam sentença de dor inapelável, que prometia regenerar-se, por mais áspero o reajuste... Finda a longa exposição, que Marita assinalou, compungidamente, frase por frase, Nogueira retirou o livro da mão pequenina e descarnada, rematando em choro convulsivo:

2.7.8 — Tenho orado e tenho recebido a misericórdia de Deus para mim, malfeitor... Mas se a Bondade infinita me pode favorecer ainda com nova esmola, abençoe-me, filha querida, dê-me um sinal de benevolência, antes de partir... Se você está ouvindo o réu que sou, acompanhe-me neste desejo... Ore também!... Rogue a Deus forças... Mova um dedo, um dedo só para que eu saiba que você perdoou a seu pai!... Não me deixe na incerteza, agora que vou recomeçar o destino, entregue às consequências de minhas próprias faltas!...

Registrando os soluços paternos, que lhe revolviam a alma, a jovem associou-se-lhe aos votos. Desejou ansiosamente, veementemente, satisfazer-lhe o pedido...

Perdão!... Perdão!... A palavra ressoava-lhe no espírito, à 2.7.9 maneira de cântico que descesse do céu, ecoando nas paredes em torno!... Perdão!... Aquelas seis letras, enfileiradas em forma de sons, pareceram-lhe música da eternidade, que estivesse sendo executada no firmamento, em trompas de estrelas, cujos brandos acentos lhe aliviavam o coração!...

A pobre menina concentrou todas as energias num pensamento de confiança e de gratidão a Deus e rogou mentalmente: "Perdão, Senhor!... Perdão para meu pai, perdão para mim!... Perdão para todos os que erraram!... Perdão para todos os que caíram!..."

Aguçaram-se-lhe as percepções e sentiu-se como que banhada de alegria inefável... Contemplou Cláudio, distintamente agora, fitou Moreira em lágrimas e, alongando a atenção mais serenamente em derredor do leito, viu-nos a todos. Félix, em silêncio, endereçou-lhe eflúvios magnéticos a determinada área cerebral, e Cláudio, atônito, viu a destra inerme levantar-se... Agoniado e reconhecido, tomou avidamente aqueles pequenos dedos frios e quis dizer "obrigado, meu Deus!", tentando, debalde, movimentar a garganta que os soluços embargavam; contudo, em lugar da palavra dele, foi a voz de Félix que se ergueu, de nosso lado, arrebatando-nos em prece:

— *Senhor Jesus, nós te agradecemos a felicidade que nos concedeste na lição do sofrimento, nestes dias de trabalho e de expectação!...*

"*Obrigado, Senhor, pelas horas de aflição que nos clarearam a alma, pelos minutos de dor que nos despertaram as consciências! Obrigado por estas duas semanas de lágrimas, que realizaram por nós o que não nos foi possível fazer em meio século de esperança!...*

"*Alçando-te nosso agradecimento e louvor pedimos ainda!... Lança, por misericórdia, a tua bênção na irmã que se despede e no companheiro que ficará. Transfunde-lhes o pesar em renovação,* a mágoa em regozijo!... Recebe-lhes o pranto como a oração que te elevam, aguardando-te a paz no caminho!...

2.7.10 "Entretanto, Mestre, não te exoramos a piedade somente para eles, irmãos bem-amados, que consideramos filhos da própria alma!... Suplicamos-te arrimo para todos os que resvalaram nos enganos do sexo desorientado, quando nos ofereceste o sexo por estrela de amor a brilhar, assegurando-nos a alegria de viver e garantindo-nos os recursos da existência!...

"Consente, Senhor, possamos relacionar, diante de ti, aqueles irmãos que as convenções terrestres tantas vezes se esquecem de nomear, quando te dirigem o coração.

"Abençoa os que se tresmalharam na insânia ou no infortúnio, em nome do amor que não chegaram a conhecer!

"Socorre nossas irmãs entregues à prostituição, já que todas nasceram para a felicidade do lar, e corrige com tua munificência os que as impeliram para a viciação das forças genésicas; acolhe as vítimas do aborto, arrancadas violentamente ao claustro materno, dentro dos prostíbulos ou em recintos que a impunidade acoberta, e retifica, sob teu auxílio, as mães que não vacilaram asfixiar-lhes ou degolar-lhes os corpos em formação; restaura as criaturas sacrificadas pelas deserções afetivas, que não souberam encontrar outro recurso senão o suicídio ou o manicômio para ocultarem o martírio moral que lhes transcendeu a capacidade de resistência, e compadece-te de todos aqueles que lhes escarneceram da ternura, transformando-se, quase sempre, em carrascos sorridentes e empedernidos; protege os que renasceram desajustados, no clima da inversão, suportando constrangedoras tarefas ou padecendo inibições regenerativas, e recupera os que se reencarnaram, nessa prova, sem forças para sustentar as obrigações assumidas, afogando a existência em devassidão; recolhe as crianças que foram seviciadas e renova, com a tua generosidade, os estupradores que se animalizaram, inconscientes; agasalha os que rolaram na desencarnação prematura, por efeito de golpes homicidas, nas tragédias da insatisfação e do *desespero, e ampara os que se lhes tornaram os verdugos padecentes, vergastados pelo remorso, seja na liberdade atenazada de angústia ou no espaço estreito dos calabouços!...*

"*Mestre, digna-te reconduzir ao caminho justo os homens e as mulheres, nossos irmãos, que, dominados pela obsessão ou traídos pela própria fraqueza, não conseguiram manter os compromissos de fidelidade ao tálamo doméstico; reequilibra os que fazem da noite pasto à demência; conforta os que exibem mutilações e moléstias resultantes dos excessos ou dos erros passionais que praticaram nesta ou em outras existências; reabilita a cabeça desvairada dos que exploram o filão de trevas do lenocínio;[28] regenera o pensamento insensato dos que abusam da mocidade, propinando-lhe entorpecentes; e sustenta os que rogaram antes da reencarnação as lágrimas da solidão afetiva e as receberam na Terra, por medida expiatória aos desmandos sexuais a que se afeiçoaram em outras vidas, e que, muitas vezes, sucumbem de inanição e desalento, em cativeiro familiar, sob o desprezo de parentes insensíveis, a cuja felicidade consagraram a juventude!...*

2.7.11

"*Senhor, estende também a destra misericordiosa sobre os corações retos e enobrecidos! Desperta os que repousam nos ajustes legais, acatados nas organizações terrestres, e esclarece os que respiram em lares, revestidos pela dignidade que mereceram, a fim de que tratem com humanidade e compaixão os que ainda não podem guardar-lhes os princípios e imitar-lhes os bons exemplos!... Ilumina o sentimento das mulheres engrandecidas pelo sacrifício e pelo trabalho, para que não desamparem aquelas outras que, até agora, ainda não conquistaram a maternidade premiada pelo respeito do mundo, e que, tantas vezes, lhes suportam a brutalidade dos filhos nos lupanares! Sensibiliza o raciocínio dos homens que encaneceram honrados e puros, de modo a que não abandonem os jovens desditosos e transviados!...*

---

[28] N.E.: Ação de explorar, estimular ou favorecer o comércio carnal ilícito.

2.7.12   *"Senhor, não consintas que a virtude se converta em fogo no tormento dos caídos, nem permitas que a honestidade se faça gelo nos corações!...*

"Tu, que desceste às vielas do mundo para curar os enfermos, sabes que todos aqueles que jornadeiam na Terra, atormentados pela carência de alimentação afetiva ou alucinados pelos distúrbios do sexo, são doentes e infelizes, filhos de Deus, necessitados de tuas mãos!...

"Inspira-nos em nossas relações uns com os outros e clareia-nos o entendimento para que saibamos ser agradecidos à tua bondade, para sempre!..."

Quando Félix emudeceu, o compartimento demorava-se invadido pelo clarão que se lhe exteriorizava do peito; contudo, não éramos somente nós, os comandados dele, que trazíamos, ali, o espírito subjugado por intensa emoção!... Todas as entidades desencarnadas, em serviço no estabelecimento, mesmo as que se vinculavam a outros cultos religiosos, se perfilavam à frente do acanhado recinto, discretas e atenciosas... Espíritos ignorantes e vampirizadores, em trânsito nos sítios adjacentes, acorreram para junto de nós, atraídos pelos jorros de luz solar que o aposento irradiava em todas as direções, e, muitos deles, a curta distância, baixavam a fronte, emocionados e reverentes.

Aquele quarto da venerável instituição socorrista, em plena noite, na rua do Resende, assemelhava-se a fulgurante coração de alvenaria, constelado de amor!...

Cláudio nada ouvia, mas, empolgado pelas vibrações balsâmicas do ambiente, chorava, de manso, percebendo a mão gélida que se colara às dele, afrouxando a pressão do adeus. Agoniado, fitou o semblante da filha e notou que o palor da morte nele esboçava o derradeiro sorriso... Levantou-se e cerrou, cuidadosamente, aquelas pálpebras fatigadas, orvalhando-as de lágrimas; no entanto, renteando-o, Moreira não continha os soluços.

Telmo aplicava passes anestesiantes à jovem, e um médico espiritual, que se nos incorporara ao trabalho de equipe, cortou os últimos ligamentos que ainda retinham a alma cativa ao corpo inerme.

2.7.13

Quando viu Marita liberta e agasalhada nos braços de Félix, figurando-se uma criança cansada e adormecida, Moreira, na aflição e na humildade dos que se olvidam integralmente, para destacarem os que mais amam, indagou desolado:

— Irmão Félix, que farei doravante, inútil como sou?

— Moreira — respondeu o instrutor, abençoando-o com o olhar —, somos uma família só. Muito em breve, terás o necessário, de modo a retomar o convívio de Marita, que pede agora paz e refazimento, mas, antes, somos nós os companheiros que te pedem auxílio! Marina sofre... Precisamos libertá-la. Contamos contigo como quem tudo espera de um amigo, de um irmão!...

O ex-assessor de Cláudio, ansiando patentear correta submissão, pôs-se genuflexo e deixou pender a fronte, confundido ao reconhecer que o orientador lhe rogava sanar uma brecha que ele, Moreira, havia agravado, e prometeu, em pranto, atender à obrigação que se lhe indicava. Tudo o que anelava agora, acentuou, era aprender, auxiliar, dedicar-se ao bem, trabalhar, servir...

....

Felizes da Terra! Quando passardes ao pé dos leitos de quantos atravessam prolongada agonia, afastai do pensamento a ideia de lhes acelerardes a morte!...

Ladeando esses corpos amarrotados e por trás dessas bocas mudas, benfeitores do plano espiritual articulam providências, executam encargos nobilitantes, pronunciam orações ou estendem braços amigos!

2.7.14   Ignorais, por agora, o valor de alguns minutos de reconsideração para o viajor que aspira a examinar os caminhos percorridos, antes do regresso ao aconchego do lar.

Se não vos sentis capacitados a oferecer-lhes uma frase de consolação ou o socorro de uma prece, afastai-vos e deixai-os em paz!... As lágrimas que derramam são pérolas de esperança com que as luzes de outras auroras lhes rociam a face!... Esses gemidos que se arrastam do peito aos lábios, semelhando soluços encarcerados no coração, quase sempre traduzem cânticos de alegria, diante da imortalidade que lhes fulgura do Além!...

Companheiros do mundo, que ainda trazeis a visão limitada aos arcabouços da carne, por amor aos vossos sentimentos mais caros, dai consolo e silêncio, simpatia e veneração aos que se abeiram do túmulo! Eles não são as múmias torturadas que os vossos olhos contemplam, destinadas à lousa que a poeira carcome... São filhos do Céu, preparando o retorno à pátria, prestes a transpor o rio da Verdade, a cujas margens, um dia, também vós chegareis!...

....

Ao entardecer, Agostinho e Salomão acompanharam Cláudio e os despojos da filha até o Caju.

Cerimônia simples que a prece consagrou.

De volta, Nogueira, acabrunhado, despediu-se dos amigos, na Cinelândia, e tomou táxi para o Flamengo.

Alcançou o prédio, subiu e, sequioso de companhia, abriu a porta. Vasculhou peça por peça e sentiu frio no corpo e na alma...

No apartamento deserto não havia ninguém.

8

Satisfazendo a recomendações de Félix, que nos esperava a cooperação junto de Cláudio e Marina, demoramo-nos no Flamengo, ao pé do amigo que a consternação abatia. [2.8.1]

Entregue a si mesmo, sem qualquer consolação humana, Nogueira refletiu e compreendeu. Havia lido bastante. Conversara o suficiente com Agostinho e Salomão. Não lhe cabia escusar-se à verdade. Recolhera a fé por misericórdia da Bondade divina; entretanto, a divina Justiça não poderia forrá-lo à solidão que ele mesmo plantara.

Represava-se-lhe o coração de saudades da filha que o túmulo escondera. Aquela quinzena de hospital unira-os em espírito para sempre. Ao lado de Marita, obtivera a luz da renovação. Doía-lhe pensar que não mais experimentaria o conforto de carregá-la, sustentá-la, socorrê-la...

Abatido, sentou-se e chorou.

A noite avançava e Márcia não aparecia.

Telefonou, discreto, para vizinhos de dona Justa. A servidora, chamada por obséquio à residência de amigos, veio atender. Informou-se da desencarnação de Marita e lamentou não haver conseguido a notícia antes, com o tempo necessário para assistir-lhe ao funeral. Esclareceu que a madama subira a Petrópolis, sem precisar o regresso. Dona Márcia alegara cansaço, depois da internação de Marina para tratamento, e avisara-a de que pretendia passar alguns dias na serra, ganhando forças. Ela, dona Justa, segundo o combinado, comparecia, pela manhã, no apartamento, e folgava à tarde.

2.8.2 Nogueira perguntou pelo estabelecimento onde se achava a filha doente; no entanto, a servidora respondeu com sinceridade que não sabia. Dona Márcia não lhe fornecera informações. Aliás, solicitava licença para inteirá-lo, sem a menor intenção de afligi-lo, de que julgava a patroa também esgotada. Parecia nervosa, enferma.

Cláudio agradeceu e tomou o catálogo telefônico.

Pediu, infrutiferamente, ligação para conhecida casa de repouso em Santa Teresa. E seguiu procurando pelo fio, até que na sexta pesquisa encontrou o que buscava. Enfermeira prestimosa, com quem dona Márcia deixara endereço, respondeu de uma casa de saúde localizada em Botafogo, notificando que Marina aí se hospedava. As visitas, no entanto, mesmo para os familiares, estavam proibidas. A moça andava em crise, sob a atenção dos médicos.

Mesmo na condição de progenitor, que ele fizesse a gentileza de ouvir a administração, antes de procurar pessoalmente avistá-la.

Cláudio acolheu-se à poltrona, a fim de pensar. Restava a casa dos Torres. Gilberto, com certeza, poderia elucidá-lo; entretanto, a figura do rapaz assomava-lhe à imaginação semelhante a bisturi que lhe retalhasse uma chaga mental. Rememorava a entrevista do Lido, em que lhe ilaqueara a boa-fé, e envergonhava-se. Meditou, meditou. Examinou-se sem compaixão para consigo, e acabou inferindo que, se quisesse realmente apresentar personalidade nova, não lhe cabia isentar-se das consequências que as passadas faltas lhe propunham.

Consolidado o raciocínio, não mais vacilou.

2.8.3

Recorreu ao fone com escassa esperança de ouvir o rapaz, já que o relógio assinalava mais de nove da noite, mas o moço atendeu.

Não obstante acanhado, Cláudio expressou-lhe o pesar pelo falecimento da genitora, ao mesmo tempo em que lhe comunicou a perda de Marita.

Figurou-se-lhe Gilberto deprimido, torturado.

O filho de Nemésio confessava-lhe desconhecer não só a extensão do acidente, mas também o óbito. Decerto que, pelas provações da família, com a lenta agonia de dona Beatriz e com a enfermidade de Marina, que logo se lhe seguiu, não tivessem dona Márcia e a filha encontrado ocasião para referir-lhe a gravidade das ocorrências. Lastimava o sucedido e enviava pêsames. Prezara sempre em Marita uma irmã pelo coração. Consultado por Nogueira, explicou que Marina fora acometida por acessos de fúria. O facultativo de confiança admitira demência precoce, mas desistira da assistência. Entregara o problema a psiquiatras.

O diálogo prosseguiu.

Antecipando justificativas, Gilberto anunciou haver assumido novas resoluções, nos dias últimos. Quando no encontro de ambos, em Copacabana, estava, sim, decidido a casar-se mais cedo, desposar Marina e recolher-se à tranquilidade do lar, mas, apreensivo ao ver a moça doente qual se achava, o pai, embora reconhecido aos serviços que a jovem lhes prestara, impelira-o à mudança de rumo. O genitor, que se achava ausente em descanso restaurativo, usara franqueza. Não aprovaria o casamento, não considerava Marina suficientemente habilitada para as responsabilidades do matrimônio. Além disso, falara-lhe de "certas coisas" e aconselhara-o a sair do Rio. Sustentá-lo-ia em outra cidade, onde pudesse recomeçar estudos interrompidos. Ele, porém, Gilberto, compreendia a vida de outro modo e, em face das imposições paternas, sentia-se acabrunhado, vencido...

2.8.4   Cláudio aceitou as alegações com humildade e acentuou que ele era ainda muito jovem, que não devia opor contradita aos conselhos de Torres pai, e sim continuar refletindo, uma vez que casamento, em qualquer pessoa, reclama liberdade, consciência... Tão sensatas e confortadoras observações formulou, pacificando-lhe o íntimo e clareando-lhe a compreensão para o trato com o próprio pai, que Gilberto se modificou, perante aquela brandura inesperada. Supunha ouvir um outro Nogueira, mais velho, mais amigo... Emocionado, agradeceu e chegou a pedir-lhe não o abandonasse. Verificava-se agora sozinho. O genitor era bom, generoso, mas homem de negócios. Cabeça cheia. Sentia necessidade de alguém que o inspirasse, que lhe estendesse as mãos. Estimaria encontrá-lo, ouvi-lo mais vezes.

Percebeu que Cláudio lhe falava em tom de lágrimas, agradecendo-lhe o apreço. Aquilo como que lhe insuflava confiança nova naquele homem com quem se entendera, dias antes, mas de modo imperfeito.

Nogueira, submisso, consultou acerca de Márcia. Provavelmente que, se afastando para Petrópolis, a esposa lhe teria deixado o telefone. Gilberto confirmou. Dona Márcia, ao viajar, solicitara-lhe atenção para Marina. Se a menina piorasse, que fizesse o obséquio de chamá-la incontinente. E ao expressar-lhe semelhante recomendação, declarara que lhe passava a incumbência e não ao marido, por sabê-lo ocupado no hospital.

De posse das informações, Cláudio agradeceu de novo e repôs o fone no gancho. Em seguida, confiou-se à meditação. Pelo tom da conversa, o rapaz se alterara de todo. Em tudo o que expusera, media as frases. Cerimonioso, desencantado. E que teria desejado dizer com aquelas duas palavras "certas coisas"?

Ele, Nogueira, sentia-se renovado; entretanto, a experiência do pretérito constituía-lhe o fundo da grande transformação. Não ignorava que a filha se arriscava a dualidade perigosa, na aventura afetiva. Convencia-se de que algo de muito grave teria ocorrido. Era bastante maduro para não desconfiar de que pai ou filho houvesse apanhado algum flagrante desagradável. Deduzia que a jovem baqueara, caindo em abatimento, como quem achara nisso a deserção de si mesma. Pensou nela e compadeceu-se. Afinal, não se fizera crente para censurar. Aspirava a compreender, servir. Sabia agora que a obsessão provocava tragédias. E ele mesmo, que nunca auxiliara a filha, na edificação da vida íntima, não podia queixar-se. Cismou, cismou e, depois das dez, chamou a esposa.

Dona Márcia respondeu. 2.8.5

Interpelada, comunicou estar descansando junto de pessoas amigas. Ciente da morte de Marita, confessou-se aliviada. Não a desejava sobrevivendo ao desastre, deformada como a vira. Alinhou comentários desairosos, fez chiste.

Pela inflexão com que se manifestava, o esposo reconheceu-a num dos dias mais infelizes. Sarcasmo em cada sílaba. Irritação à mostra.

Cláudio apequenou-se, rogou desculpas. Não queria interromper-lhe a excursão. Não conseguia, porém, sossegar-se quanto à filha doente. Se possível, ensinasse a ele o melhor caminho de visitá-la com urgência. Solicitava-lhe o nome dos médicos amigos. Esperava colher-lhes a opinião.

A palavra dele deslizava tão mansamente no fio que a interlocutora mudou de jeito. Amaciou-se. Informou que precisava completar informações com amigas, que ele, Cláudio, aguardasse um minutinho.

Transcorridos instantes breves, voltou participando que viria ao Rio, na manhã seguinte, a fim de conversarem. Guardava "certos assuntos" para tratar com ele, mas preferia falar-lhe de boca a boca. Que ele a esperasse no Flamengo. Chegaria cedo, de automóvel, apenas com o objetivo de vê-lo e retornar ao hotel serrano em que repousava.

2.8.6 Efetivamente, no dia imediato, antes das nove da manhã, logo após entender-se com dona Justa, em matéria caseira, viu-se o bancário defrontado pela esposa.

Dona Márcia parecia regressar de outro país. Adereçada, sorridente. Os cabelos em penteado excêntrico realçavam-lhe a graça, remoçando-a inteiramente. Harmonizava-se a maquilagem com o róseo do vestido novo. O porte se lhe erguia nos sapatos de salto alto, com a esbelteza da cegonha jovem quando caminha descuidada em campo livre. Exibia cores, destilava perfumes.

Contudo, a flor humana em que se metamorfoseara não escondia para nós as larvas que a carcomiam. Jazia dona Márcia assessorada por pequena corte de vampirizadores desencarnados que lhe alteravam a cabeça.

Mesmo à nossa frente, que nos acostumáramos a identificá-la por matrona difícil, mas ajustada ao lugar que as conveniências lhe indicavam, surgia quase irreconhecível.

Metalizara-se-lhe a voz, o olhar fizera-se mais frio.

De entrada, cumprimentou o marido e dona Justa com ademanes de protetora complacente.

Assustou-se Nogueira. Não compreendia. Padeciam em casa a provação de uma filha morta e outra enferma... Por outro lado, Márcia, pelo fio, anunciara-se esfalfada. De que maneira se amoldava a uma excursão, assim festiva? Instintivamente, recordou Gilberto preocupado com "certas coisas" e a própria esposa prometendo-lhe "certos assuntos" e, apreensivo, perguntava-se que sucessos ocultos se lhe vedavam ao coração...

A recém-chegada sentou-se, cruzando as pernas com desenvoltura juvenil, e, sem mais aquela, reportou-se à pressa que trazia.

Nogueira indagou por Marina.

2.8.7

Dona Márcia, evidentemente interessada em outros problemas, sintetizou, quanto pôde, a história da enfermidade, indicou o psiquiatra que respondia pelo caso, aludiu ao conforto de que a filha se rodeava na casa de saúde e exalçou a generosidade do senhor Torres, que não calculava sacrifícios para que lhe sobejasse assistência. Comentou largamente a nobreza do viúvo de dona Beatriz, cuja grandeza de alma apenas agora — dizia, entusiasmada — começava a conhecer. E, finalmente, propôs um ajuste de providências pelas quais se transferisse a menina para um sanatório em São Paulo, onde estagiasse, no tratamento devido, por alguns meses. Bastava que ele, Cláudio, concordasse. Nemésio, em sinal de gratidão da firma pelos serviços prestados por Marina, custearia todas as despesas.

Cláudio escutou, humilde, e obtemperou que a situação talvez não fosse tão grave, que a palavra "meses" o alarmava. Acreditava que a filha, conjugando medicação do corpo e da alma, lograria recuperar-se em menos tempo.

Argumentou, sensato. Demonstrou, sem afetação de virtude, que não lhes seria lícito abandoná-la, destacou que a proteção dinheirosa significava muitíssimo, principalmente naquela hora em que os cuidados exigidos por Marita lhe haviam esgotado as reservas, mas admitia que a filhinha conturbada reclamava deles carinho, dedicação.

Após enfileirar judiciosos apontamentos que a interlocutora recebia contrafeita, levantou para ela os olhos súplices e convidou-a, com dignidade, a abraçar, junto dele, uma existência nova. Vida de harmonia, de construção recíproca. Sincero, confiou-lhe todos os propósitos diferentes que edificara naqueles dias de luta, dos quais emergira transformado. Descerrava-lhe o íntimo. Fizera-se espírita cristão. Sentia-se outro homem. Participou-lhe que, entre ele e o passado, criara-se a fé por barreira de luz. Aspirava, agora, à bênção do lar, à tranquilidade da família... Comprometia-se a adotar conduta reta, ser-lhe-ia companheiro leal. Não lhe constrangeria o ânimo a aceitar-lhe as ideias; no entanto, anelava mostrar-lhe quanto a amava... Disse-lhe que vinha orando desde a véspera, rogando a Jesus o inspirasse no sentido de revelar-se a ela abertamente, para que ela, Márcia, lhe perdoasse e o compreendesse... Concedia-lhes Deus o futuro à frente. Penitenciar-se-ia quanto aos erros cometidos, dispunha--se a testemunhar-lhe fidelidade, afeição...

2.8.8   A senhora, porém, aprumou-se de um salto, plantou as mãos na cintura, numa risada de escárnio, e zombeteou:

— Sim, senhor! o diabo, depois de velho, se fez ermitão!... Sempre a mesma história!...

E aditou com ar de troça:

— Era só o que faltava! Você, espírita!... Eu logo vi!... Juro que no hospital você já estava nessa baboseira. Aquele jeito de conversar, quando Nemésio e eu fomos lá, aquele modo de tratar Marita!... Ora, ora!... quem teria hipnotizado você dessa forma?!...

O marido, arrancado à esperança que alentava no sentido de se reconciliarem para uma experiência doméstica respeitável e batido na fé que principiava a entesourar, objurgou, francamente ofendido:

— Mas você conhece o Espiritismo?

Márcia, obsidiada, com a disposição de quem procura deixar o carreiro, trilhado desde muito, para arrojar-se a outro caminho, revidou irônica:

— Perfeitamente, conheço, sim! Quando Aracélia morreu, andei conversando nisso com amigas e acabei desistindo. Espiritismo é um movimento de pessoas querendo sentar cachorros no banco e apanhar estrelas como se fossem laranjas!... Bobagem! Nós todos no mundo somos canalhas!... Eu sou, você é, os outros são!... Os espíritas me parecem cães querendo sentar na poltrona da falsa virtude. Asneira deles! Temos de rolar é no chão mesmo...

— Eu não penso assim...

2.8.9

— Pois se você pensa de maneira diversa e se é verdade tudo o que você me falou, é pena que a mudança chegue tão tarde!... Venho de Petrópolis justamente para dizer a você que entre nós tudo está acabado... Agora, meu velho, faça a sua vida, que eu vou me arranjar...

E continuou alegando que, depois de sofrer tantos anos naquele apartamento que apelidava por "minha gaiola", iria fazer ninho certo. Esperaria tão somente as melhoras de Marina, a fim de promover o desquite. Se ele, Cláudio, não assinasse, que escolhesse rumo. Declarava-se farta. Queria liberdade, sossego, distância...

Nogueira escutava triste.

Repunha no pensamento as instruções de Agostinho e Salomão, lembrava Marita, reconstituía na memória os textos lidos.

Sim, concluía mentalmente, aquele matrimônio destruído era obra dele. Recolhia o que semeara. Uma filha morta, outra doente e a esposa obsessa... Seara de espinhos para quem os plantara. Fitou Márcia, aplicada ao sarcasmo, e reconheceu que ambos eram comparáveis a dois náufragos na viagem do mundo, com a diferença de que ele aceitara refúgio no salva-vidas da fé, ao passo que ela preferia mergulhar no desconhecido. Por minutos amargos, ouviu-lhe, pacientemente, os remoques, até que o "homem antigo" ressurgiu nele.

Impossível aguentar tanto insulto — monologou de si para consigo. A doutrina restauradora que abraçara não se destinava a criar homens indignos. Doutrina de compreensão e benevolência, mas também de limpeza e respeitabilidade. Não se julgava habilitado a receber tanta injúria sem revolta. Indignou-se. Quis reagir, esbravejar, espancá-la... Entretanto, ao querer deslocar a destra a fim de agredi-la, a noção de responsabilidade acordou-se-lhe de repente... Recordou o hospital e reviu na imaginação a pequena mão gelada que o saudava, num gesto de perdão, no momento do adeus... Os dedos submissos e frios da filha desencarnada estavam nas mãos dele, relembrando-lhe que devia perdoar como tinha sido perdoado... Súbita calma lhe tomou o coração e entrou em lágrimas copiosas...

2.8.10 Márcia divertiu-se. Destacou que não faria falta a um marido que se efeminara, tornando-se poltrão e choramingueiro. Afirmou que, mediante aquele espetáculo de covardia, estava decidida a não contar com Marina, refeita. Tomaria atitude. Nada mais tinha a ver com aquela casa. Chamou dona Justa e avisou com o indicador em riste que mandaria buscar todos os seus pertences para serem alojados em casa de Selma, a companheira de infância que residia na Lapa. E, vociferando, colérica, estrondou a porta, atrás dos próprios passos, sem mais uma palavra para o esposo que permanecia na sala, esmagado de sofrimento.

Demorou-se Nogueira em casa, durante algumas horas, refazendo forças. À tarde, procurou Salomão em Copacabana. Consolou-se ao vê-lo. Palestraram por momentos. Da própria farmácia, telefonou ao psiquiatra que a esposa nomeara.

O especialista ouviu, cortês. Sim, proporcionar-lhe-ia todas as facilidades para que se avistasse com a filha no dia seguinte.

Cláudio agradeceu e, encerrando a ligeira conversação pelo fio, rogou a Salomão um minuto de entendimento em particular. Atendido, solicitou ao amigo para que o auxiliasse por meio da oração, em benefício da outra filha, que supunha obsidiada, relacionando-lhe o problema de modo sucinto.

Salomão confortou-o. Possuía companheiros diversos dedicados à desobsessão. A todos solicitaria socorro, junto aos benfeitores que lhes supervisionavam as tarefas no plano espiritual. A seu turno, consagrar-se-ia ao caso, imbuído da melhor confiança. Notando que o pai de Marita entremostrava o coração atenazado de angústia no semblante abatido, convidou-o ao café e, sentados em recanto ameno, permutaram confidências, observações, projetos, esperanças. Partilhariam atividades espirituais, seriam irmãos no trabalho, no ideal.

Nogueira retornou, aliviado, ao Flamengo, e, na manhã imediata, estava a postos, em Botafogo. 2.8.11

No horário marcado, ganhou o recinto a que Marina foi trazida.

Afligiu-se verificando-lhe a depressão. Emagrecera. Desfigurara-se. Por fora, o alheamento de si mesma; entretanto, através dos olhos, despedia a alma incendiada de angústia.

Comovi-me não apenas ao abraçá-la, mas também ao notar Moreira rente, esmerando-se na execução do que prometera.

Enquanto o amigo que se guindara à condição de enfermeiro me acolhia fraterno, a jovem enleara-se ao pai numa explosão de lágrimas.

Sentaram-se.

A enfermeira deixou-os a sós e Marina perguntou pela mãezinha. Por que não viera, por que a desprezava? Por quê? Por quê?

Empenhou-se Nogueira em acalmá-la e fê-lo de tal modo que a menina, espantada, cobrou mais ampla lucidez. O pai dirigia-se a ela num tom que nunca ouvira. Vasculhava-lhe as fibras mais íntimas, lenindo, ajustando... Falou-lhe de forças imponderáveis à maioria das pessoas, reportou-se a Inteligências desencarnadas que se imanizam às criaturas em perturbação, agravando-lhes os desequilíbrios. Persuadiu-a quanto à obrigação de acatar as instruções médicas, participou-lhe que fora iniciado nos júbilos da prece, desde o acidente que lhes arrebatara Marita, de cuja desencarnação a inteirou com afetuosa cautela. Transmitir-lhe-ia oportunamente as instruções que recebera de amigos, acerca da reencarnação, do sofrimento reparador, da obsessão e do intercâmbio espiritual. Estudariam juntos e acrescentou piedoso: "Mesmo que Márcia não quisesse". Que ela, Marina, guardasse paciência, calma, inspirando confiança naqueles que a tratavam. Dissesse a ele, pai renovado pela fé, o que mais a preocupava. Achava-se ali para alentá-la, entendê-la. Que se desabafasse, para que ele soubesse por onde começar. Nada lhe ocultasse, nada temesse. Queria vê-la robusta, feliz. Todas as palavras lhe escapavam da boca impregnadas de tanto carinho, e clareadas por tamanho amor, que ela se lhe aconchegou ao peito com mais devoção, lembrando alguém que se agarrasse a inesperada raiz ao escorregar na direção de queda fatal... Perguntou ao pai se ele algum dia chegara a ouvir vozes estranhas, se já divisara vultos que ninguém percebia. Cláudio acariciou-a, assegurando que lhe explicaria semelhantes fenômenos tão logo a visse refeita, insistindo, porém, para que o auxiliasse com as informações de que carecia, a fim de prestar-lhe o apoio necessário.

2.8.12   Foi então que a filha, implorando a ele não a condenasse e estimulada pelo sorriso bondoso com que era ouvida, descreveu para o genitor os caprichos femininos com que requestara Nemésio Torres. Ele, amadurecido, ela, quase criança; contudo, ensoberbecia-se ao reconhecê-lo chefe e vassalo. A princípio, os passeios alegres, o dinheiro a rodo, os afagos recíprocos, aos quais ela se entregava muito mais pela vaidade de impressioná-lo que por motivos de atração. Contou como Nemésio, cativo, deu para escravizá-la. Historiou a noite em que ele a embriagara de propósito, quando lhe despertou nos braços, dentro de uma casa rústica em São Conrado, que, até então, não conhecia... Desde essa época se lhe fizera companheira, entrando, a instâncias dele, para o serviço de dona Beatriz, para que a tivesse sempre à mão... Apaixonara-se por ela, repetia-lhe declarações, aspirava a desposá-la, assim que a viuvez sobreviesse naturalmente. Mas Gilberto aparecera e, por mais lutasse contra si própria, não conseguira controlar-se. Desde o primeiro encontro, adivinhou nele o homem com que sonhava... Pintando as emoções ao vivo, com todas as tintas de realismo que o delírio lhe punha nas palavras, confessou que provocara Gilberto, afastando-o, deliberadamente, da irmã, e, vingando-se de Nemésio, copiou-lhe a iniciativa... Numa noite de farra, impeliu o moço a exceder-se no uísque e, ao tê-lo inflamado, conduziu-o, ela mesma, ao quarto de que dispunha no lar dos Torres, a título de fazê-lo descansar, para entregar-se a ele, sem qualquer noção de vigilância ou censura... Ao acordar, induzira-o a crer-se responsável pelo futuro... Passara, dessa forma, a dividir-se com habilidade entre um e outro, embora conservasse a indiferença por Nemésio transformada em aversão. Quanto mais se comunicava com o filho, mais detestava o genitor, até que a morte de dona Beatriz precipitara os acontecimentos. Observando o chefe positivamente decidido ao matrimônio, apegara-se-lhe ao filho com loucura, a ponto de ser surpreendida por Nemésio, em situação desconcertante...

Nogueira escutava compungido.

Detinha a impressão de tomar contato com os familiares pela primeira vez, em toda a vida. Machucado ainda pelas considerações de Márcia, ignorava agora quais as feridas que mais lhe doíam na alma, se as que a insensibilidade da esposa lhe abrira no espírito, se as que lhe eram produzidas nos tecidos do coração pelos segredos da filha padecente. Enlaçou-a, porém, com mais ternura, e Marina, encorajada, repetiu que anelava libertar-se de Torres pai, ansiando casar-se com Gilberto, ser-lhe a esposa no lar, compreendê-lo, torná-lo feliz.

Cláudio prometeu cooperar, destacando, no entanto, a necessidade da saúde primeiro...

O doloroso relatório, porém, não terminara.

Imprescindível sorvesse o cálice até a lia.

Em frases entrecortadas de soluços, Marina cientificou-o de que fora visitada, ali mesmo, por Nemésio, quatro dias antes; acentuou que o chefe se prevalecera da intimidade e lhe asseverara que não a cederia ao filho de modo algum, que a esperaria para as segundas núpcias e que manteria todos os compromissos formulados anteriormente, no sentido de enobrecê-la no casamento e beneficiar-lhe toda a família, se ela abandonasse o rapaz, que ele, na qualidade de pai, pretendia remover para o Sul... Porque respondesse claramente que não renunciaria a Gilberto, implorando-lhe perdão e que a tratasse por filha, revoltara-se, ameaçando-a... Se o preterisse, matá-la-ia. Ela chorara, suplicara compaixão, assegurando que não tinha coragem de continuar fingindo por mais tempo... Amava Gilberto, queria sarar, viver com ele e por ele... Nemésio rira mordaz, acentuando que ela lhe pagaria a desconsideração, que jamais lhe permitiria a felicidade junto daquele filho que passara a odiar e que, para humilhá-la acintosamente, conquistara as atenções de Márcia, sem resistência, decidindo-se a levá-la para Petrópolis, em substituição dela mesma...

2.8.14 Cláudio ambicionava crer que a jovem tresvariava, mas a lembrança da esposa transtornada comprovava o que ouvia, e, quanto a mim, recolhia de Moreira a devida confirmação. O enfermeiro, em breves palavras, deixara-me saber que chusmas de Espíritos perturbadores, após a desencarnação de Beatriz, lhe haviam arrebatado o marido, explorando-lhe as energias genésicas.

Nogueira percebeu a gravidade do problema; no entanto, ao término da entrevista, reconfortou a filha, descortinando-lhe paz e esperança à mente atormentada. Recomendou-lhe trabalho, confiança, paciência e controle, a fim de recuperar-se mais depressa, e garantiu-lhe que se entenderia com Márcia e com ambos os Torres, para que os planos da felicidade futura fossem concretizados em harmonia.

Marina recebeu-lhe a despedida, a sorrir confortada, patenteando sinais de melhora, mas, revendo-se na rua, Cláudio entrou em prece, e, reconhecendo-se no prelúdio de provas amargas, comprimiu a destra de encontro ao peito alanceado, como quem trazia da visita espinhos de fogo a lhe requeimarem o coração.

9

Rumei, junto de Neves, para o instituto de renovação que 2.9.1
Félix dirigia na esfera espiritual.
A caminho, reconfortava-me ouvindo o companheiro asserenado, contente. Acompanhava o restabelecimento de dona Beatriz, nutrindo júbilos novos. Luzia-lhe o olhar povoado de sonhos.

E contava-me as surpresas da filha recém-chegada ao plano superior. Afeições de outros tempos, familiares queridos chegavam de longe para felicitá-la. Beatriz concluíra nobre tarefa — dentre as muitas empresas admiráveis cuja extensão é avaliável apenas na pátria dos Espíritos —, a tarefa da renovação íntima, obtida à custa de sacrifícios ignorados. As lágrimas vertidas no silêncio e as dores anônimas lhe haviam granjeado paz e luz. Mulher desconhecida no mundo, aparentemente escrava de um marido e de um filho que não a valorizavam, atingira realizações sublimes em si própria, entesourando no íntimo riquezas inalienáveis para a imortalidade. Decerto não retornara alçada à glória angélica, mas, tanto quanto era possível, na condição em que renascera, voltara triunfante.

2.9.2   Regozijava-me igualmente com as impressões que ouvia e, de propósito, fiz quanto pude para não ser inquirido acerca dos Torres que, a meu ver, ainda estavam por aproveitar os merecimentos da missionária de abnegação que os servira. Receava embaciar o espelho de otimismo em que as esperanças do amigo se retratavam. Neves, talvez pelas mesmas razões, nada me perguntou sobre o genro e o neto que, sem a guardiã maternal, se viam agora entregues a si mesmos.

Fomos defrontados pelo instituto que demandávamos. O Almas Irmãs, assim chamado pelos fundadores que o levantaram em socorro dos irmãos necessitados de reeducação sexual após a desencarnação, exibia plano extenso de construções. Conjunto de linhas harmoniosas e simples, ocupando quatro quilômetros quadrados de edifícios e arruamentos, parques e jardins. Autêntica cidade por si.

Inalava-se tranquilidade, alegria.

Das aleias em verde repousante, flores tangidas pelo vento figuravam-se acenos de boas-vindas.

Rostos sorridentes nos saudavam, de permeio com os semblantes circunspectos que nos lançavam olhares de simpatia.

Todas as idades aí se expressavam nos companheiros de ambos os sexos, os quais renteávamos satisfeitos.

Bloco de casario sugeria universidades reunidas.

Longe, porém, de encontrar representantes da psicopatia ligada às perturbações sexuais, eram criaturas de aparência hígida[29] as que nos acolhiam, afetuosas.

Neves, que ali aportara dias antes, interpelado por minha curiosidade, esclareceu que a agremiação possuía vasta dependência reservada a enfermos; entretanto, que eu modificasse qualquer conceituação prévia da obra ali desenvolvida, porquanto os

---

[29] N.E.: Sadia, sã.

verdadeiros alienados em consequência de alucinações emotivas, trazidas da Terra, permaneciam reclusos em manicômios, sob tratamento indicado, sempre que apartados das falanges dementadas nas regiões tenebrosas. Acrescentou que muitos daqueles que nos cumprimentavam, tranquilos, remanesciam de tragédias passionais, intensamente vividas no mundo; todavia, revelavam-se agora pacificados e lúcidos, quais as próprias personalidades humanas, depois de reprimir as crises de insânia, quando se rendem ao desequilíbrio mental.

As elucidações, no entanto, se interromperam de brusco, porque atingíramos o ponto em que nos cabia tomar contato com Félix, antecipadamente avisado sobre a nossa presença. 2.9.3

O instrutor, contudo, prevenia-nos da impossibilidade de abraçar-nos de pronto. Aguardar-nos-ia, mais tarde, na própria residência. Enternecia-nos, entretanto, com grata surpresa. Belino Andrade, amigo que eu não via há precisamente dez anos, e com quem convivera, intimamente, em atividades outras, ali se achava a fim de iniciar-nos no conhecimento da casa.

Abraçou-nos fraternalmente e, como que retomando os esclarecimentos que Neves empreendera, começou dizendo que pisávamos num hospital-escola de suma importância para os candidatos à reencarnação. Os internados ou estudantes vinham, em maioria, de estâncias purgatórias, após alijarem as consequências mais imediatas dos vícios e paixões aviltantes por eles acalentados no plano físico. Rigorosamente examinados, atendiam a critério de seleção, nas paragens de angústia expiatória em que se demoravam, e somente depois de julgados dignos entravam naquele pouso de refazimento para estações mais ou menos longas de estudo e meditação, pesquisando as causas e observando os efeitos das quedas de natureza afetiva em que se haviam precipitado...

Enquanto nos detínhamos em caminhada agradável, Belino prosseguia informando que todos eles, depois de suficientemente instruídos, são recambiados ao domicílio terrestre, onde reencarnam nos ambientes em que faliram e, tanto quanto possível, nas equipes consanguíneas que lhes impuseram prejuízos ou que lhes sofreram os danos.

2.9.4 No Almas irmãs obtinham a láurea do conhecimento, na Terra volviam a aplicá-lo, por meio das dificuldades e tentações da faina material, que nos comprovam a assimilação das virtudes adquiridas.

Apresentando-nos praças graciosas ou apreciando aspectos da paisagem, Belino comparou as finalidades do educandário aos centros de cultura superior existentes no mundo, que conferem títulos acadêmicos para o exercício de funções determinadas, dentro da especialização profissional, e confrontou a arena terrestre com a esfera da prática, em que os alunos diplomados são impelidos às experiências e aos encargos que lhes fixam o mérito ou o demérito. Ali, a mente se rearticulava, aprendia, refazia, restaurava, mas, de modo geral, sempre no objetivo de retornar ao mundo, a fim de incorporar em si mesma o valor das lições recebidas. Acrescentou que a não ser as reencarnações compulsórias, por motivos prementes, o problema do regresso requeria considerações específicas e preparações adequadas, razão pela qual muitos companheiros do Almas Irmãs se corporificavam na Terra com programas domésticos preestabelecidos, de maneira a hospedarem com os seus próprios recursos genésicos os colegas afins. Dali, do estabelecimento, esses colegas, que se lhes indicavam na posição de filhos para o futuro, os resguardavam e defendiam, até a ocasião em que lhes fosse possível mergulhar no berço terreno, constituindo-se, dessa forma, famílias inteiras, em edificações e provas redentoras, que, no fundo, representavam, espiritualmente, o trabalho do instituto entre os homens, qual ocorre a múltiplas organizações congêneres e a outras numerosas

Sexo e destino | 2ª Parte | Capítulo 9

associações consagradas à regeneração e ao progresso da alma, nas esferas de ação espiritual que circundam a Terra.

Aquele hospital-escola qualificava-se, dessa maneira, na condição de posto avançado da espiritualidade construtiva, sustentando permanente contato com a vida humana. 2.9.5

Cada individualidade reencarnada com vínculos no Almas Irmãs se encontra ali convenientemente fichada, com todo o histórico do que está realizando na reencarnação obtida, no qual se lhes vê o balanço dos créditos conquistados e dos débitos contraídos, balanço esse que é examinável a qualquer momento, para efeito de auxílio maior ou menor aos interessados, segundo a lealdade que demonstrem na desincumbência das obrigações a que se empenharam e conforme o esforço espontâneo que revelem na construção do bem geral.

Indaguei de Belino se conhecia a média geral de aproveitamento na comunidade e ele informou que sim, acentuando que, em 82 anos de existência, o Almas Irmãs, que detinha habitualmente uma população oscilante de cinco a seis mil pessoas, apontava, no coeficiente de cada cem estudantes, 18 vitoriosos nos compromissos da reencarnação, 22 melhorados, 26 muito imperfeitamente melhorados e 34 onerados por dívidas lamentáveis e dolorosas.

À minha nova inquirição sobre se os fracassados eram readmitidos, informou que ninguém na Terra consegue avaliar a expectativa, a ternura, o esforço e o sacrifício com que os amigos desencarnados torcem pelo triunfo ou pelo aprimoramento parcial dos afeiçoados em serviço no mundo, e nem imaginar a desolação que lhes sacode o ânimo, quando não logram abraçá-los de volta, mesmo ligeiramente renovados para o suspirado convívio. Noticiou que os companheiros em malogro positivo, após a desencarnação, passam, automaticamente, às zonas inferiores, onde, por vezes, ainda se demoram, por muito tempo, em desequilíbrio ou devassidão, conquanto nunca percam o devotamento dos amigos ali domiciliados, que intercedem por eles, junto a colônias dedicadas a outros tipos de assistência. Sabia, porém, de casos pertinentes a vários rematriculados depois dessas refregas. Em compensação, exaltou os prêmios atribuídos aos vencedores. Os aprendizes que são laureados, por meio do aproveitamento substancial dos recursos fornecidos pela organização, aí se honram com admiráveis oportunidades de trabalho em estâncias superiores, conforme os desejos que expressem.

2.9.6 Atingíramos, entretanto, comprido agregado de edifícios, nos quais Andrade informou estarem localizadas diversas atividades de instrução.

Iniciamos vistoria afetuosa.

Os salões de aula comoviam pelas revelações, e os professores pela simpatia. O sexo, por tema central, merecendo o maior apreço.

Os alunos contemplavam gravuras e croquis que configuravam implementos do sexo, com o interesse carinhoso de quem se enternece ante o colo maternal e com a atenção de quem agradece concessões divinas.

Todos nos acolhiam denotando cordialidade, sem que a nossa passagem lhes alterasse a aplicação; contudo, é de salientar a emoção que me empolgava ao observar o crescendo de veneração com que o sexo era homenageado nas diversas faculdades de ensino, pesquisado e enobrecido em cadeiras diferentes. Matérias professadas em regime de especialização. Cada qual atendida em construção apropositada. Sexo e amor. Sexo e matrimônio. Sexo e maternidade. Sexo e estímulo. Sexo e equilíbrio. Sexo e medicina. Sexo e evolução. Sexo e penalogia.[30] E outras discriminações.

---

[30] N.E.: Estudo das punições e medidas de prevenção de crimes.

Disse Andrade que todas as disciplinas são frequenta- 2.9.7
das por grande cópia de alunos, e, tentando saber em quais
delas se inscrevia o número mais extenso, viera a saber que
os assuntos de "sexo e maternidade" e "sexo e penalogia" retinham proeminência franca. O primeiro reúne centenas de
criaturas que se endereçam aos ajustes de lar, na Terra, e o
segundo enfeixa enorme quantidade de Espíritos conscientes
que examinam a melhor maneira de infligirem a si próprios
determinadas inibições, para se corrigirem de hábitos depri-
mentes no curso da reencarnação a que se dirigem. Muitos
chegam a deixar escritas nos arquivos da casa as sentenças
que lavram contra si mesmos, antes de se envolverem nas
provações que consideram necessárias ao aperfeiçoamento e
felicidade que demandam.

Tornavam-se as elucidações de Belino cada vez mais interes-
santes, e refletia, de minha parte, na extensão das obras da cidade
espiritual em que me achava, havia 15 anos, longe de conhecer-
-lhe todos os monumentos de benemerência e cultura, quando
alcançamos a residência do diretor.

Félix, em companhia do irmão Régis, que nos apresentou
por substituto eventual dele, acolheu-nos amavelmente.

Admirei-me.

Não parecia o amigo que se apequenava no Rio para
compartilhar-nos o trabalho. Reverenciado e querido, era ali
distinguido dignitário do conhecimento superior, a quem a administração de Nosso Lar delegara responsabilidades vultosas.
Dirigente e comandante, pai e irmão.

O ambiente no gabinete em que nos alojara, afetuoso, ressumava simplicidade sem negligência, conforto sem luxo.

Por trás da poltrona singela de que se servia, salientava-se
tela de proporções avantajadas, na qual a mão de pintor exímio
gravara o retrato de nobre matrona em prece nas regiões inferiores.

A venerável mulher elevava os braços para o céu plúmbeo, que filtrava revérberos de luz qual se lhe respondesse às rogativas e, em torno dela, magotes de Espíritos conturbados a se rojarem no solo, taciturnos, entre consolados e estarrecidos.

2.9.8 Registrando-nos o assombro, Félix explicou que conservava naquela obra de arte a lembrança de magnânima servidora do Cristo, desconhecida entre os homens, consagrada no mundo espiritual ao socorro de corações mergulhados nas trevas. Visitava as furnas de expiações pungentes, às vezes sozinha, de outras, acompanhada por equipes de colaboradores, amparando, reconfortando... Adotava criminosos desencarnados por filhos da alma, infundia-lhes o ideal da regeneração, levantando-os e instruindo-os. De quando em quando, ele, Félix, ia vê-la no asilo maternal que, ainda hoje, a abnegada educadora sustenta nas regiões sombrias por almenara de amor. Prosseguiu relatando que nesse abrigo permanecem, frequentemente, mais de mil hóspedes, sempre substituídos, uma vez que a benfeitora efetua o encaminhamento constante dos recolhidos a escolas beneméritas, com vistas à reencarnação na Terra ou a estágios de retificação em outras paragens. E informou dever a ela, que nomeava por irmã Damiana, o primeiro contato com a verdade, oitenta anos antes. Guardava aquele quadro, confeccionado a pedido dele próprio, para não se esquecer, nas horas de supremas decisões, nas responsabilidades e encargos de que fora investido, da lama em que um dia se afundara e de que se vira arrebatado por aquela missionária engrandecida no Espaço, a serviço dos infelizes.

Neves, porém, imprimiu novo rumo à palestra, colocando em relevo a satisfação de que nos sentíamos possuídos com a revista proveitosa nos órgãos de ensino, que acabávamos de realizar, e os apontamentos se voltaram para as questões do sexo, que, no Almas Irmãs, assumiam aspectos inusitados.

O irmão Régis explicou que também se surpreendera, a 2.9.9 princípio, com o respeito profundo ali dedicado aos estudos do sexo, em vista da desconsideração com que autoridades políticas, religiosas e sociais terrestres habitualmente o menoscabam, ressalvadas as exceções. E sublinhou, com humor, que nós, os homens, somos contraditórios quando reencarnados, porquanto estamos sempre ávidos de consertar uma tomada em desajuste e queremos sonegar a Deus o direito de socorrer e reabilitar os seus filhos em desequilíbrio emotivo.

O anfitrião, explanando as ideias que nós, os presentes, aventávamos, historiou, em síntese, que na Espiritualidade superior o sexo não é considerado unicamente por baliza morfológica do corpo de carne, distinguindo macho e fêmea, definição unilateral que, na Terra, ainda se faz seguir de atitudes e exigências tirânicas, herdadas do comportamento animal. Entre os Espíritos desencarnados, a partir daqueles de evolução mediana, o sexo é categorizado por atributo divino na individualidade humana, qual ocorre com a inteligência, com o sentimento, com o raciocínio e com faculdades outras, até agora menos aplicadas nas técnicas da experiência humana. Quanto mais se eleva a criatura, mais se capacita de que o uso do sexo demanda discernimento pelas responsabilidades que acarreta. Qualquer ligação sexual, instalada no campo emotivo, engendra sistemas de compensação vibratória, e o parceiro que lesa o outro, até o ponto em que suscitou os desastres morais consequentes, passa a responder por dívida justa. Todo desmando sexual que danifica consciências reclama corrigenda, tanto quanto qualquer abuso do raciocínio. Homem que abandone a companheira sem razão ou mulher que assim proceda, gerando desregramentos passionais na vítima, cria certo ônus cármico no próprio caminho, pois ninguém causa prejuízo a outrem sem embaraçar a si mesmo. Vaticinou que a Terra, pouco a pouco, renovará princípios e conceitos, diretriz e legislação, em matéria de sexo, sob a inspiração da Ciência, que situará o problema das relações sexuais no lugar que lhe é próprio. Empenhou-se a repetir que na crosta planetária os temas sexuais são levados em conta na base dos sinais físicos que diferenciam o homem da mulher e vice-versa; no entanto, ponderou que isso não define a realidade integral, porquanto, regendo esses marcos, permanece um Espírito imortal, com idade às vezes multimilenária, encerrando consigo a soma de experiências complexas, o que obriga a própria Ciência terrena a proclamar, presentemente, que masculinidade e feminilidade totais são inexistentes na personalidade humana, do ponto de vista psicológico. Homens e mulheres, em espírito, apresentam certa percentagem mais ou menos elevada de característicos viris e feminis em cada indivíduo, o que não assegura possibilidades de comportamento íntimo normal para todos, segundo a conceituação de normalidade que a maioria dos homens estabeleceu para o meio social.

2.9.10   Tendo Neves formulado consulta sobre os homossexuais, Félix demonstrou que inúmeros Espíritos reencarnam em condições inversivas, seja no domínio de lides expiatórias ou em obediência a tarefas específicas, que exigem duras disciplinas por parte daqueles que as solicitam ou que as aceitam. Referiu ainda que homens e mulheres podem nascer homossexuais ou intersexos, como são suscetíveis de retomar o veículo físico na condição de mutilados ou inibidos em certos campos de manifestação, aditando que a alma reencarna, nessa ou naquela circunstância, para melhorar e aperfeiçoar-se, e nunca sob a destinação do mal, o que nos constrange a reconhecer que os delitos, sejam quais sejam, em quaisquer posições, correm por nossa conta. À vista disso, destacou que nos foros da Justiça divina, em todos os distritos da Espiritualidade superior, as personalidades humanas tachadas por anormais são consideradas tão carentes de proteção quanto as outras que desfrutam a existência garantida pelas regalias da normalidade, segundo a opinião dos homens, observando-se que as faltas cometidas pelas pessoas de psiquismo julgado anormal são examinadas no mesmo critério aplicado às culpas de pessoas tidas por normais, notando-se, ainda, que, em muitos casos, os desatinos das pessoas supostas normais são consideravelmente agravados, por menos justificáveis perante acomodações e primazias que usufruem, no clima estável da maioria.

E à ligeira pergunta que arrisquei sobre preceitos e preconceitos vigentes na Terra, no que tange ao assunto, Félix ponderou, respeitoso, que os homens não podem efetivamente alterar, de chofre, as leis morais em que se regem, sob pena de precipitar a Humanidade na dissolução, entendendo-se que os Espíritos ainda ignorantes ou animalizados, por enquanto em maioria no seio de todas as nações terrestres, estão invariavelmente decididos a usurpar liberalidades prematuras para converter os valores sublimes do amor em criminalidade e devassidão. Acrescentou, no entanto, que no mundo porvindouro os irmãos reencarnados, tanto em condições normais quanto em condições julgadas anormais, serão tratados em pé de igualdade, no mesmo nível de dignidade humana, reparando-se as injustiças assacadas, há séculos, contra aqueles que renascem sofrendo particularidades anômalas, porquanto a perseguição e a crueldade com que são batidos pela sociedade humana lhes impedem ou dificultam a execução dos encargos que trazem à existência física, quando não fazem deles criaturas hipócritas, com necessidade de mentir incessantemente para viver, sob o Sol que a Bondade divina acendeu em benefício de todos. 2.9.11

A conversação era fascinante, mas um companheiro de serviço veio avisar que dona Beatriz se achava pronta a receber-nos.

Demandamos o interior.

O chefe apresentou-nos duas senhoras que lhe partilhavam o refúgio doméstico, Sara e Priscila, que lhe haviam sido irmãs consanguíneas na Terra. Ambas de cativante simpatia na lhaneza de trato.

2.9.12 Notificou Félix que, a princípio, ali morava junto de colaboradores afeiçoados; no entanto, nos anos últimos, conseguira que as duas manas, servindo em outros setores, se transferissem para o Almas Irmãs, a fim de trabalharem juntos, preparando o futuro. Remanesciam os três de família cujos membros, em quase todo o conjunto, se achavam novamente domiciliados na esfera física, e, aparteando, Sara chasqueou, afiançando que não se demoraria a tomar o mesmo rumo.

Parando, de trecho a trecho, para conhecer minudências do extenso átrio que atravessávamos, fiquei sabendo que o instituto sustenta zonas residenciais, além dos edifícios reservados à administração, ao ensino, à subsistência e à hospitalização transitória. Aí se acomodam famílias inteiras, casais, Espíritos em conjunções afetivas e repúblicas de estudiosos que se visitam ou recebem amigos de outras organizações e de outras plagas, efetuando excursões edificantes e recreativas ou atendendo a empresas artísticas e assistenciais, de permeio com as obrigações de rotina.

Satisfazendo-nos as inquirições, Félix informou que Marita se encontrava naquele mesmo sítio, internada num parque destinado a convalescentes; todavia, não nos encorajou o impulso de revê-la, assim de imediato, por achar-se bastante traumatizada, conquanto tranquila. A desencarnação precoce acarretara-lhe prejuízos. Ele, porém, rogara de orientadores amigos as possíveis concessões, a fim de que fosse reposta, com urgência, no ambiente familiar do Rio, de modo a que se não perdessem medidas em andamento para o resgate do pretérito. O decesso prematuro representara fundo golpe no programa estabelecido ali, no Almas Irmãs, anos antes; contudo, nutria a esperança de reparar as brechas, restituindo-a ao convívio dos entes caros, pela reencarnação de emergência. Dessa forma, aproveitaria oportunidade e clima de serviço, à maneira de operário que muda de máquina sem se afastar da oficina. O processo alusivo ao retorno tramitava, desde a véspera, nos órgãos competentes, pelo que não julgava oportuno interessá-la em assuntos suscetíveis de lhe modificarem a mente, voltada para o reduto doméstico.

Neves abordou a tese referente ao dia determinado para a desencarnação, defendida por alguns religiosos na Terra, ao que Félix enunciou: 2.9.13

— Sim, não nos é lícito desacreditar os ensinamentos religiosos. Há planos prefixados e ocasiões previstas com relativa exatidão para o deperecimento do veículo físico; no entanto, os interessados costumam alterá-los, seja melhorando ou piorando a própria situação. Tempo é comparável a crédito que um estabelecimento bancário empresta ou retira, segundo as atitudes e diretrizes do devedor. Não podemos, assim, olvidar que a consciência é livre para pensar e agir, tanto nas áreas físicas quanto nas espirituais, mesmo quando jungida às consequências do passado culposo...

E, sorrindo, rematou:

— Qualquer dia é dia de criar destino ou reconstituir destino, uma vez que todos somos consciências responsáveis.

Nesse ínterim, fomos defrontados pelo aposento da senhora recém-desencarnada, a quem Sara e Priscila dispensavam cuidados especiais.

Beatriz remoçara.

No semblante, a circunspeção que lhe conhecíamos, mas nos olhos o clarão juvenil da criatura que retoma aspirações de há muito esmaecidas.

Neves aproximou-me. Conversamos. Declarava-se encantada, agradecida aos hospedeiros. Falava como se estivesse num lar de pessoas desconhecidas, sem suspeitar das atenções que recebera de Félix antes de liberar-se do corpo enfermiço.

2.9.14   A palestra deslizou sobre os patins da ternura recíproca. Ela reconhecida e os anfitriões satisfeitos.

Assuntos numerosos vieram à baila. Notava-se que Félix se empenhava em distraí-la, desentranhando-lhe o pensamento fincado no antigo lar. Todos nos esforçávamos por induzi-la a esquecimento construtivo; entretanto, mesmo assim, adivinhando-nos na fase terminal do reencontro, aquele coração generoso de mulher não deixou de se patentear, lembrando a Neves que, até aquele momento, ainda não obtivera qualquer notícia da mãezinha que os precedera no mundo espiritual, tantos anos antes, como também rogava para que os circunstantes a favorecessem com uma visita, na primeira oportunidade, à casa que ficara na Terra. Discípula aplicada do ambiente renovador em que se reconhecia, solicitou com os olhos marejados de pranto que lhe desculpássemos o apego à retaguarda, mas isso acontecia, acentuou com humildade e grandeza de alma, porque acreditava ter sido no mundo imensamente feliz, entre as mulheres mais felizes, ao lado de um esposo que, na apreciação dela, era dos companheiros mais leais do mundo e pai do melhor dos filhos...

A noite avançara.

Neves confortou-a, propiciando-lhe esperanças, e, enquanto nos despedíamos, demandando o repouso, refleti na transformação do amigo que aprendera a colocar o amor por cima de mágoas recalcadas, a endereçar afetuoso sorriso para a filha confiante e adiando a verdade para momento oportuno.

10

Precedendo o descanso, entendi-me a sós com Félix, 2.10.1
que me aprovou o desejo de continuar prestando assistência a
Nogueira e à filha.

Cientificara-se o instrutor de todos os sucessos em curso,
mas solicitava minudências. Ouviu-me a exposição, preocupado,
e deduziu que as dificuldades de Cláudio e Marina atingiam o
clímax. Necessário apoiá-los, socorrê-los. Mediante os compromissos em que se emaranhavam, impossível alinhar previsões.

O benfeitor falava sereno. Para mim, porém, muito fácil
verificar-lhe o suplício oculto. De quando em quando, lágrimas
lhe umedeciam os olhos, que ele, padrão de coragem, não chegava a derramar.

Mesmo assim, contendo a emotividade, sugeriu providências e articulou planos. Que eu voltasse, encetando a nova etapa de assistência, junto de Marina, em Botafogo. Apreciava em
Moreira um cooperador diligente que o tempo se incumbiria de
valorizar; todavia, supunha trabalho complexo demais para ele
sozinho — o encargo de manter a jovem doente livre dos vampirizadores, cujo número aumentava com as atitudes inesperadas

de Márcia, estimulando Nemésio a uma aventura que raiava pela demência. Que me reunisse, desse modo, a Moreira, alentasse Marina, estendesse os braços para Cláudio e, quanto nos fosse possível, amparasse Márcia e os dois Torres, sempre que nos propiciassem os meios para isso. Prometeu que nos acompanharia, confiando na bênção do Senhor, que a tudo prevê e provê nas horas justas.

2.10.2 Compreendi. Félix sofria conformado. Chorava por dentro.
Acatando-lhe as instruções, no dia seguinte dispus-me ao retorno. Antes, porém, de empreender o regresso, porque me interessasse pelos assuntos de sexo e penalogia, refletindo nas enfermidades obscuras que enxameiam na Terra, o próprio Félix conduziu-me, de passagem, a pequeno palácio, localizado no centro da instituição. "Casa da Providência", esse o nome com que o edifício é designado. Curioso foro do Almas Irmãs, onde dois juízes funcionam, atendendo aos petitórios formulados pelos integrantes da comunidade, relativos aos irmãos reencarnados na esfera física.

De entrada, faceando com dezenas de pessoas que iam e vinham, Félix, sempre cumprimentado com apreço por todos os passantes, explicou-me que ali somente se organizavam processos de auxílio e corrigenda relacionados aos companheiros destinados à reencarnação e aos que já se achassem no estágio físico, espiritualmente ligados aos interesses do instituto. Renascimentos, berços torturados, acidentes da infância, delitos da juventude, dramas passionais, lares periclitantes, divórcios, deserções afetivas, certas modalidades de suicídio tanto quanto moléstias e obsessões resultantes de abusos sexuais e uma infinidade de temas conexos são aí examinados, segundo as rogativas e as queixas entregues aos pronunciamentos da justiça. A "Casa da Providência" apenas delibera em definitivo sobre os problemas que se limitem ao Almas Irmãs; contudo, os casos, em maioria, revelam derivações para outros setores. Nessa hipótese, as questões são aí discutidas de começo, seguindo para instâncias superiores. Ainda assim, os dois magistrados amigos e ele mesmo, Félix, que é constrangido pela força do cargo a estudar e informar todas as peças, uma por uma, não decidem só por si. Um conselho constituído por dez orientadores, seis companheiros e quatro irmãs, com méritos suficientes perante a Governadoria da cidade, opina, por meio de assembleias semanais, em todas as recomendações e diligências, aprovando-as ou contrariando-as, a fim de que as decisões não se comprometam em arbitrariedades. Alegou, talvez por humildade, que, em muitas ações, fora esclarecido muito mais pelos pareceres dos juízes e dos conselheiros que pelo próprio critério, o que lhe fornecia dobradas razões para respeitá-los. Clareando com mais segurança os informes iniciais, voltou a esclarecer que mais da metade dos autos tramita na direção de autoridades do Ministério da Regeneração e do Auxílio, que, aliás, primam pela rapidez nos despachos e provimentos.

No corpo do edifício, seguimos por vias interiores, no rumo do gabinete central. 2.10.3

Félix, que se achava ali unicamente para favorecer-me, não se atribuía o direito de penetrar, intempestivamente, no salão de audiências públicas, onde a massa de requerentes e querelantes se acomodava. Alguns talvez lhe dirigissem apelos pessoais, no intuito, embora vão, de pressionar os julgadores, inconveniência que era preciso evitar.

Em recinto sóbrio, o instrutor deu-me a satisfação de saudar o juiz Amantino, que se achava em serviço, acompanhado de cinco auxiliares. Ambiente digno, em que a direção e a subalternidade não se confundem, conquanto reunidas pela cordialidade na base do acatamento recíproco.

2.10.4   A chegada de Félix provocou afetuoso tumulto que ele próprio suprimiu, avisando que se tratava de contato ligeiro. Apenas uma vista de olhos. E frisou que eu voltaria, mais tarde, com tempo bastante para engolfar-me no estudo.

Os colaboradores retomaram posição. Amantino, porém, pelo jeito, queria ofertar-nos alguns minutos de atenção, que era forçoso receber.

Sentamo-nos.

Mais para corresponder à gentileza que pelo propósito de analisar de afogadilho os mecanismos da casa, que exigiam aturada consideração, perguntei pela percentagem dos companheiros que regressam, absolutamente irrepreensíveis, da existência terrestre, segundo as conclusões daquele templo de justiça, e o interpelado respondeu com humor que principiávamos o interrogatório manejando inesperada proposição. Elucidou, afirmando que em apontamentos fiscalizados de quase oitenta anos consecutivos, a média de irrepreensibilidade não excedia de cinco em mil, não obstante surgirem fichas honrosas de muitos que atingiam até mais de noventa por cem na matéria de distinção absoluta, o que, no Almas Irmãs, representa elevado grau de mérito.

Articulando novas inquirições, Amantino aclarou que, apesar da equidade nos julgamentos, prevalece o rigor no registro de todas as culpas e defecções dos reencarnados, para que não se afrouxe a disciplina; no entanto, os limites da tolerância, na Espiritualidade superior, são mais amplos. Isso porque os árbitros e mentores não se valem exclusivamente dos textos, mas também dos princípios de compreensão humana que lhes palpitam nas consciências e, usando a própria consciência, o executor da lei não ignora as dificuldades que se antepõem às criaturas para que se conduzam em medidas de correção integral, no dédalo dos próprios sentimentos, quase sempre ainda tisnados pela eiva da animalidade primitiva.

Aproveitei o assunto e indaguei sobre o divórcio.

2.10.5

O juiz atendeu. Reconhecendo-se que todos os matrimônios terrestres, entre as pessoas de evolução respeitável, se efetuam na base dos programas de trabalho previamente estabelecidos, seja em questões de benefício geral ou de provas legítimas, o divórcio é dificultado, nas esferas superiores, por todos os meios lícitos; contudo, em muitos casos, é permitido ou prestigiado, sob pena de transformar-se a justiça em prepotência contra vítimas de crueldades sociais que a legislação na Terra, por enquanto, não consegue remediar, nem prever. Surgido o problema, o companheiro ou a companheira responsável pela ruptura da confiança e da estabilidade da união conjugal passa à condição de julgado. A vítima é induzida à generosidade e à benevolência, por meio dos recursos que a Espiritualidade superior consiga veicular, a fim de que não se frustrem planos de serviço, sempre importantes para a comunidade, compreendendo-se dentro dela os Espíritos encarnados e os desencarnados, cujas vantagens são recíprocas com a humildade e a benemerência de qualquer dos seus membros. Em razão disso, alcançam a pátria espiritual, na condição de enobrecidos filhos de Deus, as grandes mulheres e os grandes homens justificadamente considerados grandes diante da Providência, quando suportam, sem queixa, as infidelidades e as violências do parceiro ou da parceira de reduto doméstico, esquecendo incompreensões e ultrajes recebidos, por amor às tarefas que os desígnios do Senhor lhes colocaram nos corações e nas mãos, seja no amparo moral à família consanguínea ou na sustentação das boas obras. Os que possuem semelhante comportamento dignificam todos os grupos espirituais a que se entrosam e, venham dessa ou daquela religião, desse ou daquele clima do mundo, são acolhidos sob galardões de heróis verdadeiros, por haverem abraçado sem revolta os que lhes espancavam a alma, sem repelir-lhes a afeição e a presença. No entanto, os que patenteiam incapacidade de perdoar as afrontas, conquanto se lhes lastime a ausência de grandeza íntima, são igualmente amparados, no desejo de separação conjugal que revelem, adiando-se-lhes os débitos para resgates futuros e concedendo-se-lhes as modificações que requeiram. Chegados a esse ponto, o homem ou a mulher continuam recolhendo o apoio espiritual que lhes seja preciso, segundo o merecimento e a necessidade de cada um, atribuindo-se tanta liberdade e tanto respeito ao homem quanto à mulher, no que tange à renovação de companhia e caminho, com as responsabilidades naturais que lhes decorram das decisões.

2.10.6 — Assim acontece — ajuntou Amantino compreensivo — porque a divina Providência manda exaltar as virtudes dos que amam sem egoísmo, sem desconsiderar o acatamento que se deve às criaturas de vida reta espoliadas no patrimônio afetivo. Os executores das leis universais, agindo em nome de Deus, não aprovam a escravidão de ninguém e, em qualquer sítio cósmico, se propõem levantar consciências livres e responsáveis, que se elevem para a suprema Sabedoria e para o Amor supremo, veneradas e dignas, ainda mesmo que para isso escolham multimilenárias experiências de ilusão e de dor.

Impressionado, inquiri sobre a moral nos países terrestres, onde um homem guarda o direito de possuir várias esposas. Amantino, porém, destacou que a poligamia, mesmo aparentemente legalizada entre os homens, é uma herança animal que desaparecerá da face do mundo e que, achando-nos numa estância inspirada pelos ensinamentos do Cristo, não nos cabia olvidar que, perante o Evangelho, basta um homem para uma mulher e basta uma mulher para um homem. Ponderou que há provações e circunstâncias difíceis em que o homem ou a mulher são chamados à abstenção sexual, no interesse da tranquilidade e da elevação daqueles que os cercam, situação essa que não modificam sem alterar ou agravar os próprios compromissos.

Perguntei se a Casa providenciava auxílio, conforme a extensão dos erros. Ele redarguiu, bem-humorado, que o auxílio se verifica justamente pela extensão dos acertos. Quanto mais exato o Espírito reencarnado, na prática dos deveres que lhe competem, mais amparo recolhe nos dias obscuros em que resvale no desatino. Qualquer pedido de ajuda ali formulado, antes de tramitar, é analisado à luz de contabilidade segura, pelo documentário pertencente ao candidato para quem se requisita favor. Acertos como haveres, desacertos por débitos. Somados uns e outros, verifica-se, de imediato, até que ponto será possível ou aconselhável o atendimento, determinando-se a média do auxílio atribuível a cada petitório individual. Salientou, entretanto, que, nessa clara aplicação do direito, muitos requerimentos de socorro, nas diligências empreendidas, se transformam, automaticamente, em provisões de corrigenda, porque, se escasseassem créditos aos interessados, sobejando dívidas, o resguardo assumia a forma de emenda, o que, às vezes, irritava os solicitantes, sem que lhes fosse possível modificar o curso da justiça. Nesse sentido, as preces ou mesmo apenas as vibrações de alegria e reconhecimento de todas as criaturas encarnadas ou desencarnadas, beneficiadas pelos requeredores, funcionam à guisa de abonos e cauções de significado muito importante para cada um, tanto ali quanto em qualquer lugar, sublinhou Amantino, convincente. Creia ou não na imortalidade, qualquer pessoa é alma eterna. Por isso, independentemente da própria vontade, as leis da Criação marcam no caminho de todo Espírito os bens ou os males que pratique, devolvendo frutos na base da sementeira. Efetuando-se o aperfeiçoamento moral de etapa em etapa e compreendendo-se a existência física por aprendizado da alma, entretecido de

2.10.7

acertos e desacertos, com raras exceções a individualidade, em qualquer plano da vida, é apreciada e sustentada, acima de tudo, pelo rendimento de utilidade com que se caracterize no bem comum. Isso, destacou o juiz, é princípio geral da Natureza. Árvore benfeitora atrai a defesa imediata do pomicultor. Animal prestimoso recebe do dono cuidados especiais. Lícito que a pessoa, quanto mais valor demonstre para a coletividade, na Terra ou em outras paragens, mais devotamento receba das esferas superiores.

2.10.8 De nossa parte, nenhuma objeção. Todas as ponderações articulavam-se ali em direito líquido, espontâneo.

Enunciei o propósito de saber como se operavam as audiências; todavia, diante da recusa de Félix, que não concordava em alterar o serviço, Amantino propôs se ouvisse, pelo menos, um caso, ali mesmo no gabinete, para que mostra ligeira me fosse facultada.

O instrutor anuiu, solicitando, porém, a presença de dois sentinelas capazes de guarnecerem a entrada.

Estranhei a exigência do amigo, cuja simplicidade me habituara a venerar; no entanto, o inesperado se encarregaria de sossegar-me.

Descerrada a passagem, uma senhora triste compareceu.

Assinalando a presença de Félix, esqueceu-se da autoridade de que Amantino se achava revestido e precipitou-se na direção do instrutor, prosternando-se de joelhos.

Félix acenou para os guardas e recomendou que a levantassem.

Apenas aí cheguei a entender que o mentor se preparara, de antemão, a rejeitar qualquer manifestação de idolatria, fugindo à lisonja que ele usualmente não suportava.

A recém-chegada, não obstante contrafeita, foi constrangida a falar de pé, mantida por aqueles que a sustentavam.

— Instrutor, tenha compaixão de nós! — chorou a mulher, entregando-lhe os autos que trazia. — Roguei proteção para minha filha e veja o resultado... Manicômio, manicômio... Coração de mãe concorda com isso? Impossível, impossível...
 O benfeitor leu a peça e obtemperou:
— Jovelina, sejamos fortes e razoáveis. O despacho é justo.
— Justo! Pois o senhor não conhece minha filha?
— Ah! sim — disse Félix com indefinível tristeza a lhe velar o semblante — Iria Veletri... Lembro-me de quando se ausentou, há 36 anos... Casou-se aos 18 e se desligou do marido, homem digno, aos 26, unicamente porque não pudesse o companheiro sustentar-lhe a vocação para o luxo desmesurado. Em oito anos de ligação conjugal, nunca se portou à altura dos compromissos e praticou seis abortos... Abandonando o lar e afundando-se em prostituição, foi convidada, indiretamente, e por várias vezes, sob a inspiração de amigos daqui, para que se afastasse dos hábitos dissolutos, fazendo-se mãe respeitável de filhos que, embora nascidos do sofrimento, se lhe transformariam, com o tempo, em tutores e companheiros abnegados... Diversos tentames foram empreendidos... Iria, no entanto, expulsou todos os filhinhos, arrancando-lhes do seio o corpo em formação... Seis abortos até agora e, até agora, nada fez que lhe recomende a permanência do mundo... Não lhe consta da ficha o mínimo gesto de bondade diante dos semelhantes... Ela própria se entregou de bom grado aos vampirizadores que lhe desgastam as energias... E a nossa Casa não lhe opôs contradita à vontade de viver assim obsidiada, para que não continue convertendo o claustro materno em antro da morte...

E., deixando entrever funda melancolia no olhar, rematou, enlaçando-a com paterna solicitude:

— Ah! Jovelina, Jovelina!... Quantos de nós aqui teremos filhos amados, nos hospícios da Terra... O manicômio é também refúgio levantado pela divina Providência para expurgar nossas culpas... Volte aos afazeres e honre a filha, trabalhando e servindo mais... Seu amor de mãe será junto de nossa Iria assim como a luz que remove as trevas!...

2.10.10   A requerente fitou os olhos do instrutor, olhos que lhe falavam de recôndito martírio moral, e agradeceu, engasgada de angústia, beijando-lhe a destra com humildade.

A sala retomou a feição própria, mas a entrevista não estimulou comentários.

Separei-me dos novos amigos e, a poucos passos, fora do edifício, despedi-me também de Félix.

Mais algumas horas e entrei na clínica de nervosos, em Botafogo.

Marina, sob as atenções de Moreira, dormia agitada.

11

Na casa de saúde, Marina exigia cuidado, vigilância. Entre os bastidores da luta, empenhávamo-nos nisso, Moreira e nós, e, por fora, Cláudio e Salomão entrelaçavam energias, garantindo cooperação.

O apoio espiritual, conjugado à Medicina, funcionava com segurança.

Mesmo assim, complicavam-se os problemas em derredor. Nemésio e Márcia, após cinco semanas no clima da serra, retornaram ao Rio, algo modificados pela aventura. Ela interessada em ligação definitiva; ele, hesitante. Instado a patrocinar-lhe o desquite, recuara de pronto. Tinha medo. Não receava, porém, as gralhas do mundo social. Temia a si próprio. Aquele mês de folga, nos braços da mulher que não esperava, insuflara-lhe inquietação. Não que Márcia perdesse para ele os encantos com que o seduzira. Assustava-se consigo mesmo junto dela. Nas excursões, chamava-lhe "Marina". Acordava, alta noite, supondo-se com a jovem que aceitara por noiva, sonhava reencontrá-la, qual se estivessem os dois na meninice, e, sonâmbulo, costumava formular confissões de amor, como nos tempos em que Beatriz se derreava no leito.

2.11.1

2.11.2   Por várias vezes, fomos arrancá-lo dessas crises, movimentando recursos magnéticos, notando-lhe as sensações de alívio ao verificar que Márcia, experiente e maternal, sabia tolerá-lo, compreendê-lo...

A esposa de Cláudio, a seu turno, não obstante se propusesse cativá-lo, reconhecia o obstáculo. Percebia claramente que Nemésio trazia a menina fixada à lembrança. O negociante amava-lhe a filha, pertencia-lhe pela alma, embora não lhe recusasse apreço e ternura. De começo, quis estrilar. Em seguida, calculou, como de hábito, e concluiu que não se achava pessoalmente num caso de amor, e sim numa transação, cujas vantagens não se dispunha a perder. No fundo, pouco lhe importava que ele adorasse a moça. Aspirava a prendê-lo, ganhar-lhe a fortuna e a confiança. Para isso engenhava todos os modos de se fazer necessária. Ordens atendidas, refeições prediletas, gotas estimulantes na hora certa, chinelas à mão...

Solicitado por ela a optar pelo casamento em país que aprovasse o divórcio, Nemésio prometia satisfazê-la; entretanto, de volta ao Rio, preferiu mantê-la em casa de Selma, a companheira que residia na Lapa, mencionando Gilberto. Importante não se reunissem de vez, até que lhe conseguisse a mudança. Organizava interesses comerciais em cidade do Sul, para removê-lo. Que Márcia aguardasse, e Márcia esperava, apesar de se acharem ambos em conjunção incessante. Passeios, jantares, diversões, noitadas...

Gilberto, no entanto, parecia a si mesmo desacoroçoado, abatido. Criança sem guia, navegante sem bússola. Sem o menor incentivo ao trabalho e sem âncoras de ideal que lhe governassem os sentimentos, esbanjava o dinheiro paterno. Farra e uísque. Muita vez, embriagado, falava em suicídio, referindo-se a Marina, distante. Sentia-se derrotado, infeliz. Aqui e ali, ouvia apontamentos desairosos a respeito do pai e de dona Márcia, por intermédio de amigos, mas trazia ainda uns restos de nobreza para rechaçar aquilo que considerava invencionice e maledicência. Sabia o genitor descansando e não ignorava que dona Márcia demandara igualmente o repouso. E, para defendê-los, esbravejava frenético, quase sempre bêbado e atuado por alcoólatras desencarnados, que o manobravam facilmente como se maneja uma taça.

Todavia, no centro das derrocadas, o Espírito Félix reconstruía... 2.11.3

Após dois meses de tratamento, Marina regressou ao Flamengo, resguardada pelo carinho paterno.

Em horas breves, inteirou-se da nova situação.

Perdera a assistência maternal e não desconhecia os empeços com que devia contar, a fim de reerguer-se na profissão. Informara-se, por intermédio de enfermos recuperados, que se tornava habitualmente muito difícil a obtenção de emprego para egressos de hospício.

A princípio, alimentava complexos, sofria. Contudo, encontrara um pai cuja grandeza de coração até ali ignorara e uma fé que lhe reabilitava a esperança.

Cláudio cercou-a de meiguice e bondade. Repletava-se o apartamento de mimos e flores, e os textos espíritas, lidos por vezes com lágrimas, lhe infundiam a consoladora certeza nas verdades e nas promessas do Cristo, que passara a aceitar por mestre da alma. Acolheu a amizade de Salomão, qual se lhe fosse filha, e inscreveu-se entre aqueles que constituíam agora para Cláudio a família espiritual. Interessou-se por singelo serviço beneficente, mantido em favor de pequeninos desamparados, junto de senhoras consagradas ao socorro de irmãs infelizes. E quando o genitor convidou-a para que se afeiçoassem ao culto semanal do Evangelho no lar, recolheu, entusiasmada, a sugestão, rogando a Nogueira instalassem dona Justa, viúva e sozinha, em definitivo, junto deles em casa. A antiga servidora, contente, foi guindada à condição de governanta, com a segurança de parenta feliz.

2.11.4   A vivenda ressumava tranquilidade; não obstante, Moreira e nós outros prosseguíamos atentos na defensiva.

Conversações e leituras, tarefas e planos surgiam por flores auspiciosas que Félix, de quando em quando, vinha ver, encantado, partilhando-nos júbilos e orações.

A respeito de Nemésio e dona Márcia, o silêncio. Pai e filha empenhavam-se no propósito de olvidá-los, mas Gilberto... Amigos solicitavam para ele compaixão e socorro. O rapaz afundava-se. Largado, abatido. Pileques, correrias. Se Cláudio e Marina não pudessem protegê-lo, pelo menos lhe providenciassem a hospitalização.

Como negar-lhe apoio?

Cláudio notou que a filha ainda amava o rapaz enternecidamente, ardentemente, e decidiu-se a respeitar-lhe as decisões.

Após entendimentos ponderosos, atendendo às indicações de Marina, o bancário escolheu a ocasião que lhe pareceu favorável e abraçou-o numa churrascaria do Leme. Partilharam lanche rápido e Nogueira convidou-o para jantar no dia seguinte. Ele e a filha esperá-lo-iam em casa. Torres filho sorriu e comprometeu-se.

Seis meses haviam corrido sobre a transformação de Cláudio, e maio, ao entardecer, abanava o Rio com as brisas refrigerantes que desembocavam do mar.

Gilberto compareceu no momento previsto. Tristonho, sóbrio. De começo até a refeição, reportou-se a banalidades, sofrimentos, malogros. Confessava-se fracassado, deprimido. Pouco a pouco, no entanto, compenetrou-se de que se achava entre dois corações que lhe aprumavam os sentimentos e elevou o nível da palavra.

O anfitrião interferia na conversa com a prudência de um pai, e a moça exprimia-se com segurança, entremostrando nos olhos o amor e a esperança inextintos.

O visitante experimentava-se reconfortado. Conjeturava-se mergulhado num banho de forças balsâmicas. Imaginava-se de retorno ao lar antigo, refletia na mãezinha que a morte arrebatara, e chorou... 2.11.5

O chefe da família, comovido, quanto Moreira e nós, diante daquela explosão de lágrimas, acariciou-lhe a cabeça e perguntou por que lhes abandonara a amizade.

Gilberto desabafou, noticiando que o genitor o chamara a contas. Denunciara-lhe Marina por jovem desencaminhada. Asseverara-lhe que ele próprio, Nemésio, lhe desfrutara o carinho, descrevera-lhe intimidades, inteirara-o de que a escolhida se desmoralizara, que não servia para casar e ameaçara-o, constrangendo-o, por fim, a alegar que desistia de futura ligação com ela, por sabê-la doente... Afastara-se por semelhantes razões, embora continuasse amando a moça, com quem, aliás, não tinha a intenção de se reconciliar, levando em conta as acusações havidas...

Marina, acabrunhada, não confirmou nem se defendeu. Restringiu-se a chorar discretamente, enquanto Cláudio se esforçou por harmonizar os dois corações desavindos.

Moreira, que assumira apaixonadamente a defesa da menina, perdeu a calma. Retomou a insolência de que desertara e clamou para mim, em voz alta, que, apesar de possuir seis meses de Evangelho, sentia muita dificuldade para não reunir a turma dos companheiros de outro tempo a fim de punir o velho Don Juan, com o rigor de meirinho implacável.

Apreensivo, roguei a ele se calasse por amor ao bem que nos propúnhamos realizar.

Moreira assustou-se ao me ouvir a recomendação incisiva. Expliquei-lhe que, nas imediações, irmãos infelizes teriam ouvido a intenção que ele formulara e quantos simpatizassem com a ideia, com toda a certeza, demandariam a residência dos Torres, sondando brechas.

2.11.6   Vali-me do ensejo para transmitir-lhe avisos que me foram extremamente úteis, nas minhas primeiras experiências de homem desencarnado em processo reeducativo.

Disse-lhe que aprendera de vários benfeitores que o mal não merece qualquer consideração além daquela que se reporte à corrigenda. Entretanto, se ainda não conseguimos impedir-lhe o acesso ao coração, na forma de sentimento, é forçoso não se pense nele; contudo, se não contamos com recursos para arredá-lo imediatamente da cabeça, é imperioso evitá-lo na palavra, a fim de que a ideia infeliz, já articulada, não se faça agente vivo de destruição, agindo por nossa conta e independentemente de nós. Salientei que o ambiente ali jazia limpo de influências indesejáveis; no entanto, ele, Moreira, falara abertamente e companheiros não distantes, interessados em nosso regresso à crueldade mental, teriam assinalado a sugestão...

Gilberto despedira-se.

Moreira, nos apuros do aprendiz que reconhece a prova errada, perguntava o que fazer, mas não tive dúvida. Esclarecemos que habitávamos agora o plano espiritual, onde pensamento e verbo adquirem muito mais força de expressão e de ação que no plano físico, e que não nos restava alternativa senão seguir, ao lado de Torres filho, de maneira a observar até que ponto se alargara o perigo, a fim de remediá-lo.

O amigo, inquieto, pela primeira vez, depois de muito tempo, deixou o lar dos Nogueiras e acompanhou-me.

Ambos nós, de carro, faceando com o jovem, absorto...

O rapaz entrou em casa, lembrando Marina modificada... Aqueles cabelos penteados com singeleza, o rosto tratado sem excessos, os modos e as frases sensatas e Cláudio a informar, sem queixa, que dona Márcia, ultimamente, andava sempre fora para descanso, o clima doméstico destilando tranquilidade... Tudo aquilo era para ele coisa nova, sensação nova... Sentia-se perturbado, experimentava remorsos pela franqueza de que se utilizara, sem saber se fora ciumento ou descortês.

Instintivamente, tomou a direção do quarto que a jovem ocupara e onde a vira desfalecente... 2.11.7

Queria recordar-se, refletir.

Seguíamo-lo, obedecendo às disposições do tapete macio; entretanto, ao rodar, de leve, a maçaneta, como quem não pretendia apartar-se do sonho, viu, assombrado, através da porta entreaberta, que o genitor e dona Márcia se beijavam e, em torno deles, sobressaía, para a nossa visão espiritual, a chusma dos amigos conturbados, para cujos serviços Moreira apelara inconscientemente... Aqueles vampirizadores, registrando a indireta, mostravam-se em atividade, metamorfoseando simples impulsos de afeto do par outoniço em voluptuoso arrebatamento.

Nemésio, de costas, foi visto sem ver, qual ocorrera com ele próprio, Gilberto, meses antes, e, como acontecera a Marina, dona Márcia, situada de frente, observou-lhe a chegada e o espanto que lhe terrificara a fisionomia...

O rapaz afastou-se, na ponta dos pés, mordido de angústia. A dúvida esmagava-o. O ídolo paternal ruíra de chofre. Teria realmente o pai razões verdadeiras para separá-lo da jovem que ainda amava?!

De nosso lado, porém, fazia-se indispensável a colaboração em favor de Moreira, arrependido. O amigo avançara para a quadrilha que o complicava, supondo aprazê-lo, oscilando entre a revolta e a paciência.

Interferi, rogando serenidade. Acatássemos Nemésio e a companheira, não tínhamos o direito de escarnecê-los, escarmentá-los.

O bando retirou-se e Moreira transferiu atenções para dona Márcia, que, suficientemente ladina para criar problemas, não desmaiou, à feição da filha. Raciocinando friamente, desligou-se de Torres pai sem alarde e afagou-lhe a testa, afirmando que viera da Lapa unicamente para vê-lo, porquanto se afligira ao notá-lo indisposto na véspera. Não pretendia lesar-lhe a saúde. Auxiliou-o a deitar-se no leito próximo, de onde evidentemente o amigo se levantara a fim de recebê-la, e, após dirigir-lhe conselhos afetuosos, afastou-se, pretextando a necessidade de se entender com empregadas.

2.11.8 Fora, no corredor, perguntava a si própria de que maneira contornar a dificuldade. Conquanto impassível quando se tratava de preservar interesses, ainda era mãe e pensava na filha. Seria justo azará-la, envenenando o ânimo de Gilberto? Nada fazer por Marina, reaproximando-os? Não seria desmoralizar-se, de todo, permitindo que o moço a interpretasse por mulher sem escrúpulos, já que talvez um dia viessem a ser madrasta e enteado?

Moreira aproveitou aqueles minutos de reconsideração e enlaçou-a, respeitoso, pedindo-lhe piedade. Favorecesse Marina, apoiando Gilberto. Buscasse o rapaz, enquanto usufruía oportunidade, conversasse com ele, apaziguasse os jovens...

Enternecido, aproximei-me também dela e supliquei-lhe a intercessão. Ela podia ajudar. Não tencionava reconciliar-se com Cláudio, queria efetivamente o desquite. Por que não praticar um ato de justiça e caridade para com a filha doente, encaminhando aquele menino entregue à decadência moral ao matrimônio digno? Recolhera Marina nos braços de mãe, dera-lhe as cantigas do berço, orientara-lhe a infância, preparara-lhe o sentimento para a felicidade... Como largá-la, assim, num momento em que o destino lhe facultava todos os recursos para estender-lhe as mãos? A esposa de Cláudio, ao impacto dos argumentos que assimilava em forma de reflexões, rememorou o passado e chorou. Naquele instante, o sentimento pulsava-lhe puro, como na noite em que a víramos, tomada de indignação e de dor, ao defender Marita em casa de Crescina. Entre a consciência e o coração, não havia lugar para o cálculo astucioso. Não titubeou. Dirigiu-se ao aposento de Gilberto, entrou com a sem-cerimônia de mãe que assiste um filho, sentou-se à beira da cama em que o rapaz se abatera, amuado, e falou-lhe lacrimosa. Principiou, rogando-lhe desculpas. Em seguida, pediu-lhe permissão para confessar-lhe que ela e Nemésio se amavam, há tempos. E, num rasgo de generosidade que a elevava, mentiu pela felicidade da filha... Comunicou-lhe que, desde muito, se desligara de Cláudio, cuja presença infelizmente não mais tolerava, e declarou que, antes do falecimento de dona Beatriz, se tornara íntima de Nemésio, com quem se encontrava, amiúde, em lances clandestinos. Acentuou, com inflexão estudada para impressionar o interlocutor, que errara, lamentavelmente, ao consentir que a jovem se tornasse enfermeira da senhora Torres, porquanto, desde aí, possuía razões para supor que o velho lhe cobiçava a filha. Reconhecendo-o interessado nela, enciumara-se... Venerava, porém, a grandeza espiritual de dona Beatriz, a quem estimava de longe, e tivera forças para aguardar-lhe a morte, antes de assumir qualquer atitude. Desfeito o impedimento, resolvera abandonar a casa, em definitivo, a ponto de não se incomodar com a menina doente e acompanhar Nemésio a Petrópolis, onde se demoraram juntos em deleitoso refúgio. E continuou justificando, justificando... Agora que ele a surpreendera nos braços paternos, que lhe perdoasse como um filho, cujo apreço se esmeraria em conservar. Não retornaria ao Flamengo. Desquitar-se-ia de Cláudio, de qualquer modo, e, de qualquer modo, partilharia o destino de Nemésio, enquanto Nemésio o permitisse... Mesmo assim, era mãe e rogava-lhe por Marina. Se a amasse, que não lhe desse indiferença ou desprezo, num momento como aquele em que se refazia de dura perturbação. Que a protegesse, fazendo pela menina o que ela, Márcia, não mais conseguiria...

    A senhora Nogueira finalizara sinceramente comovida, e vimos sensibilizados os prodígios da compreensão e da bondade

2.11.9

num coração juvenil. Olhos chamejantes de júbilo, o rapaz ergueu-se e ajoelhou-se diante daquela mulher que lhe sossegava o espírito, com a versão caridosa de que necessitava para reconstituir o caminho.

2.11.10 Em lágrimas de alegria, osculou-lhe as mãos e agradeceu-lhe em palavras quentes de carinho filial. Entendia, sim — comentou —, que o pai, não obstante bondoso, teria obedecido a sugestões de despeito, a fim de apartá-lo da escolhida. Procuraria Marina, prometia olvidar o passado, de modo a não ferir a dignidade maternal com que ela, dona Márcia, lhe patenteara a nobreza de sentimentos, torturada qual se achava entre a paixão de companheira e o devotamento de mãe. Informou que, na tarde daquele dia, estivera com Marina. Notara-lhe a sinceridade e a tristeza. Fora rude com ela, espezinhara-lhe o coração, mas voaria naquela mesma hora para o Flamengo e fariam as pazes. Quanto ao futuro, não tinha motivos para incompatibilizar-se com Cláudio; entretanto, já que o desquite se fazia iminente, envidaria todos os esforços para que o genitor e dona Márcia se consorciassem num país onde o divórcio merecesse aprovação legal.

Da entrevista ao telefone e do telefone a novo encontro com Marina, foi para Gilberto questão de minutos.

Perante os jovens reunidos, Nogueira enlevou-se, regozijando-se em preces de reconhecimento.

Moreira e eu expedimos informações para o irmão Félix, que veio, na noite do dia seguinte, compartilhar-nos as orações de alegria.

Depois de abraçar Cláudio e os dois namorados que demandavam Copacabana, à busca do convívio de Salomão, o benfeitor rumou para a Lapa, em nossa companhia.

Márcia, recostada num divã, fumava cismando, na expectativa da chegada de Nemésio para jantarem na Cinelândia, com um filme subsequente, mas Félix, magnânimo como sempre, acercou-se dela, ignorando as baforadas, e beijou-lhe a fronte, mostrando lágrimas...

Não dispúnhamos de estatura espiritual para auscultar-lhe os pensamentos sublimes. Observamos apenas que ele a contemplou enlevado, como quem lhe agradecia a inesperada abnegação, e murmurou, ao despedir-se: 2.11.11

— Louvado seja Deus!

Do dia imediato em diante, azedou-se o intercâmbio entre pai e filho. Nemésio, intrigado; Gilberto, arredio. E, decorridas algumas semanas, ao inteirar-se de que o rapaz e a menina Nogueira passeavam de relações reatadas, o negociante viajou para o Sul, em companhia de Márcia, no intuito de situar o filho junto de antigos camaradas de juventude, residentes em Porto Alegre. Por lá se deteve o par, semanas e semanas, trazendo, na volta, expressivo programa de serviço e de estudo que Gilberto, convidado pelo genitor a entendimento, recusou, cortês, desistindo das vantagens que lhe eram oferecidas.

Presenciando-lhes o diálogo em ambiente fechado, consignamos a respeitosa ternura com que o jovem se dirigiu ao genitor, implorando-lhe auxílio. Tivesse a bondade de não transferi-lo, que o deixasse no Rio. Rogava desculpas se o magoava, mas reconhecia-se em maioridade e aspirava ao casamento com Marina, de quem se reaproximara. Desde cedo, acostumara-se a trabalhar com o pai, a colaborar com ele na imobiliária. Aguardava-lhe, por isso, a proteção.

Nemésio ouvia, ressentido, revoltado. Marina reconquistada pelo filho significava para ele bancarrota moral insuportável. Nunca a amara tanto quanto naquela hora em que se lhe esvaíam as esperanças. Entrevia-se calcado, vencido. Pouco a pouco se desinteressara de Márcia, conquanto a conservasse. Marina significava-lhe mocidade, euforia, entusiasmo, improvisação.

Justamente quando ruminava desígnios de recuperar-lhe o carinho, adiantava-se o filho, frustrando-lhe os projetos.

2.11.12 Certificando-se de que Gilberto concluíra, vibrou rude golpe na mesa com uma régua pesada e, enceguecido pela cólera que o envolvia por juba de fogo, esbravejou:

— Nunca! você nunca se casará com essa...

E multiplicou pejorativos e desaforos que o moço aguentou, estonteado e ferido. Mesmo assim, depois da tirada de injúrias, retorquindo aos apelos e intimações de última instância, assegurou que saberia tolerar todas as consequências, mas não renunciaria ao compromisso que assumira consigo próprio.

O genitor, possesso, entregou-se às vias de fato, esmurrando-lhe o rosto.

Gilberto rodou nos calcanhares e tombou no piso, para reerguer-se e cair de novo sob pancadaria grossa, até que Nemésio, semelhando fera solta, infligiu-lhe tremendo chute, vociferando:

— Rua, miserável!... Rua, rua!... Suma daqui! Não me apareça mais!...

Acompanhamos o menino atônito, que alcançou a via pública tentando estancar com o lenço um filete de sangue a escorrer-lhe num dos cantos da boca.

Daí a quarenta minutos, um ônibus despejava-nos no Flamengo.

Os Nogueiras terminavam o almoço e, antes de rumar para o banco, Cláudio recolheu, junto da filha, o relatório doloroso.

O trio machucado entendia perfeitamente a gravidade da situação. Nogueira, porém, ofereceu-se para ajudar. Diligenciaria obter para Gilberto um emprego no estabelecimento de crédito em que trabalhava. Considerava o dirigente como amigo. Solicitar-lhe-ia os bons ofícios. Que o rapaz esquecesse os agravos e aceitasse em Nemésio um enfermo da alma.

Gilberto rememorou os segredos de dona Márcia, condoeu-se do interlocutor e entrou em lágrimas. Aquele homem, muito mais ofendido que ele mesmo pelo pai prepotente, aquele homem espoliado no coração, impetrava benevolência para o seu próprio verdugo. 2.11.13

Marina, que sazonara o entendimento da vida, exortava também à concórdia e ao olvido. E tanto se adestrava em renovação que, após o curativo nos lábios de Gilberto, sugeriu ao pai fosse o rapaz conduzido sem delonga ao gerente. Não se devia perder a oportunidade, nada de lamentar sobre o inevitável. Ensaiou apontamentos de bom humor, emprestou comicidade ao drama que lhes cabia viver, endereçando o pensamento ao futuro, e inventou notas alegres para a dificuldade, qual se dependurasse guirlandas numa sala encrespada de espinhos, conseguindo que Torres filho, chorando e rindo, trincasse alguns pastéis antes de sair.

O diretor de Nogueira acolheu o candidato com simpatia; no entanto, não relacionava meios para colocá-lo em regime de urgência. Aguardasse um mês. Não se admitiam aspirantes ao serviço, sem provas de habilitação previamente ordenadas, mas prometia entender-se com os chefes. Acreditava na possibilidade de aproveitar-lhe o concurso, em caráter de interinidade.

Gilberto agradeceu.

A sós com o protetor, referiu-se com humildade ao problema de moradia.

Afinal, sabia-se expulso de casa a pontapés.

Cláudio tranquilizou-o.

Certo, não calhava, por enquanto, a presença dele no lar do Flamengo, embora julgasse a medida irrepreensível. Competia-lhes, porém, imunizar Nemésio contra qualquer novo ataque de fúria. Conhecia pensão de estudantes corretos e pediu-lhe para que não lhe recusasse as garantias. Entre moços respeitáveis, esperaria a convocação. Depois, resgataria os pequenos débitos que viesse a contrair. Que não se vexasse. Acariciou a cabeça do jovem e salientou que se achavam na condição de pai e filho e que, em razão disso, o dinheiro entre ambos deveria ser gasto em condomínio.

O rapaz, não obstante constrangido, aquiesceu.

Daí a algumas horas, ciente de que o genitor se ocupava em serviço, contratou caminhão e colheu da residência os pertences que julgou indispensáveis, sossegando a dedicada governante com a informação de que se ausentava para trabalhar, durante algum tempo, com o pai de Marina, a fim de tentar a sorte.

O comunicado surtiu efeitos imediatos.

Dispensando a possível assistência ao ânimo inquieto de Nogueira, vimos, no dia seguinte, quando Nemésio entrou no banco, às duas da tarde, a esbaforir-se. Enraivado, no centro de vasto grupo de Espíritos galhofeiros, solicitou a presença de Nogueira em recinto particular. Um funcionário acenou para o companheiro e Cláudio veio, mas, pressentindo que seria intimado a rigoroso testemunho de tolerância, preferiu atender no vestíbulo, rente ao público.

O visitante começou dizendo que lhe exigia contas do filho, acentuando que não lhe permitiria influenciá-lo.

Cláudio mobilizou todas as reservas de humildade e rogou licença para informar que o moço tão somente o tratava por amigo, sem, no entanto, abdicar do livre-arbítrio; que não se via autorizado a responder por ele; que...

O genro de Neves, todavia, interceptou-lhe a palavra e rugiu:

— Cale-se, besta!... João-ninguém! Paspalhão! Tome lá, seu espírita de meia-tigela!...

O punho do negociante batia no rosto de Cláudio, arremessando-lhe pescoções violentos, enquanto a vítima procurava defender-se, debalde, escondendo a cabeça entre as mãos.

A agressão fora rápida.

Sexo e destino | 2ª Parte | Capítulo 11

Antes que os circunstantes se refizessem do choque, o bancário jazia no pavimento e somente a cooperação de intercessores anônimos impediu que o esmurrador asselvajado lhe pisasse o corpo em decúbito. Contido à força, berrava insultos, assessorado por Espíritos infelizes. O injuriado ergueu-se disposto a revidar. Irado, contundido. Referviam-lhe no peito as dores acumuladas. Tomaria desforra. O comerciante audacioso conhecer-lhe-ia o desagravo. Massacrá-lo-ia naquele mesmo instante como se achata um verme. Num átimo, contudo, ao levantar a destra para medir punhos com o adversário, sentiu o reflexo de Marita. Aquela mão pequena e fria que se elevara da morte, a fim de abençoá-lo, estava na dele. A menina atropelada surgia-lhe na memória como a perguntar-lhe pelos votos de melhoria. Prometera-lhe renovar-se, ser outro homem... Impossível quebrar o compromisso. Recordou-a padecente, o corpo recoberto de escaras dolorosas. Não tinha sido ele o culpado? Não fora a divina Providência suficientemente compassiva, deixando que a falta de que se acusava passasse despercebida diante dos homens? Não recebera, acaso, o perdão da filha que amava? Que diria ela, do Além, se também não perdoasse ao carrasco que lhe seduzira a primogênita e lhe furtara a mulher? Abraçara princípios que lhe preceituavam clareza de raciocínio, a fim de que aprendesse a conjugar bondade e discernimento, justiça e caridade... Cabia-lhe ver, nos inimigos gratuitos, enfermos exigindo socorro e benevolência. De que modo condenar alguém naquilo em que se inculpava? Não trazia, porventura, o espírito endividado, em meio a falhas e tentações?

Afrouxou-se-lhe o braço antes reteso e, escutando os sarcasmos de Nemésio que se retirava, truculento, constrangido por pessoas que clamavam em alta voz pela intervenção da radiopatrulha, o marido de dona Márcia, encostado à parede, sob os

2.11.15

olhares de simpatia de todo o auditório, não se acanhava de libertar o pranto amargo e espesso a pingar-lhe do queixo escanhoado.

2.11.16 O gerente assomou à cena, quando o autor das bofetadas ganhava o meio-fio, e indagou pela causa do tumulto.

Um funcionário emocionado apontou para o colega ofendido, falou no espancamento e aduziu:

— Decerto, não reagiu porque ele hoje é religioso, é espírita...

O chefe comoveu-se. Desejando desfazer o clima geral de indignação, inquiriu à porta:

— Quem é esse brutamontes de jaula?

Velhinha que esperava atendimento, de caderneta à mão, informou:

— Conheço. É Nemésio Torres, proprietário de lotes e mais lotes...

— Tubarão! — comentou o recém-chegado com inflexão de menosprezo. — Onde pensa que estamos?

E, relanceando o olhar pelos clientes embasbacados, protestou:

— Gente, nós estamos no Rio!... No Rio!... Como é que vocês soltam um criminoso desses? Um caso assim, é polícia, corda, cavalaria, cadeia...

Esbarrou, porém, com Cláudio imóvel e, recompondo-se, abraçou-o para acabar conduzindo-o a saleta distante. Aí, ouviu do subordinado a história da filha e do rapaz que lhe fora apresentado na véspera. Entre revoltado e condoído, autorizou o ingresso do moço no serviço, acrescentando que lhe faria os possíveis vencimentos até que lhe vissem a situação devidamente legalizada.

Na reta final para o casamento, Gilberto conseguiu empregar-se, estimado de todos.

Nemésio, contudo, acabrunhado e desgostoso, convidou Márcia para uma excursão de seis meses em países da Europa. Atravessariam Portugal e Espanha, França e Itália, com alguma demora na Suíça. Declarava-se infelicitado pelo destino, desde a morte de Beatriz. Caipora. Malogrado. Anelava mudança, refazimento.

A senhora Nogueira, que cortara os telefonemas para a família desde Petrópolis, deu-se pressa em comunicar o acontecimento à filha, por meio de um cartão. Confessava-se esperançosa, encantada. Seguiria juntamente daquele a quem não trepidava em designar por "futuro esposo" e prometia enviar notícias de cada cidade que visitassem. 2.11.17

Marina recolheu a mensagem com discrição, sem que o pai e o noivo soubessem de semelhantes férias, a não ser indiretamente pela boca de amigos.

A ausência do par traçou, para o trio, bendito parêntese, recheado de alegria e sossego, de ponta a ponta.

O apartamento do Flamengo convertera-se em colmeia de paz e luz. E enquanto Moreira resguardava Marina com fidelidade incondicional, eu retomava estudos e experiências junto de Félix, embora acompanhasse com afetuoso interesse os amigos do Rio, a se prepararem, contentes, para o enlace feliz.

A união esponsalícia de Gilberto e Marina realizou-se precisamente no último dia do ano que se seguiu à desencarnação de Marita. Solenidade marcada por flores e orações, abraços e promessas.

A ventura do novo casal atingiu-nos, igualmente, no Almas Irmãs, onde pequena equipe de companheiros se reuniu em prece pela segurança dos nubentes que se entregavam a novas responsabilidades e novas lutas.

Destaquei, no entanto, com desagrado, a ausência da filha de Aracélia. A própria Beatriz compartilhara os júbilos votivos, conquanto desconhecesse completamente o que sucedia com referência ao esposo.

Félix, porém, ao registrar-me a estranheza quanto àquilo que eu imaginava como preterição, elucidou que a menina, prestes a regressar para as lides terrenas, demandava cautelas especiais. E prosseguiu aclarando que obtivera permissão para que o processo regenerador do conjunto Nogueira-Torres fosse remodelado. Marita não lograra desposar Gilberto por influência da irmã; contudo, voltaria a viver entre os dois, na condição de filha, para que a fração de tempo, concedida ao grupo para a existência em comum, no plano físico, viesse a ser aproveitada nos recursos possíveis, sempre valiosos, por mínimos que fossem. Indiscutivelmente, não se tratava de reencarnação organizada a rigor nem compulsória, por motivos judiciais. Medida, entretanto, de caráter premente que ela seria impelida a aceitar, em favor de si mesma. Para esse fim, ela reveria o Rio, oportunamente, junto de nós, pela primeira vez, depois de quase 11 meses de internação em parque de repouso, onde vivera apenas de saudade e recordação, para efeito indutivo. Abraçaria tão só os que quisesse, atenderia exclusivamente a própria vontade, para que se lhe avantajasse o impulso de voltar. Compreendendo-se que Gilberto lhe constituiria o tema central das compensações emotivas, sublinhava Félix que todos os nossos cuidados, na ocasião, se concentrariam nele. Seria necessário que Marita o surpreendesse a sós, ignorando-lhe o matrimônio, porquanto os ressentimentos hauridos da convivência com a irmã ainda lhe doíam na memória, quais chagas entreabertas. E, entendendo-se que ambas se reencontrariam, mais tarde, por mãe e filha, em conflito vibratório, visando ao expurgo dos erros e aversões recíprocas que carregavam de remoto passado, era de todo indispensável que a reencarnante dormisse para o renascimento físico, sob a impressão de euforia perfeita.

2.11.18   Aceitando a lógica das explicações, fui avisado, dias transcorridos sobre a conversa, quanto à data escolhida para a excursão.

No instante aprazado, participou-me Félix não só o envio de dois companheiros, incumbidos da preparação de ambiente junto ao filho de Beatriz, como também cientificou-me de que se valia do ensejo em andamento, por sabê-lo em estudos, à noite, na intimidade de vários colegas, numa residência da Glória, com vistas a concurso próximo para a efetivação no cargo que exercia no banco.

Efetivamente, partimos com Marita, calculando o tempo necessário para encontrá-lo fora de casa, prevendo-se o término das tarefas noturnas para depois de zero hora, segundo notificações recebidas. 2.11.19

Cumpriu-se o programa com diminutas diferenças de horário.

Estimulávamos os júbilos de Marita, que descia conosco sobre a Guanabara feérica. De longe, os contrastes de luz, entre o morro do Leme e o casario da Urca; mais além, a praia de Botafogo... Mais alguns instantes, a avenida Beira Mar, diante de nós... Tocando o chão do Flamengo, a moça multiplicava interjeições de alegria, revendo a cidade que lhe senhoreava a ternura.

Parados, diante das águas remansosas, assimilando energias nutrientes da Natureza, fomos inteirados pelos batedores amigos de que Gilberto descera de carro particular em esquina adjacente.

Sem delonga, conduzimos a jovem ao ponto indicado, e, ao identificá-lo, embriagada de ventura, chamou ansiosa:

— Gilberto!... Gilberto!...

O interpelado não lhe registrou a voz com os tímpanos carnais; no entanto, assinalou-lhe a presença em forma de lembrança. Recordou, de inopino, aquela que ainda supunha como pupila de Cláudio e tomou direção oposta à que seguiria, parando, além, a fim de refletir e contemplar a baía prateada de lua... Sim, ali, naquelas areias, jurara-lhe amor eterno, planeara o futuro...

Meu Deus! — pensou — como a vida mudara!...

Enlaçado pela jovem desencarnada, desentranhava-lhe a imagem do pensamento, enxugando os olhos...

2.11.20   Félix, contudo, apartou-a brandamente e perguntou-lhe o que mais desejava.

— Viver com ele e para ele!...

A resposta alcançava-nos como um grito de esperança, rebuçado em soluços.

O instrutor, que não aguardava outra coisa, dirigindo-se a ela de modo paternal, ponderou a conveniência de tornarmos ao domicílio. Empenhar-se-ia por assegurar-lhe o regresso. Que se acalmasse. Retomaria a convivência e a dedicação de Gilberto. Não aconselhava, porém, se lhe dilatasse o arrebatamento, nocivo a ambos, mesmo porque, muito em breve, estariam juntos.

A menina obedeceu, mas pousou sobre nós os olhos molhados, indagadores. Percebi-lhe no espírito os reflexos de Márcia e Marina; todavia, afastou-lhes a figura do pensamento e inquiriu se lhe era facultado rever Cláudio, acentuando que o pai lhe fora o derradeiro amigo, nas angústias do adeus...

O orientador anuiu contente.

Mais 500 metros de espaço e atingimos o apartamento, acolhidos à entrada por Moreira, vígil. O enfermeiro reconheceu Marita, sob emoção forte, mas eclipsou-se a um aceno de Félix, que desejava poupá-la a divagações.

Atormentada, tremente, a moça, assistida por nós, penetrou no aposento paterno e, oh surpresa! — Nogueira, em espírito, rente ao corpo que ressonava de manso, como que lhe aguardava a presença, pois estendeu-lhe os braços e gritou, misturando enlevo e regozijo, na exaltação que passou a comandar-lhe todas as forças:

— Minha filha!... minha filha!...

A jovem rememorou os quadros que imaginara no hospital, o suplício das horas lentas, as preces que lhe amenizavam as amarguras, a invariável devoção daquele pai que se lhe redimira no conceito à custa de sofrimento, e ajoelhou-se, diante dele, procurando-lhe o regaço, como quando em criança.

Cláudio, perplexo, não nos via, concentrava-se totalmente na visão a exercer sobre ele inigualável fascínio. Afagou com a destra hesitante aqueles cabelos desnastrados que tanta vez alisara, na instituição dos acidentados, e relembrou Marita, nas atitudes da infância, quando vinha da escola, e indagou: 2.11.21

— Filha do meu coração, por que choras?

A recém-chegada endereçou-lhe um gesto súplice e rogou:

— Papai, não se aflija!... Estou feliz, mas quero Gilberto, quero voltar para a Terra!... Quero viver no Rio com o senhor, outra vez!...

Patenteando carinho imáculo, Nogueira conservou-a sob as mãos que tremiam de júbilo e, levantando o olhar para o teto, com a ânsia de quem se propunha romper o monte de alvenaria para dirigir-se a Jesus, diante do firmamento, clamou em lágrimas:

— Senhor, esta é a filha querida que me ensinaste a amar com pureza!... Ela quer retornar ao mundo, para junto de nós!... Mestre, dá-lhe, com a tua infinita bondade, uma nova existência, um corpo novo!... Senhor, tu sabes que ela perdeu os sonhos de criança por minha causa... Se é possível, amado Jesus, permite agora que lhe dê minha vida! Senhor, deixa que eu ofereça à filha de minha alma tudo o que eu tenho! Ó Jesus, Jesus!...

Félix considerou que a emotividade excessiva poderia abatê-lo e recolheu Marita nos braços, recomendando que me atrasasse, no sentido de auxiliá-lo a reaver o envoltório físico enlanguescido.

Retirou-se o instrutor carregando a menina paternalmente, ao passo que Moreira e eu investíamos Cláudio sobre a máquina orgânica em movimento de impulsão. Depois de passe reconfortante, Nogueira acordou em choro convulso, guardando na memória todos os detalhes da ocorrência.

2.11.22   Daí a instantes, ouvimos passos na sala.
Gilberto entrava, de leve. O sogro intentou aprumar-se e chamá-lo para narrar o acontecido; entretanto, assimilou-nos a exortação ao silêncio, para colaborar com o futuro...
Sim — concordou, qual se estivesse conversando consigo mesmo —, a verdade da vida não deve brilhar para a maioria dos homens, senão por intermédio de sonhos vagos, para não confundir-lhes o raciocínio nascituro, assim como o Universo de Deus não pode fulgir para as criaturas da Terra, senão em forma de estrelas, semelhantes a pingos de luz nas trevas, de modo a lhes não arrasar a pequenez... Entretanto, a certeza de que Marita retornaria ao mundo, reencarnada, iluminava-lhe o pensamento e aquecia-lhe o coração.

12

Atingira Marina o quinto mês de gestação. Entre o esposo 2.12.1 e o pai, acompanhada pelo devotamento de dona Justa, que a servia por mãe, transpirava regozijo, apesar dos estorvos naturais.

Cláudio seguia o acontecimento, enternecido. No íntimo, detinha a convicção de que Marita se achava junto da família, prestes a ressurgir em novo berço. Cada noite, orações pela tranquilidade do Espírito que voltava, preces pela felicidade dos filhos. Visitas mensais ao médico, prestando assistência à filha. Passes de reconforto à gestante. Mimos para o bebê.

Demorávamo-nos, por vezes, a admirar-lhe a paciência e a ternura, lendo para a filha, ao tricô, páginas educativas de ginecologistas e pediatras, instruindo-a, asserenando-a.

De permeio, Gilberto, feliz, na expectativa de um sucessor.

Conjeturava-se a respeito do sexo da criança, planejavam-se realizações, endereçavam-se ao porvir. Dona Justa repetia a história do homem que carregava o cesto de ovos, sonhando com fazendas que lhe adviriam dos pintos improváveis.

Riam-se.

De nosso lado, resguardando Marita, quanto possível, no processo reencarnatório junto da irmã, partilhávamos o enlevo geral.

2.12.2   Tudo esperança, sossego.

A criança encomendada figurava-se no grupo familiar um sagrado penhor de reconciliação com a vida. A paz, aparentemente definitiva, entrara no lar do Flamengo como se todos os pesares transcorridos estivessem para sempre arquivados nas gavetas do tempo. Entretanto, o passado palpitava naquele trato de ventura, como a raiz parcialmente enferma, escondida no solo, sustentando o tronco florido.

Apareceu a tarde em que ambos os bancários surpreenderam a jovem dona da casa em agoniado abatimento.

De princípio, atribuiu-se a alteração ao problema orgânico, mas, agravada a ocorrência, chamou-se o médico, sem que o facultativo atinasse com a origem da queda súbita.

Marina enlanguescia...

Finda uma semana, valeu-se Cláudio de ensejo para a conversação a sós e investigou-a. Suspirava por vê-la recuperada, fortalecida. Receava complicações. Exortou-a à confiança e ao otimismo. Orasse, tivesse fé. No conhecimento espírita, não ignorava que a criança, em vias de nascer, lhe reclamava descanso, alegria. Notando que a moça, em determinado ponto do entendimento, pendia a cabeça, de lenço aos olhos, fez-se mais persuasivo, rogando para que se abrisse com ele. Não lhe opusesse reservas. Afligia-se, era pai. Excetuando Gilberto, que passara a querer bem por filho, não dispunha, na Terra, de outra pessoa, senão dela, para incentivar-se ao trabalho.

A interlocutora, comovida, levantou-se, demandou o quarto e trouxe-lhe um papel. Uma carta. Cláudio leu-a, sem dissimular no rosto o assombro e o sofrimento.

O escrito vinha de Nemésio. Participava o regresso ao Rio, após seis meses de Europa. Confessava-se, desabrido. Afirmava-se entediado de tudo, menos dela, a quem amava ainda com inusitado calor. Informara-se do casamento; ao retornar, no entanto, jamais

Sexo e destino | 2ª Parte | Capítulo 12

a consideraria por nora. O filho não passava de um tonto, de um espantalho, dizia ele, do qual se deveriam afastar para o cultivo da felicidade que ele mesmo, Nemésio, frustrara, abandonando-a sem maior consideração. Pedia escusas e aguardava-a. Conhecera países novos, contemplara maravilhas que lhe afetaram os olhos, mas o coração quedava ermo, jungido a ela por meio do pensamento.

Até a metade do relatório afetivo, reportava-se Torres pai a conceitos de compaixão e carinho, mas, na última parte, incidia na irreverência. Sacudia-lhe a memória. Perguntava-lhe por lugares menos recomendáveis. Acusava-se desajustado, saudoso. Pedia encontro. Dar-lhe-ia instruções para o desquite. Possuía excelentes amigos no Foro. Que ela não o desapontasse, porque, de outro modo, uma bala na cabeça ser-lhe-ia a solução. Não vacilaria entre a felicidade com ela e o suicídio. Que escolhesse. Punha-lhe o destino nas mãos. 2.12.3

O missivista não traçava a menor referência quanto a Márcia.

Nogueira analisou a gravidade da situação, pensando, pensando... Recordou, calado, o espancamento sofrido no banco, que não mencionara aos filhos, e deduziu que Nemésio era capaz de todas as violências. Anteviu a tormenta que se esboçava, mas tratou de consolar a filha. Desanuviou o semblante e sorriu paternal. Aquilo tudo não passaria de momento infeliz. Que não se amofinasse. Procuraria o negociante em pessoa, a fim de rogar-lhe serenidade e reconsideração, ao mesmo tempo que lhe participaria a chegada próxima da criancinha que seria para ele também, Nemésio, um sorriso de Deus. Impossível que a notícia não lhe acordasse enternecimento. Que a filha não se afligisse. O sogro investir-se-ia na condição de avô, antecipadamente, e olvidaria o passado, abraçando a reconciliação com a família para a felicidade geral.

Nos olhos da interlocutora, seduzida pelo magnetismo daquelas palavras, a esperança brilhou com a paz que o genitor lhe devolvia ao coração.

2.12.4   Na manhã seguinte, Cláudio, discreto, pôs-se em campo. Rogou a colaboração de amigos íntimos, a fim de que alguns dos corretores da imobiliária fossem ouvidos, e veio a saber que os turistas haviam regressado, semanas antes. O chefe, contudo, vira-se defrontado por notícias desagradáveis e mostrara-se irritadiço. O afastamento do filho desequilibrara a balança dos negócios, não somente porque isso golpeara os créditos morais de Nemésio, mas também pelo fato de a circunstância encorajar abusos da parte de subordinados que não se revelaram à altura da autoridade recebida. A longa viagem, numa época de crise na organização, na ausência de Gilberto, atraíra desastres financeiros, abrindo brechas dificilmente recuperáveis. Amigos da firma haviam retirado, à pressa, capitais importantes, desistindo dos depósitos com que lhe garantiam a segurança. Prejudicado o movimento, onerara-se a imobiliária com dois vultosos empréstimos, para cujo resgate entregara Nemésio duas terças partes dos próprios bens. Não detinha agora senão possibilidades estreitas para lastrear as operações imediatas e evitar a falência. E fosse por vê-lo destituído das propriedades que a fascinavam ou porque houvesse esgotado as reservas afetivas para com ele, dona Márcia abandonara-o e residia com Selma, planeando a formação de um restaurante.

Nogueira recolheu todos os informes, apreensivo. Mesmo assim, após o almoço, vencendo a própria repugnância com os recursos da oração, demandou a moradia dos Torres.

Levava o espírito pressago, triste...

Fez soar a campainha no vestíbulo ajardinado; no entanto, o pai de Gilberto vira-o, de longe, quando apeava do ônibus, e do terraço em que fumava, à sesta, expediu aviso. Um empregado, em nome dele, veio dizer a Cláudio fizesse a gentileza de se considerar indesejável. Não lhe receberia a visita naquela hora, nem noutras.

Nogueira retirou-se, compreensivo.

Inútil o tentame.

2.12.5

Voltou ao trabalho e rogou entendimento com o chefe que se lhe tornara mais amigo. Mostrou-lhe a carta que o conhecido agressor lhe dirigira à filha e ponderou sobre a necessidade de protegê-la, sem parecer ao genro que assim procedia defendendo-a do sogro.

O gerente, prestativo e humano, associou-se-lhe aos cuidados e sugeriu-lhe uma licença de seis meses. Nenhum impedimento para ele, antigo funcionário com excelente folha de serviço. Nessa fórmula, apoiaria a moça e resguardá-la-ia, desde a caixa do correio, impedindo que novas cartas lhe chegassem às mãos, até a assistência contínua em casa, hora a hora, para que se lhe garantisse a tranquilidade na gravidez. Incumbir-se-ia de comunicar a Gilberto e colegas que ouvira de médicos amigos a recomendação de impor-lhe descanso indeterminado, e se entenderia, ele próprio, com os clínicos, que não lhe sonegariam a concessão. Que repousasse e atendesse a filha.

Cláudio agradeceu, confortado.

Vinda a noite, entrou em conversação com a filha, sossegando-a. Afirmou possuir razões para acreditar que Nemésio não mais a molestaria. Esclareceu ter estado na residência dos Torres; contudo, não avançou além de semelhante informe, dando a impressão de que o problema fora liquidado na origem. E interessados quais se achavam em apagar o pretérito, pai e filha se entretiveram no assunto da licença. Marina rejubilava-se. Ambos se devotariam a trabalhos diversos. Juntos, construiriam o berço do nenê. Dariam nova disposição ao apartamento. Diferentes decorações. Cláudio fez humor. Salientou que Gilberto e ele se empenhavam em apostas. O genro aguardava um príncipe. Ele contava com uma princesa. De qualquer forma, era preciso organizar o palácio. Dizia-lhe o coração que a neta se achava em caminho... Por isso, concordava em renovar os móveis e pintar as paredes, mas exigia que todo o serviço fosse feito com predominância de rosa. Gracejaram. Aprovando os planos, Marina solicitou-lhe o concurso na organização de um álbum que andava formando para o bebê, enquanto esperavam por Gilberto, que prosseguia estudando à noite, com vistas à melhoria.

2.12.6 Demandando, por fim, o leito, Cláudio sensibilizava-nos com oportunas reflexões, permeadas de preces ardentes. Previa, inquieto, que doravante seria compelido a novos encargos. Acautelaria Marina e, consequentemente, Marita, de cuja reencarnação guardava a certeza. A carta de Nemésio, ressumando inconformidade, e a rudeza com que lhe havia cerrado a porta, não lhe conferiam margem a dúvidas. Teria conflitos e injúrias à frente; no entanto, nada razoável desanimar. Orava, implorando recursos aos Espíritos amigos. Que o não deixassem confiado a si mesmo, que lhe impedissem as manifestações de fraqueza, que lhe frustrassem qualquer propósito de revide. Identificava-se num teste. Indiscutivelmente prejudicara Nemésio Torres em outras existências. Devia pagar. Somente ao clarão da lógica espírita destrinçava a meada dolorosa. Aquele homem castigara-o na alma e na carne, transformara-se para ele em cobrador do destino. A consciência determinava-lhe aceitar os desafios com humildade. Se bem não se sentisse em condições de se acomodar com a virtude, anelava solver os débitos contraídos, ainda que isso lhe custasse a existência. Por essa razão, suplicava o apoio do Cristo, a fim de esquecer-se, de maneira a seguir caminho afora, segundo as Leis divinas...

Efetivamente, conhecendo o horário aproximado de recepção do correio, no prédio, Nogueira desceu, no dia seguinte, com a desculpa de obter pão mais fresco e recolheu nova carta de Nemésio, endereçada a Marina, cuja identidade estabeleceu para logo, por meio da letra. Abriu-a. Era coleção de recados, sabendo a fel. Misturava declarações e libelos, alegava dificuldades, crises.

Dizia precisar dela para recompor as finanças. Restaurar-se-ia em reduzido tempo, se o atendesse. Não obstante os prejuízos que experimentara, ainda era suficientemente abastado para fazê-la feliz. Reclamava resposta. Ameaçava.

Nogueira, reservado, queimou o papel.

2.12.7

A ocorrência, no entanto, se repetiu diariamente, por dois meses.

Minuciosa ou sintética, a missiva chegava pontualmente. Cada texto mais inconveniente que o outro. Por vezes, relatava as andanças a que se entregava no Flamengo, tentando revê-la. Noutras ocasiões, depois de frases melífluas, exigia pronunciamentos descabidos, sob pena de estourar o crânio, deixando queixa à Polícia contra ela, com o fim de arruiná-la. Em bilhetes comprometedores, proibia-lhe dar filhos a Gilberto. Preferia matá-la ou matar-se a receber netos do lar que haviam formado. Referia-se ao revólver qual se lhe fosse companheiro incessante.

Dia a dia, o negociante se figurava ao leitor paciente mais contraditório e menos lúcido. Cada vez que entregava os manuscritos ao fogo, Cláudio percebia que o redator de tantos aleives se atascava, sempre mais, em loucura e obsessão, sem que lhe fosse facultado assumir qualquer providência entre o genro feliz e a filha gestante. Cumpria-lhe tudo amargar, sem dividir com pessoa alguma a dor que o espicaçava. E para que a filha não pudesse penetrar os motivos de tamanha solicitude, ele se lhe convertera no pajem de todo instante.

No encontro último de consultório, indicara o médico ligeiros exercícios físicos. Nenhuma ginástica. Algo suave. Bastariam marchas diminutas a pé. Realizasse à noitinha curto passeio até a praia, em esforço diário, enquanto lhe fosse possível. Nada mais que isso. A gestante obedeceu e, como era de esperar, Nogueira se lhe erigiu em guarda-costas, sustentando o coração repassado de inquietude. Não se lhe oferecia ensejo de opor

2.12.8   embargos à prescrição. Para a filha, aquela primeira manifestação de Nemésio, pelo serviço postal, fora varrida do pensamento.

Marina, enlaçada ao pai, largava o prédio, efetuando breve percurso, para sentar-se, junto dele, nunca por mais de meia hora, ao pé do mar. Aí se entretinham habitualmente nos temas caseiros, quando não se internavam em assuntos do espírito.

Escorridos seis dias sobre as excursões aconselhadas, o registro de Torres pai veio diferente.

Acompanhando Nogueira, analisamos a alteração. A letra modificada, configurando insultos, revelava superexcitação fronteira à demência. Comunicava à esposa de Gilberto tê-la visto, por fim, na praia, em companhia daquele pai, que crivava de pejorativos e ofensas, e verificara que ela, afinal, se engravidara contra as ordens que lhe ditara em observações anteriores. Acreditava-se o mais desmoralizado de todos os homens desmoralizados. Enojava-se da paixão que nutrira por ela, preferia morrer. Confessava-se falido. Escasseava-lhe tudo. Acabara-se o dinheiro, desertavam amigos. Restava-lhe de seu, tão só, a moradia, assim mesmo hipotecada. Esperara por ela, pelas decisões dela. Se juntos, contaria com a possibilidade de se reerguer. Entretanto, a gravidez apontada desiludira-o. Plantaria uma bala na cabeça. Despedia-se dela e do mundo com repugnância. Que visse nos borrões frequentes daquelas páginas com que encerrava a existência as marcas das lágrimas que chorava. Lágrimas de revolta, desprezo, repulsão. Finalizava, alinhando obscenidades e informando estar assinando o nome pela última vez.

Nogueira, assustado, leu e releu o documento e, antes de reduzi-lo a cinzas, insulou-se no quarto e orou por aquele homem que, pelo jeito, se afundava em pavoroso desespero. Compadeceu-se. Impraticável, todavia, colocar o genro ao corrente da situação. Nemésio delirava. Mais justo que o filho aguardasse notícias do tresloucado genitor por outras fontes.

Impressionou-se, contudo, de tal forma com a mensagem recolhida que, após o almoço, demandou, com discrição, algumas das organizações policiais e hospitalares que lhe pareciam suscetíveis de fornecer alguma pista com referência ao suicídio anunciado, mas em vão. Nenhum vestígio. Depois da caminhada junto da filha, repousou mais cedo. Sentia fome de meditação mais prolongada. Concentrando-se em pensamentos de benevolência e de fé, rogava a Jesus pelo adversário. Que os mensageiros do Cristo se apiedassem de Nemésio, amparando-o. Se ainda estivesse no corpo carnal, que se lhe estendesse o socorro preciso para que não resvalasse em deserção; se houvesse forçado irrefletidamente as portas da vida espiritual, que fosse bafejado pela proteção dos emissários divinos...

Enquanto Moreira e eu lhe acompanhávamos a súplica, 2.12.9
Percília entrou.

Esperou o momento oportuno e comunicou-nos que vinha da parte do irmão Félix, a fim de colaborar conosco. Os apelos de Cláudio, durante todo o dia, transmitidos para o Almas Irmãs, tinham impelido vários amigos a rogar auxílio em benefício dele. Chegara com o objetivo de ser útil. E nós, que lhe admirávamos a bondade silenciosa, enternecemo-nos ao observar a devoção com que se instalou no aposento, qual enfermeira afetuosamente consagrada a doente querido.

Mais quatro dias transcorreram sem episódios especiais, a não ser a extrema dedicação de Percília que, diante de Cláudio, era análoga ao amor de Cláudio para com a filha.

Entre sete e oito da noite, descemos do prédio e demandamos os sítios conhecidos...

Os Nogueiras conversavam tranquilamente acerca de assuntos triviais, em frente das águas mansas, tão mansas que refletiam prateadas faixas do firmamento, a constelar-se de luz.

A aragem soprava, aliviando a tensão do dia.

2.12.10   Novembro seguia, cálido. Aqui e ali, na paisagem, transeuntes encarnados e desencarnados, sem novidades que chamassem atenção...
Após o descanso, a volta.
Pai e filha, à beira da pista asfaltada, esperavam vez, notando os carros que desfilavam velozes.
Locomovia-se Marina pesadamente; em razão disso, reconhecido o sinal de passagem livre, iniciaram a travessia com vagar; no entanto, o imprevisto aconteceu.
Automóvel a deslocar-se de longe, com lentidão, adquiriu estranho movimento, qual se perdesse todos os controles e, quebrando as regras do trânsito, precipitou-se sobre pai e filha, em tremenda impulsão. Nogueira, rápido, dispôs simplesmente de um segundo para arredar a filha e foi arremessado a distância, depois de sofrer o impacto da máquina à altura do tronco...
Percília, Moreira e eu, assombrados, vimos Nemésio ao volante, com a fisionomia de louco, mantendo o auto, qual avião em decolagem, desnorteando guardas e populares, que, debalde, se dispunham a segui-lo.
Marina, em gritos, foi imediatamente escorada por senhoras que acudiram, emocionadas. Sobreveio a agitação. Motociclistas dispararam no encalço do agressor. Funcionaram telefones próximos para o socorro urgente. O bolo crescia em torno de Nogueira, que tombara em decúbito ventral. Bradava-se contra chofres desalmados, contra jovens inconscientes...
Cláudio, tonto a princípio, recuperou os sentidos e virou-se com dificuldade. Superando a resistência do corpo que se tornara rígido, conseguiu sentar-se, apoiando-se nos dois braços a se retesarem, forçando as mãos espalmadas no solo.
A filha!... Ansiava enxergá-la, sabê-la viva, salva!... O sangue pingava-lhe da boca, mas, sobrepondo-se à curiosidade dos circunstantes, perguntou por ela. Marina, firmando-se em

benfeitoras anônimas, arrastou-se até ele. Não sofrera sequer um arranhão; todavia, aturdira-se. Receava desfalecer. No entanto, fitando o genitor a dominar-se para insuflar-lhe segurança, cobrou forças. Cláudio ensaiou um sorriso quase alegre, que o sangue entristecia, e rogou-lhe calma. Ferira-se um pouco. Apenas isso, explicava. Problema simples que a hospitalização de algumas horas viria resolver. Afligia-se tão somente por ela. Ficasse boazinha, suplicou. Confiasse em Deus. Tudo terminaria bem. Solicitou a presença do genro, que um dos cavalheiros presentes se prontificou a buscar, no endereço da Glória, que Cláudio mesmo forneceu. Intentou prosseguir conversando, para consolo da filha, mas notou que as energias lhe escapavam...

Percília, acomodada no chão, resguardava-o em lágrimas. Desencarnados amigos que procediam das vizinhanças, satisfazendo-nos o apelo, protegiam a gestante, dispensando-lhe auxílio. Moreira e eu diligenciávamos fortificá-lo, conjugando recursos magnéticos. 2.12.11

Em derredor, a balbúrdia...

O acidentado, contudo, alheou-se, em reflexão.

Novembro... Lembrava-se de que dois anos jaziam transcorridos sobre o desastre no qual supunha haver Marita procurado a morte. Ela tombara perto do mar, ele também... Ambos atropelados por automóvel. Contemplou o céu e recordou que a filha caíra quando as estrelas se apagavam, ele, quando as estrelas se acendiam... Fixou Marina, que chorava baixinho, e verificou que as lágrimas represadas lhe constringiam a garganta. Queria tanto viver para aquela filha, aguardava com tanta ternura a criancinha por nascer!... Nisso, sentiu que se lhe reconstituía na mente a visão em que se reconhecera visitado por Marita, e as palavras da prece que formulara lhe vieram, uma a uma, ao ádito da memória. "Senhor, tu sabes que ela perdeu os sonhos de criança por minha causa... Se é possível, amado Jesus, permite agora que lhe dê minha vida!...

Senhor, deixa que eu ofereça, à filha de minha alma, tudo o que eu tenho!..." Quando esses trechos da oração se lhe rearticularam no pensamento, sorriu e compreendeu. Sim, considerou intimamente, devia regozijar-se. Acreditava que Marina e Marita ali se achavam juntas... juntas... Por que não dar alegremente a vida para que a filhinha prematuramente desencarnada, por culpa dele, viesse a refazer a existência? Por que não agradecer ao Senhor o bendito instante em que pudera acautelar Marina contra o carro homicida? Não seria aquela hora, para ele, Espírito endividado, a maior manifestação da bondade de Deus? Impelira a filha para a morte, incriminara-se sem que a justiça da Terra lhe infligisse punições. Nas preces costumeiras, rogava aos amigos espirituais o ajudassem no resgate da falta cometida. Se lhe competia encetar o pagamento do débito assumido, apenas no curso de existências porvindouras, por que não iniciá-lo, mesmo ali, entre os rostos desconhecidos que Marita, igualmente, fora constrangida a defrontar?!...

2.12.12 Soberana tranquilidade se lhe instalou no espírito.

Diante da ambulância que chegara, pediu a própria internação no Hospital dos Acidentados. Que o serviço policial o favorecesse. Carregado por braços generosos, despediu-se da filha, a recomendar-lhe otimismo, serenidade. Esperasse por Gilberto e lhe participasse o acontecido, sem exagerar as impressões. Nada de alarmes. Se necessário, pediria o concurso de alguém para dar notícias ao telefone. Que não se apoquentasse por sustos.

Dentro do carro, enquanto Nogueira pensava em Marita, ao viajar num carro igual àquele, nas mesmas circunstâncias, Percília, que o aconchegava de encontro ao colo, se desfazia em pranto copioso. Concluindo, porém, que Moreira e eu nos desassossegávamos ao vê-la assim, aquela criatura, comumente silenciosa, falou submissa:

— Irmãos, perdoai-me a comoção excessiva!... Cláudio é meu filho... Não choro de dor ao ver-lhe o corpo caído, mas sim de alegria por abraçar-lhe o espírito levantado!... Choro, irmãos, ao reconhecer que eu, mulher prostituída no mundo, hoje em serviço de minha regeneração depois de provas árduas, posso aproximar-me do filho que Deus me confiou, a fim de pedir-lhe perdão pelos maus exemplos que lhe dei...

Diante daquele testemunho de humildade, Moreira e eu baixamos a fronte, envergonhados... [2.12.13]

Quem deveria ali penitenciar-se por maus exemplos senão eu? Que não teria padecido aquela corajosa mulher, cujos laços de parentesco terrestre com Nogueira eu desconhecia até então, para expressar-se assim? Que martírios amargara na Terra e depois da desencarnação para senhorear a serenidade com que se acusava, ela, que eu aprendera a venerar como minha própria mãe, em dois anos de trabalho constante, invariavelmente interessada em compreender e servir? Não podia auscultar os sentimentos de Moreira. A emotividade sufocava-me. Sei apenas que ele e eu, num movimento instintivo de respeitosa afeição, inclinamos as cabeças, ao mesmo tempo, sobre a destra maternal que afagava o ferido, osculando-a com reverência...

Mais alguns minutos de expectativa e dávamos entrada no estabelecimento que nos era familiar.

O médico que se responsabilizara, de mais perto, pela assistência a Marita, a pedido de Nogueira, foi chamado pelo fio. Atendeu sem delonga.

Expedíamos mensagem para irmão Félix; entretanto, não acabávamos a transmissão e o benfeitor, com a naturalidade de quem já sabia de tudo, surgiu rente a nós.

Informou que chegara ao Rio minutos antes, mas, não desconhecendo que Nemésio se mantinha relegado ao próprio infortúnio, decidira-se a examiná-lo, de imediato, para considerar que espécie de socorro seria capaz de receber.

2.12.14   De minha parte, quis perguntar se Torres pai enlouquecera; entretanto, o olhar do instrutor, naquela hora, não encorajava indagações.

Ativou-se-nos o trabalho socorrista, em colaboração com a medicina terrestre. Apesar disso, Félix inteirou-nos de que Nogueira se achava prestes a desligar-se do corpo. Nenhuma providência humana conseguiria sustar a hemorragia interna em efusão crescente. O médico dedicado improvisava medidas de salvação, que redundavam infrutíferas.

Nogueira esmorecia. Diligenciava mentalizar a figura de Marita, reconhecer lugares, mas a cabeça não se aprumava. Aguçou-se-lhe a atenção para o desequilíbrio e, inteligente, sondou o ânimo do facultativo, perguntando-lhe se julgava oportuno algum chamamento aos filhos. O interpelado concordou e, pelo olhar profundo que lhe dirigiu, adivinhou que o fim da atividade orgânica se aproximava... Rememorou as noites de vigília, nas quais se agasalhava no apoio de Agostinho e Salomão. Reportou-se de leve a isso. Agostinho demandara o mundo espiritual, semanas antes, mas, se possível, estimaria abraçar o amigo de Copacabana...

O médico entendeu e comunicou-se com Gilberto e Salomão, pelo fio. Viessem com urgência.

Sensibilizando-nos, Cláudio, em prece, rogava forças. Desejava apelar para o genro e para a filha, invocar-lhes a benevolência para Márcia e Nemésio...

Félix redobrou esforços para sustar o fluxo hemorrágico, ainda que por minutos, e, colaborando intensamente com o médico, obteve o que procurava.

O ferido ganhou inesperada melhora. Raciocinava com firmeza, conseguia comandar-se.

Lúcido, viu quando Gilberto e Marina entraram, compungidos. Daí a momentos, verificou a chegada de Salomão.

Declarou-se reanimado e alegre, cunhando as palavras com a serenidade possível. Olhou, de maneira acariciante, para a filha ansiosa e avisou, com um sorriso forçado, que talvez fosse compelido a efetuar grande viagem para tratamento mais amplo.

Marina compreendeu a significação do gracejo e caiu em choro. O genitor, no entanto, advertiu-a com doçura. Onde a fé que cultivavam? Como não confiar em Deus que renova o Sol cada manhã, para que a vida permaneça triunfante? Tencionava falar-lhes de assunto sério... 2.12.15

Marejaram-se-lhe os olhos de pranto e, com inflexão de súplica, rogou-lhes bondade e entendimento para Nemésio e Márcia. Desconhecia o paradeiro de um e outro; contudo, quando a oportunidade aparecesse, que o lar do Flamengo se mantivesse repleto de carinho para eles, tanto quanto fora farto de amor para ele, Cláudio, que se aproveitava do momento para agradecer-lhes a abnegação incessante... Confessou que Márcia era excelente companheira, que ele, tão somente, devia ser culpado pela separação... Acentuou que não detinha qualquer motivo para malquerer Nemésio, que o considerava um irmão, pessoa da família, com credenciais para ser acatado e compreendido em qualquer circunstância...

Entrementes, passou a respirar com dificuldade.

— Mas, meu sogro — tartamudeou Gilberto, sopitando as lágrimas —, como quer o senhor largar-nos assim?!...

Ajustando o punho ao tórax, como para conter-se, aditou:

— E seu neto?

O agonizante esboçou uma expressão quase risonha e ponderou:

— Minha neta...

E acrescentou, reticencioso:

— Um espírita não aposta... mas... se eu tiver vantagem... na teima... peço uma coisa. Peço... para que a menina... tenha o nome de Marita... Prometam...

2.12.16   Agravaram-se-lhe a palidez, o cansaço.
Desfazia-se, por fim, o efeito das forças magnéticas concentradas. Nogueira ainda pôde solicitar ao amigo uma prece, um passe... O farmacêutico orou, trêmulo, e administrou-lhe o benefício. Logo após, o agonizante recordou o adeus de Marita e teve a impressão de que alguém lhe tocava os dedos. Era Percília que o acariciava maternalmente. Alongou a destra, na direção da filha, fixando nela o derradeiro olhar. Guiada por Félix, Marina estendeu-lhe a mão pequena que ele apertou fortemente, até que, relaxando-se-lhe a tensão, deu a perceber que repousara.

Cláudio entrou em coma, qual se dormisse, e durante quatro horas o coração vigoroso pulsou no tronco inerte, apesar do nosso empenho em libertá-lo.

Manhãzinha, sempre assistido pelos filhos e por Salomão, que velavam conosco, Félix ergueu-se em prece e, com o amparo de outros amigos da esfera superior, a cujos préstimos recorrêramos, afastou-o finalmente do veículo fatigado, depondo-lhe a cabeça nos braços de Percília, para a caminhada que nos cabia empreender...

O Sol fulgia, renascente, e, contemplando-lhe os raios, coroando aquela mãe amorosa que conchegava o filho ao colo, tive a ideia de que o Pai de infinita bondade, ao vê-los renovados, queria mandar buscá-los da Terra para os Céus, num carro de ouro.

13

Recolhido à organização assistencial vinculada aos nossos serviços, nas adjacências do Rio, Nogueira desencarnado refazia-se. Félix, que não sossegou enquanto não lhe admitiu o reequilíbrio perfeito, no-lo entregou aos cuidados, sem retornar a vê-lo.

2.13.1

Desperto agora, Cláudio nos recebia as manifestações de amizade e apreço, vexado, confundido. Momento a momento, acusava-se, denotando excessivo apego a complexos de culpa.

Empregamos todos os meios justos para dissuadi-lo.

Aproveitássemos os erros por lições, anotando-os nos cadernos do passado, para a consulta no ensejo próprio. Árvores alijam folhas mortas, não obstante lhes sirvam de adubo às raízes. As Leis divinas preceituam esquecimento do mal a fim de que o bem se nos incorpore à individualidade, gerando automatismos de elevação. Também nós atravessáramos crises semelhantes; contudo, acabáramos descobrindo no serviço o remédio para as enfermidades do sentimento. Somos todos obrigados a prevenir-nos contra a agitação constante de sedimentos dos vícios e transgressões do pretérito, no vaso da alma, sob pena de frustrarmos as possibilidades do presente para melhorar o futuro, conquanto a vida nos recomende jamais esquecer a nossa pouquidade,[31] visto que, consciências endividadas que ainda somos, por muito tempo ainda, aonde formos, estaremos carregando no espírito o bagaço de velhas imperfeições. Cultivasse paciência, que ninguém logra aperfeiçoar-se sem paciência, até mesmo consigo próprio. Contava com amigos no Almas Irmãs, de onde havia descido às lides da reencarnação. Andava transitoriamente esquecido, sob o efeito natural das experiências a que se condicionara no plano físico; entretanto, oportunamente recuperaria mais amplos potenciais da memória, rejubilando-se com reencontros abençoados. Referimo-nos ao irmão Félix, que mostrava para com ele devotamento particular, se nos fosse facultado descortinar inclinações especiais naquele Espírito aberto a todos os apelos da fraternidade sublime.

2.13.2   O companheiro reconfortava-se, esperançado.

No quarto dia após o transe, comoveu-nos com um pedido. Reconhecia-se amparado por muitos benfeitores, porque, somente à custa de muitos favores — opinava humilde —, pudera acordar, antes da morte, para as realidades da alma... Envergonhava-se, porém, de procurar-lhes imediatamente o convívio, que aspirava a merecer no porvir. Se a divina Providência, por amigos tão dedicados, lhe pudesse conceder novas esmolas, a ele que se categorizava por mendigo de luz, anelava permissão para continuar trabalhando, mesmo desencarnado, no seio da família, sem ausentar-se do Rio. Amava os filhos, considerava-os ainda moços e inexperientes, ambicionava converter-se para eles num servidor. Mas não era só... Duas criaturas deixara, junto das quais se reconhecia devedor, Nemésio e Márcia. Não pretendia largar a oficina terrestre na condição de insolvente. Além de suspirar por se redimir diante dos credores,

---

[31] N.E.: Pequenez.

sonhava auxiliá-los e amá-los. Não lhe competia devotar-se ao bem dos outros e, sobretudo, à felicidade daqueles dois associados do destino, praticando os ensinamentos espíritas cristãos que teoricamente havia aprendido?

Decerto, por discrição e respeito, na consideração íntima do passado, não fez referências a Marita, cuja imagem se lhe retratava no espelho da mente... 2.13.3

Acrescentou Nogueira que, se atendido, obedeceria lealmente aos programas de ação que lhe fossem traçados, não cobiçava outra coisa senão instruir-se, melhorar-se, compreender e ser útil...

A petição enternecia-nos; entretanto, não detínhamos competência para decidir.

Autoridades do estabelecimento que nos albergava acolheram o assunto com simpatia e ofereceram medida básica à solução do impasse. Desde que se munisse de aprovação, Nogueira residiria ali mesmo, apesar de se manter em atividade na proteção aos parentes.

Agradecemos, felizes, e quase que na mesma hora Percília partiu, com atribuições de mensageira. Advogaria a causa no Almas Irmãs, convicta de que Félix lhe emprestaria prestígio e patrocínio.

Com efeito, no dia imediato, regressou com o requerimento referendado.

Permitia-se a Cláudio o período de dez anos de serviço ao pé dos familiares, antes de se elevar aos círculos Imediatos da Espiritualidade para julgamento da existência transcorrida, reservando-se à Casa da Providência o direito de corrigir a concessão, fosse dilatando o tempo, se o interessado demonstrasse aplicação ao cumprimento das promessas que formulava, ou cassando a licença, na hipótese de se revelar indigno dela.

O requerente, satisfeito, exultou. Estimulado pelo apoio que recebia, rogou colaboração para voltar ao Flamengo.

Sentia-se fraco, vacilante. Pássaro implume, ansiando despencar-se do ninho... Mesmo assim, queria sair de si mesmo, trabalhar, trabalhar...

2.13.4   Ajustaram-se providências.

Moreira, que se mantinha com funções definidas ao lado de Marina, auxiliá-lo-ia.

Admirei sem palavras o mecanismo de amor da Bondade divina. Aquele que lhe fora assessor no desequilíbrio ser-lhe-ia, e muito compreensivelmente, o arrimo nas tarefas do reajuste.

Seis dias sobre o acidente que levara Nogueira à desencarnação. Amanhecia, quando pisamos nas areias do Flamengo, reconduzindo-o ao lar.

Certificamo-nos de que o amigo se reiniciava confiante. De propósito, atravessamos com ele a pista de asfalto, no sítio em que tombara; no entanto, não fez o mínimo apontamento com relação ao desastre. Apoiando-se em Percília, junto de mim, penetrou em casa, acolhido por Moreira que nos precedera, cauteloso. Demandou o aposento em que se instalara, observando que os filhos conservavam-no intacto. Sentou-se no leito a refletir.

O despertador anunciou as seis horas, quando Marina se ergueu. Isolou-se no banheiro por instantes, preparou-se e, antes de se entender com dona Justa sobre o lanche matinal do marido, penetrou no recinto em que nos achávamos e, em pensamento, dirigiu-se a Jesus, rogando-lhe abençoasse o genitor desencarnado, onde estivesse. Enlevados, ouvimo-la, palavra a palavra, no clima dos pensamentos harmônicos em que nos entrelaçávamos, conquanto a jovem senhora exorasse o amparo do Senhor em silêncio.

Levantou-se Cláudio, abeirou-se dela. Ao tocá-la, fremente de júbilo, percebeu que a filha trazia no corpo e na alma a doce presença de Marita nascitura... Deu um passo à retaguarda, parecendo-nos receoso. Temia conspurcar a excelsitude do quadro sublime que o defrontava. Figurou-se-lhe Marina uma planta luminosa, modelada na carne, encerrando uma flor quase a desabrochar.

A ideia de Cláudio relampeou na oração. Suplicava a Deus não lhe permitisse alçar caprichos acima de obrigações... Em seguida, reaproximou-se dela, abraçou-a brandamente e apelou: 2.13.5

— Minha filha!... Minha filha!... que é feito de Nemésio? Procuremos Nemésio! É preciso ampará-lo!... Ampará-lo!...

A moça, expectante, não assinalou a advertência com os sentidos físicos, mas, sem que pudesse explicar a si mesma a razão disso, rememorou a solicitação paterna de última hora...

Nemésio, sim... — concluiu mentalmente. Ela e o esposo tinham recebido notícias ao telefone, principalmente da parte de Olímpia. O médico da família procurara Gilberto no banco. As informações eram alarmantes; entretanto, hesitavam... Ela, sobretudo, angustiava-se ao imaginar-se no reencontro. Comentava-se, porém, que o sogro jazia enfermo, em estado grave... Rearticulou, na memória, a rogativa de Cláudio, ao partir, e decidiu-se em espírito. Olvidaria o passado e ajudaria o doente no que lhe fosse possível. Inclinaria Gilberto à reconciliação. Não adiariam por mais tempo a visita.

Os compromissos caseiros, no entanto, povoavam-lhe a mente e afastou-se, conservando, todavia, na forma de intenção consolidada, o pedido que Nogueira lhe insuflara.

Ao café, sugeriu ao esposo as primeiras medidas atinentes ao caso. Cláudio, que observava atento, entrou, direto, em serviço. Alimentou as disposições favoráveis do casal. Que não recuassem. Atendessem. Nemésio era também pai. Marina propunha, Gilberto ponderava. Por fim, o marido concordou. Telefonaria do banco, sondando o médico. Se a doença fosse mesmo grave, apesar dos constrangimentos da companheira, na gravidez avançada, tomariam táxi à noite, para vê-lo.

2.13.6   Deixando Percília, Cláudio e Moreira entregues à atividade, busquei a vivenda dos Torres, no encalço de Nemésio, que eu não mais vira, desde o trágico instante do carro em disparada. Entrei.

Silêncio vazio nas peças principais.

Espantado, procurei-lhe o quarto, o quarto espaçoso em que lhe conhecera a esposa doente. Junto dele, hemiplégico e afásico no leito, apenas Amaro, o fiel amigo espiritual que velara por dona Beatriz.

Mobilizei compreensão e resistência para não sensibilizar-me em demasia, prejudicando, em vez de auxiliar.

Perplexo, ouvi do enfermeiro o resumo da tragédia em que se envolvera aquele homem, dantes tão bajulado e tão rico.

Cedendo à paixão que lhe empolgava os sentidos e excitado pelos obsessores que o abandonaram tão logo lhe viram o corpo arruinado e inútil, Torres pai se decidira a exterminar Marina e suicidar-se em seguida. Ao praticar o crime, porém, verificou que atropelara Nogueira e não a filha, entrando em desespero, e esse desespero lhe cresceu tanto no espírito que o corpo doente não resistira. Sobreviera o derrame. Ele, Amaro, avisado por amigos, fora encontrá-lo semiparalítico e sem fala, no automóvel, parado longe do local em que se desenrolara o delito. Parecia prestes a desencarnar, mas Félix aparecera de improviso e requisitara o apoio de todos os órgãos espirituais de assistência, situados nas imediações, acumulando fatores de intervenção em favor dele. Orara, suplicando aos poderes divinos não lhe permitissem a saída do plano físico sem aproveitar o benefício da enfermidade no veículo carnal, que se desarranjara sem probabilidades de conserto. O diretor do Almas Irmãs advogara para ele as vantagens da dor, que reputava santas, e o processo desencarnatório tinha sido imediatamente sustado. Quem era ele, Amaro, para censurar as decisões do irmão Félix — alegava o amigo, confidencioso —;

no entanto, indagava a si mesmo se valia continuar um homem ativo e inteligente, qual Nemésio, atado a um corpo desajustado assim... Desde a intercessão de Félix, o velho Torres era aquilo que eu via, um farrapo de gente, largado à cama. A casa fora devassada pelos credores, e empregados desonestos haviam fugido carregando copioso fruto de saque. Baixelas, pratarias, cristais, porcelanas, roupas, telas, pequenos tesouros dos ascendentes das famílias Neves e Torres e até mesmo o piano e as joias de dona Beatriz jaziam perdidos na voragem. Apenas Olímpia, antiga companheira, vinha até ali duas vezes por dia, a fim de prestar ligeira assistência ao enfermo, que, embora perfeitamente lúcido, não conseguia articular palavra, em vista das alterações nos centros nervosos. E isso tudo — rematava o informante, desencantado — há menos de uma semana...

Condoído, ali aguardei a noite. 2.13.7

Vi quando Gilberto e Marina atravessaram o vestíbulo, seguidos de Percília, Moreira e Cláudio, tomados de surpresa dolorosa.

Imaginando-se sozinhos, o jovem bancário e a esposa não conseguiam dominar as exclamações de assombro, até que à frente do leito, cuja solidão o lustre feérico parecia exagerar, se prosternaram em lágrimas. Nemésio reconheceu-os. Debalde intentou soerguer a carcaça dorida. Quis falar, mas não pôde, apesar do supremo esforço despendido.

— Pois é o senhor que encontramos assim, papai? — arfou Gilberto em desconsolo.

Cabeça trêmula, o interpelado apenas engrolava:
— Ah, ah, ah, ah, ah!...

Nós, porém, que lhe registrávamos os pensamentos, notamos, comovidos, que ele, reacomodado ao equilíbrio próprio, implorava aos filhos benevolência, compaixão...

Contemplou a nora pelo véu de pranto e lastimou na linguagem inarticulada do cérebro: — "Marina!... Marina!... sou um infeliz... Perdão, pelo amor de Deus!... Perdão pelas cartas afrontosas, perdão pelo meu crime!... Eu estava louco no momento em que arrojei o automóvel no corpo de seu pai!... Diga, diga se ele morreu... Perdão, perdão!..." A boca franzida, no entanto, somente repetia:

2.13.8 — Ah, ah, ah, ah, ah!...

Para os dois circunstantes, a terrível confissão paterna era simplesmente longa série de interjeições sem sentido.

Vimos então que Nogueira avançava realmente para o bem que se comprometera a dignificar. Somente naquela hora vinha a saber quem fora o autor do atentado que lhe impusera a morte... Longe, porém, de pedir-nos orientações ou conselhos, recordou, instintivamente, outra noite, além daquela em que perdera a existência... A noite na pensão de Crescina, cujas sombras lhe haviam acobertado os ultrajes à filha, compelindo-a ao desastre fatal... Viu Marina, ajoelhada, e, obedecendo aos ditames da própria alma, caiu genuflexo, abraçando-se a ela e, qual se ocupasse o íntimo da jovem senhora, atenazada de sofrimento moral, fê-la buscar a destra de Nemésio para beijá-la com a reverência que os filhos devem aos pais.

O enfermo, tocado no coração por semelhante gesto de respeitosa ternura, tartameleava sons ininteligíveis, implorando mentalmente: "Perdão!... perdão!..."

Cláudio, testemunhando corajosa humildade, levantou-se de súbito, e, erguendo os olhos para o alto, clamou em pranto:

— Deus de imensa bondade, perdão para mim também!...

Naquela mesma noite, uma ambulância atendia à hospitalização de Nemésio, que, após alguns dias de tratamento, sempre custodiado pelos filhos, subia, em cadeira de rodas, no prédio do Flamengo, onde passou a habitar, mudo e inerme, sob os desvelos da nora e incessantemente amparado por Nogueira, no aposento que pertencera àquele que perseguira por rival e que se lhe erigia agora por denodado guardião.

Os êxitos morais de Cláudio, comentados com admiração por alguns amigos no Almas Irmãs, estabeleceram para o irmão Félix um problema grave, embora sem qualquer importância na feição exterior. Dona Beatriz, ciente de que o genitor de Marina, já desencarnado, obtivera licença para se demorar ao pé dos familiares em missão de auxílio, queria também, pelo menos, rever o esposo e o filho. Cientificara-se, de maneira superficial, dos acontecimentos desagradáveis em que se envolviam os entes queridos. Muito longe, porém, de abranger-lhes toda a extensão, alegava essa circunstância para reforçar o propósito. Peça viva na engrenagem doméstica, não devia alhear-se, argumentava. Se Marina desposara Gilberto, aceitava-a por filha, e se os pais mantinham contendas, que não conhecia em todos os pormenores, nada mais justo que partilhar as dificuldades, oferecendo mediação.

2.13.9

Estabelecida a pretensão, negou-se Félix a atender.

Dona Beatriz recorreu a Neves, mobilizou a afeição de Sara e Priscila e voltou à carga; entretanto, o diretor se conservou irredutível. Neves, porém, que não se curara, de todo, da impulsividade, destacava o caráter aparentemente razoável do pedido, e colocou tantas relações e tantos empenhos no assunto que o instrutor não encontrou alternativa senão aderir. Conquanto preocupado, determinou providências para que se efetuasse a excursão. Instado a prestigiar dona Beatriz com a sua presença, escusou-se, delicado, conferindo, àquele que lhe fora genitor, ampla liberdade de ação e tempo. Particularmente, todavia, recomendou-me fizesse companhia aos dois viajantes, pai e filha. Que eu cooperasse com Neves na solução de qualquer emergência. Pressentia obstáculos, receava riscos.

Dona Beatriz, entusiasmada na contemplação do Rio, embora soubesse que Nemésio passara a residir com o filho, não apenas ansiava por abraçá-lo, como também suspirava reavistar a antiga moradia. Queria sorver o perfume da felicidade que tivera, exclamava contente. E o pai, satisfeito, incentivava-lhe todos os programas. Acompanhando a dupla, não me permitia opor embargos.

2.13.10 Demandei o Flamengo, ouvindo a senhora Torres e admirando as reservas de sensibilidade e meiguice que lhe vibravam na alma de escol. Exteriorizava o júbilo de ave recém-liberta. Entretanto, logo após recebidos por Moreira e Cláudio, ao divisar o marido desfigurado na postura dos paralíticos, empalideceu, debruçando-se na cadeira de rodas que o albergava. Enleou-se a ele, que lhe não assinalava as carícias, a crivá-lo de perguntas lastimosas... Por que mudara tanto em dois anos apenas? Que lhe acontecera para se relegar a semelhante ruína física? Que fizera? Por quê? Por quê?!...

Escutando tão somente o ruído de Marina e dona Justa nas atividades rotineiras, experimentava-se Nemésio tocado de fundas reminiscências... Não conseguia explicar a si mesmo a razão das ideias que lhe borbulhavam da cabeça, mas pensava em Beatriz. Reconstituía-lhe a imagem no imo do ser. A esposa!... Ah! — refletia o doente, em cujo espírito a afasia requintara a vida interior — se os mortos pudessem amparar os vivos, segundo a crença de tantos, certamente que a velha companheira se compadeceria dele, estendendo-lhe as mãos!... Rememorava-lhe a compreensão silenciosa, a dignidade irrepreensível, a bondade, a tolerância!...

Ignorando que respondia, mecanicamente, às inquirições da esposa, amarrotada de angústia, ali colada a ele, revisou todos os acontecimentos posteriores à desencarnação dela, como que a lhe prestar severas contas. Gilberto, Marina, Márcia e Cláudio eram os protagonistas principais daquelas cenas que a memória perfeitamente lúcida lhe traçava nos painéis relampagueantes da aura, exibindo para a companheira e para nós outros, qual num filme pujante, a verdade toda, até o instante em que se precipitara no crime. Se Beatriz estivesse no mundo — concluía —, estaria isento de aflições e tentações. Junto dela, teria recolhido defesa, orientação. Profundas saudades lhe acicatavam a alma... Recompunha na imaginação os sonhos da juventude, o casamento, os projetos de ventura concentrados em Gilberto pequenino... Movimentou dificilmente a mão esquerda para enxugar o pranto que lhe encharcava o rosto, sem saber que a esposa o auxiliava, soluçando...

Neves, apreensivo, tentou soerguer a filha que se estirara no pavimento, à maneira de mãe torturada, incapaz de alijar do peito um filho semimorto. Em vão pronunciou palavras de encorajamento, exortações à paciência, conceitos evangélicos, promessas de futuro melhor... A filha magoada respondeu que amava Nemésio, que preferia ser amarrada num catre, ao lado dele, a separar-se de novo. Agradecia o devotamento de que andara cercada no Almas Irmã"; entretanto, pedia vênia para considerar que o esposo sofria. Como descansar, lembrando-lhe os suplícios? Jesus também — ponderava chorosa — carregara a cruz por amor à Humanidade... Como fugir de suportar diminutas contrariedades na Terra, amenizando o martírio do homem a quem adorava? A doutrina cristã ensinara-lhe que Deus é um pai compassivo, e um pai compassivo não aprovaria ingratidão e abandono. 2.13.11

O genitor, que não contava com a imprevista resistência, disse-me à socapa que Torres pai nada fizera para merecer semelhante abnegação e inclinava-se ao estouro, mas sugeri-lhe calma. Censuras agravariam a situação sem proveito.

Interferi.

Salientei para a senhora Torres que o filho se preparava a dar-lhe uma neta, que a conformidade da parte dela, no tocante às provações do marido, ser-nos-ia uma bênção.

2.13.12   Acatando-me a solicitação, ergueu-se, contrafeita, acompanhou-nos até Marina, cuja história real na família passara a conhecer pelas memorizações do enfermo... Alma generosa, porém, compreendeu as ligações havidas e, fitando Cláudio, que lhe perdoara ao esposo tantas injúrias, beijou-lhe a filha com enternecimento de mãe. Abraçou dona Justa com simpatia e, em seguida, retornou em nossa companhia ao quarto de Nemésio, onde nos compartilhou a oração e o trabalho de socorro magnético. Pareceu reconfortar-se, sobremodo, quando viu Gilberto em casa para o jantar, encantando-se ao notar que o filho buscara o doente para a refeição, após afagar-lhe a testa, acompanhando o gesto afetuoso com expressões de bom ânimo e carinho; entretanto, quando Neves falou em regressar, a devotada mulher enrodilhou-se ao marido e, desligada por nós, quase à força, revelava sinais de alienação começante.

    Beatriz desceu do prédio abatida, muda. No intuito louvável de reaquecer-lhe o coração, Neves, que conhecia somente por alto a bancarrota comercial do genro, propôs se lhe realizasse naquela hora o desejo de uma visita, ainda que rápida, à antiga moradia. A filha, agora apática, não contestou. Obedeceu automaticamente.

    A noite caíra de todo, quando abordamos a vivenda que se reduzira a um casarão às escuras. A Lua plena assemelhava-se a uma lâmpada enorme que estivesse conscientemente recolhida a distância, envergonhada de apresentar à dona do palacete uma visão assim funesta.

    O genitor, arrependido da instigação infeliz, diligenciou recuar, mas não pôde... Dolorosamente magnetizada pelas próprias recordações, Beatriz avançou apressada, à procura dos tesouros domésticos; todavia, não encontrou, nos lúgubres recintos, senão poeira e sombra do oásis familiar que construíra... Além de tudo, o elegante domicílio, condenado a leilão, transformara-se em valhacouto³² de malfeitores desencarnados, aos quais se reconhecia absolutamente sem forças para expulsar... A desesperada criatura correu de peça em peça, de susto em susto, de grito em grito, até que se rojou de borco nos tacos da espaçosa câmara que lhe merecia a preferência, pronunciando frases desconexas...

Beatriz enlouquecera.

2.13.13

Postei-me de vigia, asserenando-a, enquanto Neves, desolado, recorreu aos serviços de amparo urgente, ligados ao Almas Irmãs, em local não distante.

O auxílio não tardou.

No dia seguinte, enfermeiras especializadas colaboraram conosco, por determinação de Félix, mas, somente depois de quatro dias sobre o incidente, logramos reentrar no instituto, reconduzindo-a, dementada.

Duas semanas de trabalho vigoroso e atenção constante se esvaíram, infrutiferamente, no lar de Félix, até que um dos orientadores da equipe médica recomendou a internação da enferma em hospital adequado, a fim de que se lhe aplicasse a sonoterapia, com algum exercício de narcoanálise,³³ para que se lhe exumassem as recordações possíveis da existência anterior, com a cautela devida, de modo a que se não precipitasse em mergulhos de memória, alusivos a períodos precedentes.

O parecer foi acatado.

Félix convidou-nos, a Neves e a mim, comparecer, junto dele e do irmão Régis, no gabinete em que se efetuaria a pesquisa.

No momento indicado, ao pé de Beatriz, que dormia num leito, cujo travesseiro se achava munido de recursos eletromagnéticos especiais, permanecíamos, Félix, o irmão Régis, o distinguido psiquiatra que aventara a medida, acompanhado

---

³² N.E.: Abrigo, esconderijo.
³³ N.E.: Método de investigação do psiquismo no qual o indivíduo é colocado em estado de torpor induzido pela injeção de um hipnótico.

de dois assistentes, o chefe de arquivo do Almas Irmãs, Neves e eu, ao todo, oito companheiros observando a paciente, sendo forçoso explicar que as autoridades ali reunidas dispunham de aperfeiçoado sistema de comunicação, para consulta rápida às repartições a que se mantinham vinculadas.

2.13.14   Félix circunspecto, Neves sob nervosismo, os médicos diligentes e nós outros em expectação...

Iniciada a experiência, Beatriz, denotando voz e maneiras diversas das que lhe eram habituais, revelou-se num ponto indeterminado de existência anterior, reclamando contra uma certa Brites Castanheira, mulher à qual imputava os infortúnios que lhe devastavam a alma... Pelas considerações amargas, via-se que o analista esbarrara com expressivo foco de exacerbação, facultando-lhe fácil penetração nos domínios recônditos da mente. Prevalecendo-se disso, o médico indagou onde conhecera Brites, em que época e em que circunstâncias. Beatriz, sempre em sono provocado, replicou que para isso precisaria lembrar a juventude e, devidamente estimulada, elucidou que nascera no Rio, em 1792, e se chamava Leonor da Fonseca Teles, nome que lhe adviera do homem com quem se consorciara em segundas núpcias. Informou haver nascido na rua de Matacavalos, numa casa singela em que vivera descuidosa meninice. Em 1810, porém, modificara-se-lhe o destino. Desposara um rapaz português, de nome Domingos de Aguiar e Silva, que se demorava no Brasil, em serviço do Duque de Cadaval, na corte de D. João VI. Dessa união tivera um filhinho, que recebera o nome de Álvaro, em 1812. O marido, no entanto, falecera prematuramente no caminho do Boqueirão da Glória, quando se responsabilizava pela condução de alguns potros bravos, adquiridos para as cocheiras reais. Referiu-se com gratidão às manifestações de estima com que se vira brindada por personalidades influentes da época e às promessas articuladas em favor do pequenino que ficara órfão. Viúva aos 22 de idade, foi requestada por rico ourives, que montara estabelecimento na rua Direita, Justiniano da Fonseca Teles, moço mais velho que ela apenas três anos, cuja proposta de casamento aceitou. Alegrara-se por verificar enteado e padrasto em abençoada camaradagem.

Álvaro cresceu afetuoso e inteligente. Como não possuía rebentos do segundo matrimônio, a criança se levantara entre ela e o esposo por laço de luz e amor. Ainda assim, aos 15 de idade, em 1827, o menino embarcara no rumo da Europa, sob o patrocínio de fidalgos amigos do pai, tendo realizado estudos brilhantes em Lisboa e Paris... 2.13.15

A magnetizada narrava sucessos da época, exteriorizando impressões acerca de pessoas, coisas, realizações e ocorrências, qual se trouxesse a imaginação recheada de crônicas vivas. Confidenciou que o filho regressara em 1834. Para ela e Justiniano, a casa transformara-se, de novo, num mar de rosas, até que certa noite...

Diante das reticências, o irmão Félix, visivelmente comovido, solicitou que o serviço de análise se detivesse nas possíveis recordações da noite mencionada.

O orientador da pesquisa atendeu.

Beatriz franziu a testa, patenteando o sofrimento de quem esbarrava com uma ferida no próprio corpo, sem meios de extirpá-la, e respondeu descontente:

— Devo explicar que Brites era casada com Teodoro Castanheira, rico negociante que morava na rua da Valinha. Ambos moços, com uma filha única, Virgínia, pequenota de 11 anos... Embora eu tivesse ultrapassado os 40, junto de Brites que ainda não alcançara os 30, queríamo-nos intensamente, enquanto nossos maridos nos copiavam a afeição, com a mesma diferença de idade... Eles unidos pelos negócios e nós pelos sonhos caseiros...

E continuou:

2.13.16 — Na noite que comecei a mencionar, meu esposo e eu apresentávamos Álvaro à sociedade, num sarau do comendador João Batista Moreira, na Pedreira da Glória... Senti horríveis pressentimentos quando Álvaro e Brites se cumprimentaram, parando extáticos, de olhos um no outro, para ouvir as sonatinas... Debalde inventei motivos para retirar-nos cedo... Voltamos tarde com o rapaz, devaneando. Supunha impossível que ela fosse casada e mãe de uma filha... Parecera-lhe simples menina de salão na graça de que se enfeitava. Fiz quanto pude para evitar o desastre, mas o destino... Ambos, tomados de paixão recíproca, iniciaram-se em passeios... Voltas pelo Mangrulho e brincadeiras na praia de Botafogo, excursões de caleça para a Fazenda do Capão, passeios para lá da Muda da Tijuca... Isso tudo acontecia pacificamente, até que Teodoro os descobriu juntos num quarto do Hotel Pharoux. Escandalizado, o marido desinteressou-se da mulher, embora não se retirasse do lar por amor à filha... Mas, mesmo nessa posição, cortejou a menina Mariana de Castro, a que chamávamos Naninha, jovem de bons costumes, que residia com os pais na rua do Cano... Brites, longe de se magoar, até mesmo facilitou quanto pôde a ligação, para ver-se livre... Naninha acabou cedendo às escondidas, mas enjeitou dois filhos do comerciante nas portas da Misericórdia, como é do conhecimento público...

 A senhora Torres entrou em crise de lágrimas e seguiu contando que o filho, depois de quatro anos, se enfadou de Brites e só então comunicou à família que deixara uma prometida em Lisboa... Suspirava por voltar, mas receava que a amante se despenhasse no suicídio. Depois de muitas negaças em vão para retirar-se, arquitetou um plano maquiavélico, de que resultara para ela, mãe amorosa, a infelicidade irremediável. Percebendo, pouco a pouco, a fraqueza de Brites pelas joias, insinuou ao padrasto que ela ansiava possuir-lhe a dedicação, fantasiando recados e armando embustes. Justiniano, vencido pelas sugestões do enteado, pôs-se em ação, conseguindo impressionar Brites com presentes raros, até que no primeiro encontro, forjado pelo próprio Álvaro, interferiu ele na cena, assumindo o papel de companheiro ultrajado, afastando-se, enfim, para Portugal, deixando várias tragédias em andamento.

O golpe infundira na senhora Castanheira uma nova personalidade. Convertera-se em pavorosa mulher, calculista, cruel. Nunca mais se lhe vira um gesto de piedade. Metamorfoseara Justiniano num homem de sexualidade pervertida, extorquindo-lhe dinheiro e mais dinheiro, até ao ponto de entregar-lhe a própria filha, Virgínia, que atravessara os 15 de idade, vendendo-a ao amante, homem já velho, para senhorear terras e haveres. Ainda assim, não contente com os próprios desvarios, desencaminhava moças de nobre formação, atirando-as no prostíbulo, estimulava infidelidades, vícios, crimes, abortos... 2.13.17

Virgínia, com quem Justiniano passara a viver em definitivo, abandonando a esposa, transfigurara-se em pomo de discórdia entre o senhor de Fonseca Teles e Teodoro Castanheira, que se atormentaram mutuamente em 11 anos de conflitos inúteis, até que o marido de dona Brites, então vivendo maritalmente com Naninha de Castro, desde muito, aparecera morto a punhaladas, na rua da Cadeia, atribuindo-se o homicídio a escravos foragidos. Naninha, porém, não ignorava que Justiniano fora o mandante e tramou desforço. Uniu-se a outro homem, em cujo espírito insuflou despeito e ódio contra o ourives da rua Direita, e os dois, então morando num recanto da praia de Botafogo, planejaram assassiná-lo num suposto acidente. Justiniano, já idoso e enfermo, adquirira o hábito da visita domingueira à Bica da Rainha, no Cosme Velho. Quando regressava de uma dessas jornadas, à noitinha, guiando o carrocim[34] em que se fazia conduzir, Naninha e o companheiro, ocultos na sombra, crivaram o cavalo de pedras revestidas de farpas, depois de escolherem local que favorecesse o desastre... O animal desembestado arrojou-se ladeira abaixo, rebentando freios e arremessando o velho do cimo de um barranco sobre um monte de lajes que se empilhavam embaixo, onde Justiniano encontrara a morte, quase que instantânea.

2.13.18   E dona Beatriz rematou lacrimosa:

— Ah! meu Deus, tudo por nada, porque Álvaro, de retorno a Portugal, achou a prometida casada com outro, por imposição dos pais, regressando, mais tarde, ao Brasil, onde acabou na condição de professor solteirão... Ah! meu filho, meu filho!... Por que te fizeste o autor de tantas calamidades?!...

Nesse tópico das revelações, o irmão Félix solicitou dos cientistas um intervalo para explicações, antes de se retirar.

A doente foi restituída ao sono e o instrutor pediu ao chefe do Arquivo a certidão da saída de Beatriz, já que se ausentara dali mesmo, quase cinquenta anos antes, para a reencarnação no Rio. O interpelado, atento ao caso em exame, trouxera consigo a ficha de dona Beatriz Neves Torres.

Sim, precedendo-lhe o nome atual, aparecia o de Leonor da Fonseca Teles, que desencarnara no Rio, estivera, por algum tempo, em regiões inferiores, morara por 28 anos em colônia espiritual de reeducação não distante e passara apenas dois meses no Almas Irmãs, em 1906, por solicitação do próprio irmão Félix, que lhe patrocinara o renascimento no lar de Pedro Neves, ali presente.

Félix, porém, rogou as informações possíveis acerca de personalidades referidas por Beatriz, que estivessem vinculadas ao instituto.

---

[34] N.E.: Pequena carroça.

Aparelhos funcionaram e o Arquivo respondeu com presteza. Justiniano da Fonseca Teles, Teodoro Castanheira, Virgínia Castanheira e Naninha de Castro estavam reencarnados no Rio. Todos com certidão de saída do Almas Irmãs. Justiniano era Nemésio Torres, negociante, com débitos agravados; Teodoro Castanheira apresentava-se com o nome de Cláudio Nogueira, já desencarnado, mas ainda em serviço na Terra, com melhoras sensíveis; Virgínia Castanheira respondia agora por Marina Nogueira Torres, com índices promissores de reforma íntima; Naninha de Castro fora Marita Nogueira, que estivera recentemente desencarnada num dos parques de repouso da organização, e que se achava em processo de novo renascimento no plano físico, por pedido expresso do próprio diretor do Instituto, enquanto Brites Castanheira envergava na Terra o nome de Márcia Nogueira, cuja ficha era desoladora. O registro dessa mulher somava longa série de abortos e deserções do dever, além de vários compromissos indiretos em lares destruídos e existências sacrificadas. Anotações das piores nas piores anotações da instituição.

2.13.19

Um dos médicos presentes, talvez empolgado com o depoimento de Beatriz, indagou por notícias de Álvaro. O Arquivo elucidou que Álvaro de Aguiar e Silva não possuía atestado de saída para a reencarnação pelo Almas Irmãs. Achava-se apenas cadastrado no departamento de queixas. Leonor, que lhe fora mãe carnal, Justiniano, o padrasto, e a própria Brites Castanheira, antes do regresso a novas lides terrenas, haviam inscrito severas acusações contra ele, embora os dois últimos tivessem estado, apenas de modo ligeiro, no instituto, ao saírem de colônia penal.

O irmão Félix perguntou se constava dos apontamentos de Márcia algum gesto nobre, por onde se ensaiasse eficiente auxílio a ela. Constava, sim, aclarou a repartição competente. Um dia, empenhara-se, com os melhores impulsos maternais, a garantir casamento digno à filha enferma.

2.13.20   O instrutor, então, conjugando dignidade e modéstia, levantou-se, e, arrasando-nos com a valorosa humildade de que dava testemunho, participou-nos que Álvaro de Aguiar e Silva e ele eram a mesma pessoa, o mesmo Espírito, que ali se erguia diante de Deus e diante de nós, num julgamento em que a consciência lhe exigia implorar, voluntariamente, a reencarnação, a fim de se colocar ao encontro de Brites, então na personalidade da viúva Nogueira... Esforçar-se-ia na regeneração de si mesmo e dar-lhe-ia a existência, já que se reconhecia o verdugo, categorizando-a por vítima.

Um raio não nos fulminaria com tanta força.

Os médicos jaziam cabisbaixos, o irmão Régis tinha lágrimas, Neves empalidecera e eu mal conseguia respirar...

Corajoso, Félix continuou elucidando que a Misericórdia divina, à medida que o Espírito se esclarece, entrega ao tribunal da consciência o dever de se corrigir e de se harmonizar com as leis do eterno equilíbrio, sem necessidade do apelo a disposições compulsórias, e que, em razão disso, daquela hora em diante tornaria pública a decisão de se recolher aos trabalhos preparatórios do renascimento na arena física.

Confessou que a delinquência sexual gerara para ele responsabilidades semelhantes às de um malfeitor que dilapidasse um edifício ou uma cidade, por meio de explosões em cadeia. Lesando os sentimentos de Brites Castanheira, mulher respeitável até a ocasião em que lhe transtornara o coração e o cérebro, identificava-se, diante dos princípios de causa e efeito, culpado, até certo ponto, por todos os delitos de natureza emotiva por ela cometidos, uma vez que após abandoná-la, impelindo-a deliberadamente à deslealdade e à aventura, podia compará-la a uma bomba, por ele preparada na direção de quantos a pobre criatura prejudicara, como querendo vingar no próximo o duro revés que lhe infligira.

Rogava-nos, ele, a quem devíamos tanta felicidade, apoio fraterno para que se lhe conseguisse um lugar de filho no lar de Gilberto, assim que Marina restaurasse o claustro materno, após o renascimento de Marita. Idealizara encontrar-se com Márcia, na ternura de um neto... Ser-lhe-ia o companheiro nos tempos áridos da velhice corpórea, recolher-lhe-ia o amor puro, sofreriam juntos, dar-lhe-ia o coração. Não lhe competia a indiferença, persuadido qual se achava de que a infinita bondade de Deus poderia conceder à viúva de Cláudio um valoroso resto de tempo na estância física... Se o Senhor lhe facultasse o favor que impetrava, que o auxiliássemos a ser fiel nos compromissos, desde o raciocínio infantil; que o amparássemos nos dias de tentações e fraquezas, que lhe perdoássemos as rebeldias e as faltas, e que, por amor à confiança que ali nos congregava, não lhe patrocinássemos, em tempo algum, qualquer mergulho em facilidades nocivas, a título de amizade... 2.13.21

Austero e doce, dirigiu-se particularmente ao irmão Régis, inteirando-o de que ambas as irmãs, Priscila e Sara, se achavam em preparativos para o retorno à Terra, que partiriam antes dele, que contava com a possibilidade de se retirar da direção do instituto, dentro de aproximadamente seis meses, a fim de aprontar-se, e que não anelava outra coisa que não fosse a experiência e a felicidade do companheiro à frente da organização.

Nenhum de nós, contudo, dispunha de energias para largar o silêncio. Os médicos requisitaram substitutos que assegurassem o descanso de Beatriz; Régis, mudo, afastou-se dando o braço ao chefe do Arquivo; Neves abeirou-se da filha inerte, dando a ideia de quem ansiava esconder-se para meditar na lição. Vi-me só diante do instrutor. Alçando para ele os olhos, como na primeira vez que o fitara, na residência de Nemésio, procurei recompor-me, ao fixar-lhe o rosto imperturbável. Era o mesmo homem que eu não saberia dizer se amava como se fosse meu pai ou meu irmão. Ele me percebeu o estado de alma e abraçou-me. Por meio daquele olhar firme e percuciente, compreendi que não me desejava sensibilizado, e tentei reequilibrar-me. Apesar disso, incapaz de controle total, pus a cabeça, que a emoção desgovernava, naquele ombro que me habituara a venerar, mas, antes que eu chorasse, senti-lhe a destra a me afagar, de leve, os cabelos, ao mesmo tempo que me perguntou pela aula de fluidoterapia, de que não me seria lícito ausentar.

2.13.22 Saímos juntos.

Lá fora, ao vê-lo caminhar ereto e calmo, tive a impressão de que o Sol rutilando nos céus era uma advertência da Sabedoria divina a que sustentássemos lealdade na marcha constante para a Luz.

14

Obtendo a dilação de prazo para mais amplos estudos 2.14.1
no Almas Irmãs, acompanhei o irmão Félix até que se retirasse
da chefia para entregar-se à preparação das novas tarefas.

O instrutor escolhera a Casa da Providência para se despedir da comunidade.

Na data prefixada, desde cedo, as portas do edifício jaziam abertas para quantos quisessem dizer adeus ao querido orientador, que todos os residentes no instituto consideravam herói.

Ministros da cidade, admiradores situados em lugares vizinhos, comissões de vários órgãos de serviço, todas as autoridades da organização, amigos, discípulos, beneficiários e companheiros outros, que procediam de longe, ali se reuniam, irmanados numa só vibração de agradecimento e de amor.

Informara-se Régis de que o chefe estimaria rever os doentes nas últimas horas de ação administrativa, mas, convencido de que não conseguiria ele satisfazer a esse propósito, por escassez de tempo, recomendou-nos selecionar, nos setores de irmãos hospitalizados, aqueles que se evidenciassem capazes de comparecer à transmissão de poderes, sem dano para as atividades em pauta.

2.14.2 Alinhamos, para logo, duzentos que não criariam problemas e, aspirando a salientar a dedicação incessante de Félix para com os menos felizes, determinou Régis fossem acomodados na primeira fila do auditório, como homenagem silenciosa àquele que os amava tanto... Destacavam-se, quase todos eles enfraquecidos e trêmulos, simbolizando vanguarda de saudade e sofrimento na assembleia, portando ramalhetes nas mãos... Contemplava-os, enternecido, quando Félix chegou, por fim, denotando a firmeza e a serenidade que lhe marcavam as atitudes. Instalou-se, tranquilo, entre o Ministro da Regeneração, que representava o governador, e o irmão Régis, que o substituiria; contudo, ao relancear os olhos pelos milhares de circunstantes que repletavam entradas, salões, escadas e galerias, com os enfermos à frente, estampou no semblante abalo inexprimível.

Quinhentas vozes infantis, de antemão preparadas por irmãs reconhecidas, cantaram em coro dois hinos que nos arrebataram a culminâncias de sentimento. O primeiro deles se intitulava "Deus te abençoe", executado por oferenda dos companheiros mais velhos, e o outro se subordinava à expressiva legenda "Volta breve, amado amigo!", preito de reverência endereçado ao instrutor pelos mais jovens. Emudecidos os derradeiros acordes da orquestra, que imprimira ignota beleza às melodias, os duzentos enfermos desfilaram diante de Félix, em nome do Almas Irmãs, que delegava aos companheiros menos afortunados o júbilo de apertar-lhe as mãos, ofertando-lhe flores.

A transferência de autoridade foi simples, com a exposição e leitura respectiva de um termo referente à modificação. Cumprido o preceito, o Ministro da Regeneração abraçou, em nome do governador, o irmão que partia e empossou Régis que ficava.

O novo diretor, com a voz de quem chorava por dentro, expressou-se, breve, suplicando ao Senhor abençoasse o companheiro de regresso à reencarnação, hipotecando-lhe, simultaneamente, votos de triunfo nas lides que esposava. Confundido e humilde, acabou convidando Félix não só a usar da palavra, como também a prosseguir exercendo o comando daquela casa, por direito que ele, Régis, julgava imprescritível.

Intensamente comovido, o interpelado levantou-se e, qual se nada mais tivesse a ditar àquela instituição que lhe recolhera mais de meio século de trabalho, alçou a fala em prece: 2.14.3

— Senhor Jesus, que te poderia rogar, quando tudo me deste no carinho dos amigos que me cercam na luz do amor que não mereço? Entretanto, Mestre, colocando-nos sob tua bênção, temos algo ainda a implorar-te, confiante!... Agora que novas realizações me chamam na Terra, auxilia-me, por piedade, para que eu seja digno do devotamento e da confiança desta casa, onde, por mais de meio século, recebi a magnanimidade e a tolerância de todos!... Diante da alternativa de tomar novo corpo no plano físico, a fim de resgatar débitos contraídos e curar as velhas chagas interiores que carrego por doloroso rescaldo de minhas transgressões, induze, por misericórdia, os amigos que me escutam a me socorrerem com a benevolência de que sempre me cercaram, para que eu não resvale em novas quedas!... Senhor, abençoa-nos e sê glorificado para sempre!...

Félix pronunciara as últimas palavras, sobrestando, dificilmente, a emotividade que o traía, mas, como se o firmamento lhe respondesse, de imediato, à apelação, amigos das esferas superiores ali presentes, conquanto se nos mantivessem inacessíveis ao olhar, valendo-se das forças espirituais de todo o auditório, positivamente orientadas numa só direção, materializaram farta chuva de pétalas luminosas, que desciam do teto a se desfazerem, tão logo nos tocavam a fronte, em vagas de perfume inesquecível.

A expectação prosseguia por instantes de jubiloso silêncio, quando um carro estacou à porta do foro repleto, e, logo após, certa mulher penetrou o recinto, revestida de luz.

2.14.4 Num átimo, todos os circunstantes se levantaram, inclusive o Ministro da Regeneração, que a envolveu, para logo, num olhar de fundo respeito.
Hesitei um momento só. Reconheci-a, feliz. Era a irmã Damiana, que integra em Nosso Lar o quadro de campeões da caridade, nas regiões das trevas, de quem conservava Félix o retrato e a quem se ligava por entranhados laços de afeto... A benfeitora, que revelava imensa modéstia, trajara-se de esplendor — daquele esplendor que, decerto, tantos sacrifícios lhe custara —, tão só para mostrar o regozijo com que vinha receber e aprontar para novo renascimento aquele a quem amava por filho do coração!...

....

Quatro anos passaram celeremente.
Esperança, esforço, trabalho, renovação...
Embora nunca me esquecesse de Félix, vários instrutores nos haviam recomendado o afastamento temporário da nova incumbência de que se investia, para não sermos tentados a prejudicá-lo por excesso de mimos. No entanto, quando menos esperava, o irmão Régis enviou-me fraterna mensagem, avisando que cessara o impedimento. Félix vencera todas as lutas no ajustamento ao veículo físico. Alguns dias depois, Cláudio, Percília e Moreira, em serviço no Rio, convidaram-me, em memorando afetuoso, a rever o inolvidável amigo, que todo o Almas Irmãs até hoje cerca de infatigável carinho.
Revivendo comovedoras lembranças, tornei ao Flamengo; contudo, o tempo tudo alterara. Família diversa ocupava o apartamento que se me vinculava às recordações. Um amigo desencarnado, por solicitação de Moreira, que o cientificara de minha visita eventual, me forneceu, prestativo, o novo endereço, explicando que Gilberto e Marina se viram na contingência de vender

a moradia, a fim de atenderem a questões de inventário, meses após a desencarnação de Cláudio. A família morava agora em Botafogo, para onde me dirigi ansiosamente.

Nenhuma frase terrestre para delinear a ventura do reencontro. Cláudio e Percília estavam lá. Moreira, ausente em serviço, chegaria mais tarde. Enleado nas vibrações balsâmicas do acolhimento de meus anfitriões espirituais, revi o casal em palestra com dona Justa, reavistei Marita, na forma de menina bonita e chorona... Profundamente sensibilizado, contemplei Félix, que passara a chamar-se Sérgio Cláudio, na rósea ternura dos 4 anos de idade. Temperamento visceralmente diverso da irmãzinha, já entremostrava serenidade e lucidez nos pensamentos e nas palavras. Quedara-me impressionado, ignorando como externar a alegria... Era ele mesmo!... Encantado, divisava novamente a chama daqueles olhos inesquecíveis, conquanto brilhasse num corpo de criança despreocupada... 2.14.5

Cláudio e Percília informaram-me que Nemésio fora conduzido ao plano espiritual, um ano antes, em seguida a escabrosos padecimentos. Contaram que verdadeiras maltas de obsessores ameaçavam o apartamento de Botafogo, quando o pobre companheiro se achava prestes a partir. Percília, porém, acompanhara o movimento intercessor que se levantara em favor dele no Almas Irmãs. Amigos devotados interpunham recursos, deprecando caridade e misericórdia, quando se soube que a justiça, no instituto, o considerava incurso em definitivo banimento. Antigos companheiros, em apelos calorosos, mencionavam os gestos de beneficência que praticara, ao tempo de dona Beatriz, somados ao triênio de enfermidade e paralisia que suportara, resignado. Diante dos empenhos multiplicados, de que o próprio irmão Régis partilhava, já que, seguindo a orientação administrativa de Félix, inclinava o poder à benevolência, os magistrados permitiram a reabertura do processo para debates amplos.

Reposto o assunto em exame, a Casa da Providência enviara dois notários a Botafogo, para instruir com segurança as petições que se adensavam; todavia, os serventuários tinham chegado exatamente na ocasião em que Nemésio, parcialmente desencarnado, enlouquecera ao descobrir, em derredor do refúgio doméstico, a presença das companhias infelizes que irrefletidamente cultivara. Verificando-se o inesperado, os juízes, por espírito de equidade, recomendaram se lhe conservasse a demência por benefício, no que, aliás, tinham sido referendados pelo irmão Régis, porquanto essa era a única fórmula pela qual se lhe podia dar uma guarda conveniente, de modo a subtraí-lo à sanha de malfeitores desencarnados, que anelavam possuir-lhe o concurso em vilezas, tão logo alijasse o corpo destrambelhado. Em vista dessa bênção, obtivera a internação num manicômio respeitável, mantido pelo Almas Irmãs em região purgatorial de trabalho restaurativo, onde continuava em tratamento vagaroso, incapaz de assumir compromissos novos com as Inteligências das trevas.

2.14.6 Quanto a Márcia, andava doente, mas arredia. Nunca mais retornara ao convívio familiar, não obstante o interesse incansável de Gilberto e Marina para reaver-lhe a confiança. Dizia detestar parentes. Apesar de enferma, bebia e jogava com desatino. Cláudio acentuava, porém, que os filhos espreitavam ensejo a fim de apresentar-lhe os netos. E Percília aditava que eu chegara justamente na véspera de tentativa promissora. Naquele sábado, pela manhã, o casal se inteirava de que ela frequentava diariamente a praia de Copacabana, descansando na areia a fim de inalar os ares puros do mar alto, a conselho médico. No dia imediato, domingo, Gilberto e a companheira contavam com tempo bastante para nova investida à conquista da suspirada reconciliação. Estava convidado a cooperar. Descansasse ali, junto deles. Aguardasse.

Entretivemo-nos largo tempo em torno das maravilhas da vida. Percília comparou a experiência terrestre a um tapete precioso, de que o Espírito reencarnado, tecelão do próprio destino, somente conhece o lado avesso.

Noite avançada, apareceu Moreira, acrescentando-nos a cordialidade reconfortante. 2.14.7

Recolhido, por fim, ao repouso, aspirei a aproximar-me de Sérgio Cláudio, para auscultar-lhe a posição espiritual naquela fase da infância, mas sufoquei o impulso. Prometera, de minha parte, no Almas Irmãs, nada praticar, em nome do amor, que lhe arriscasse o desenvolvimento tranquilo.

Vali-me dos momentos de calmaria para estudar, refletir, recordar...

Manhãzinha, achávamo-nos a postos.

Marina, madrugadora, movimentou-se às seis e, às oito horas, sob os desvelos de dona Justa, a família se reunia à mesa, em ligeiro repasto, prelibando os divertimentos da praia. Marita queria o maiô verde e a lata de bolo. Sérgio Cláudio preferia sorvete.

Antes da saída, a esposa de Gilberto, revelando admirável madureza, pensou na missão que demandavam, lembrou-se de Cláudio, sentindo-se espiritualmente assistida por ele, e pediu aos dois garotos orassem juntos.

O pequeno empertigou-se no meio da sala e recitou a prece dominical, seguido pela irmãzinha que, embora mais taluda, gaguejava numa ou noutra expressão.

Em seguida, Marina solicitou ao pequerrucho:

— Meu filho, recorde em voz alta a oração que ensinei a você ontem...

— Esqueci, mãezinha...

— Comecemos outra vez.

E, erguendo a fronte para o Alto, na atitude reverente que lhe conhecíamos, o menino repetiu, uma a uma, as palavras que ouvia dos lábios maternos:

2.14.8 — Amado Jesus... nós pedimos ao senhor trazer vovozinha... para morar... conosco...

A pequena caravana, acompanhada por nós, desceu do ônibus nas adjacências da praia. Nove da manhã. Sol esplêndido. Éramos quatro companheiros desencarnados, junto aos quatro. Para que dona Márcia não lhes prejulgasse as intenções, Gilberto e Marina resolveram mergulhar, imitando as crianças. Em torno, milhares de banhistas que compartilhavam, risonhos, a festa permanente da Natureza. O bancário e a mulher, a se entreolharem, de maneira significativa, vasculhavam recantos, aqui e acolá... Pesquisaram, até que enxergaram dona Márcia, em maiô, estirada sob tenda acolhedora. Parecia cansada, triste, conquanto sorrisse para o bando álacre das amigas.

Cláudio, emocionado, ponderou que dispúnhamos da possibilidade de envolvê-la em reminiscências edificantes.

Acercamo-nos dela, enquanto Gilberto e Marina, com os rebentos, se aproximaram, guardando aparente despreocupação.

Sob nossa influência, a viúva Nogueira começou, inexplicavelmente para ela, a pensar na filha... Marina! Onde estaria Marina? Que saudades! Como lhe doía agora a separação!... Como lhe tinha sido espinhoso o caminho!... Rememorava o lar, de ânimo opresso, revia o princípio... Cláudio, Aracélia, as filhas e Nemésio rearticulavam-se-lhe na imaginação, reintegrando quadros de amor e dor que jamais pudera esquecer!... Tanta amargura seria a vida? E indagava-se, de alma inquieta, se teria valido a pena existir para alcançar a velhice em tamanha solidão...

Nisso, percebe que a turma se avizinha, ergue-se assustada e reconhece o grupo, observando-se apanhada de surpresa. Atônita, fixou Marina, Gilberto e Marita, de relance; entretanto, ao esbarrar com os olhos de Sérgio Cláudio, quedou enlevada!... "Oh! Deus, que estranha e linda criança!..." — monologou no íntimo.

O menino largou, apressado, a destra materna, após lhe 2.14.9
haver Marina cochichado algo aos ouvidos, e atirou-se a ela, gritando comovedoramente:

— Ah! vovó! vovozinha!... Vovozinha!...

Márcia estendeu maquinalmente os braços para acolher aqueles braços diminutos que a enlaçavam... O minúsculo coração, que passou a bater de encontro ao dela, figurou-se-lhe um pássaro de luz que descia dos céus a pousar-lhe no tórax abatido. Fez menção de oscular o pequenino, mas recônditas impressões de felicidade e de angústia lhe infundiam sensações de amor e medo. Por que lhe despertava o netinho tão contraditórios pensamentos? Antes, porém, que se decidisse a acariciá-lo, Sérgio Cláudio levantou a cabeça que lhe entregara por momentos ao ombro nu e cobriu-lhe o rosto de beijos... Não houve mecha de cabelos que não alisasse com dedos ternos, nem ruga que não afagasse com os lábios enternecidos. Enleada, Márcia recolheu as saudações dos filhos, abraçou a menina, que via igualmente pela primeira vez, referiu-se à saúde e, quando entrou a comentar sobre a vivacidade dos netos, Marina recomendou ao filhinho declamasse a prece da vovozinha, que pronunciara em casa, antes de sair.

Sérgio, com a noção inata do respeito que se deve à oração, despencou-se do regaço a que se agarrara, perfilou-se diante de dona Márcia, fincando os pés rechonchudos na areia... E, cerrando os olhos, em laboriosa diligência de imaginação para ofertar de si mesmo aquela manifestação de carinho, repetiu firme:

— Amado Jesus, nós pedimos ao senhor trazer vovozinha para morar conosco...

Dona Márcia prorrompeu em lágrimas copiosas, enquanto o pequenino se lhe asilou, de novo, nos braços que tremiam de júbilo...

— Que é isso, mamãe? A senhora chorando? — inquiriu Marina, carinhosa.

2.14.10 — Ah! minha filha! — respondeu dona Márcia, aconchegando o neto ao peito — estou ficando velha!...
Logo após, despedia-se das companheiras, avisando que naquele domingo almoçaria em Botafogo, mas, intimamente, estava persuadida de que não mais largaria a residência da filha em Botafogo, nunca mais...
O menino prendera-lhe o coração.
Acompanhei o grupo até o asfalto. Gilberto, feliz, chamou um táxi. Cláudio, Percília e Moreira, que seguiriam, de volta, me abraçaram em festa. Contemplei o carro que deslizou na direção do Lido, para seguir adiante...
Sozinho em espírito, diante da multidão, confiei-me às lágrimas de enternecimento e regozijo. Ansiei abraçar aquela gente generosa e espontânea, que brincava entre o banho e a peteca, ensaiando a fraternidade por família de Deus...
Cambaleando de emoção, tornei ao local em que Márcia e o neto tinham fruído o reencontro sublime, a simbolizarem para mim o passado e o presente, urdindo o futuro na luz do amor que nunca morre. Osculei o chão que haviam pisado e orei, rogando ao Senhor os abençoasse pelos ensinamentos de que me enriqueciam... Dos milhares de companheiros reencarnados, em risonha agitação, nenhum me assinalou, de leve, o culto de reconhecimento e de saudade. O mar, entretanto, qual se me visse, compadecido, o gesto medroso, arremessou extenso véu de espuma sobre o trato de areia que eu beijara, como se quisesse guardar a nota apagada de minha gratidão e reverência, na pauta das ondas, incorporando-a à sinfonia imponente com que não cessa de louvar a beleza sem fim.

Índice geral [35]

A

Acupuntura magnética
Félix e * do Plano Espiritual – 1.14.12

Agostinho, espírita
amigo de Salomão – 2.2.7
desencarnação – 2.12.14
*Evangelho segundo o espiritismo,
O,* – 2.2.8
Marita e amparo espiritual – 2.2.7
oração – 2.2.8, 2.7.5
renovação íntima de Cláudio – 2.5.1

Alimentação
osmose fluídica – 1.13.4

Alma
analfabeto nas verdades – 1.5.8
crença na sobrevivência – 1.4.2
esmerilamento – 1.1.1

Almas Irmãs, arquivo
Álvaro de Aguiar e Silva – 2.13.19
Justiniano da Fonseca Teles,
reencarnado no Rio – 2.13.9
Naninha de Castro, reencarnada
no Rio – 2.13.9
Teodoro Castanheira, reencarnado
no Rio – 2.13.9
Virgínia Castanheira, reencarnada
no Rio – 2.13.9

Almas Irmãs, instituto de renovação
André Luiz e dilação do prazo – 2.14.1
Beatriz, internada – 2.9.13, 2.13.13
Casa da Providência, foro – 2.10.2
dados estatísticos – 2.9.5
Félix, irmão, diretor – 2.9.1
finalidades – 2.9.4
Marita, internada – 2.9.12
matérias em regime de
especialização – 2.9.6
programas domésticos
preestabelecidos – 2.9.4
reeducação sexual – 2.9.2
reencarnações compulsórias – 2.9.4
sexo, tema central – 2.9.6
visitação às dependências – 2.9.12

Amantino, juiz
André Luiz – 2.10.3
esclarecimentos sobre divórcio – 2.10.5

Amaro
enfermeiro desencarnado de Beatriz
– 1.2.2, 1.6.7, 1.7.5, 2.13.6

Amor
anestésico da sensibilidade – 1.7.17
fruto da alegria sublime – 1.5.4
vaso do coração – 1.2.3

Amor esponsalício
analogia entre o fruto – 1.5.4

---

[35] N.E.: Remete à numeração presente à margem das páginas.

Índice geral

Andrade, Belino
amigo de André Luiz – 2.9.3
informações sobre o Almas
  Irmãs – 2.9.3-2.9.7

Aracélia-Espírito
bênção, força e proteção – 1.10.4
canção, oração – 1.10.5
mãe de Marita – 2.2.4
mãe lavadeira e reminiscência – 1.10.5
Marita e visita da mãe – 1.10.5

Aracélia, suicida
fotografias e relíquias – 1.7.7
gravidez – 1.7.2
mãe de Marita – 1.7.2
Márcia, biografia – 1.10.3
morte – 1.7.4
perfil – 1.7.2
romance com Cláudio – 1.13.12
serviçal dos Nogueiras – 1.7.2
suicídio – 2.1.4

Arnulfo, Espírito
colaborador na manutenção de
  Marita – 2.3.7, 2.3.12

Aspirar à lia do cálice
significado da expressão – 11.14.6, nota

C

Cadaval, Duque de
corte de João VI, D. – 2.13.14

Carnicão
significado da palavra – 1.1.4, nota

Carrocim
significado da palavra – 2.13.17, nota

Casa da Providência
concessão de serviço a Cláudio – 2.13.3
despedida de Félix – 2.14.1
equipe e responsabilidades – 2.10.2
foro do Almas Irmãs – 2.10.2
problemas pertinentes ao
  Almas Irmãs – 2.10.2

Castanheira, Brites
encontro forjado de Justiniano – 2.13.16
interferência de Álvaro – 2.13.16
lembrança da juventude – 2.13.14
Márcia Nogueira Torres, reencarnação
  – 2.13.19, 2.13.20
nova personalidade – 2.13.17
reclamos de Beatriz – 2.13.14
romance de * com Álvaro – 2.13.16
Teodoro Castanheira, esposo – 2.13.15
Virgínia, filha – 2.13.15

Castanheira, Teodoro
certidão de saída ao Almas
  Irmãs – 2.13.19
conflito entre Justiniano – 2.13.17
esposo de Brites Castanheira – 2.13.15
Mariana de Castro e cortejo – 2.13.16
morte – 2.13.17
reencarna como Cláudio
  Nogueira – 2.13.19
reencarnado no Rio – 2.13.19
Virgínia, filha – 2.13.15
Virgínia, pomo de discórdia – 2.13.17

Castanheira, Virgínia
certidão de saída ao Almas
  Irmãs – 2.13.19
filha de Teodoro e Brites
  Castanheira – 2.13.15
Justiniano e convivência
  amorosa – 2.13.17
reencarnação de Marina Nogueira
  Torres – 2.13.19
reencarnada no Rio – 2.13.19

Castro, Mariana de
certidão de saída ao Almas
  Irmãs – 2.13.19
cortejo de Teodoro – 2.13.16
filhos nas portas da Misericórdia
  – 2.13.16
morte de Justiniano – 2.13.17
reencarnação de Marita Torres – 2.13.19
reencarnação no Rio – 2.13.19

Chocarrice
significado da palavra – 1.6.2, nota

Índice geral

Cláudio, Sérgio
  estranha e linda criança – 2.14.8
  posição espiritual – 2.14.7
  prece para a vovó Márcia – 2.14.9
  reencarnação de Félix – 2.14.5

Coleio
  significado da palavra – 1.3.2, nota

Consciência
  responsabilidade – 1.1.1

Cora, dona
  amiga íntima de Marita – 1.14.3

Crédito bancário
  analogia entre * e tempo 2.9.13

Crescina, madame
  amizade com Márcia – 1.13.11
  encontro com Cláudio –
    1.12.10 - 1.12.13
  encontro com Gilberto – 1.13.6
  proprietária de pensão – 1.12.10

D

Damiana, irmã
  integrante de Nosso Lar – 2.14.4
  magnânima servidora do Cristo – 2.9.8
  mantenedora do asilo maternal – 2.9.8
  quadro de campeões da caridade – 2.14.4

Delíquio
  significado da palavra – 1.5.2, nota

Descascado
  significado da palavra – 1.13.4, nota

Desencarnação
  lutas morais – 1.3.3
  prejuízos da * precoce de Marita – 2.9.12
  sublime ascensão, processos
    obsessivos – 1.1.2
  tese referente ao dia determinado – 2.9.13

Dipsômano
  significado da palavra – 1.6.5, nota

Divórcio
  esclarecimentos do juiz
    Amantino – 2.10.5

Dor
  Nemésio e vantagens – 2.13.6

E

Embair
  significado da palavra – 1.8.10, nota

Enedina
  desencarnação – 1.1.5
  esposa de Pedro Neves – 1.1.4
  Gilberto, neto – 1.7.16
  mãe de Jorge, Ernesto e
    Beatriz – 1.1.4-1.1.6
  segundo casamento – 1.1.4

Enfermidade
  Nemésio e aproveitamento do
    benefício – 2.13.6

Ernesto
  filho de Enedina e Pedro
    Neves – 1.1.4-1.1.6
  riqueza material – 1.1.5

Escarrapachar
  significado da palavra – 1.6.3, nota

Espírito animalizado
  conversão do amor em
    criminalidade – 2.9.11

Espírito desencarnado
  caráter negativo da linguagem
    – 1.8.7, nota
  indiferença da cinza – 1.2.3
  sexo e * de evolução mediana – 2.9.9

Espírito encarnado
  analogia entre insetos – 1.1.1

Espiritualidade
  definição de sexo na * superior – 2.9.9
  desencanto após emersão – 1.1.2

Índice geral

Evangelho no lar
Marina e culto – 2.11.3

Evangelho segundo o Espiritismo, O,
Agostinho, espírita – 2.2.8
Cláudio Nogueira – 2.2.8, 2.7.6

F

Fafá, porteiro da pensão
encontro confidencial de
  Cláudio – 1.13.7, 1.13.8
porteiro da pensão de madame
  Crescina – 1.13.7

Fé
convencionalista e dogmática – 1.1.2

Félix, irmão
abraço, * e André Luiz – 1.4.6
acolhimento de Beatriz na
  residência – 1.12.4
acupuntura magnética do Plano
  Espiritual – 1.14.12
anamnese de Marina – 1.2.5
Damiana, servidora do Cristo – 2.9.8
dedicação e amizade à família
  Nogueira – 1.12.2
despedida – 1.12.1
diretor do instituo de renovação
  Almas irmãs – 2.9.1
endosso à petição de André Luiz – 1.12.3
Jovelina e audiência – 2.10.9
modificação da aparência externa – 2.1.6
Moreira, cooperador diligente – 2.10.1
olhar compassivo – 1.4.7
oração – 1.13.10, 2.7.9
preparativos para desencarnação
  – 2.13.20, 2.13.21
Priscila, irmã consanguínea
  – 2.9.11, 2.9.12
promessa de Moreira – 2.7.13
reencarna como filho de Gilberto
  e Marina – 2.13.21
reencarna como neto de Márcia – 2.13.21
reencarnação de Álvaro Silva – 2.13.20
Sara, irmã consanguínea – 2.9.11, 2.9.12
Sérgio Cláudio, reencarnação – 2.14.5
superintendente de casa socorrista – 1.2.2

Feminilidade
inexistência de * total na
  personalidade humana – 2.9.9

Fescenino
significado da palavra – 1.6.2, nota

Ficha de identificação pessoal
ingredientes espirituais – 1.1.1

Fluidoterapia
André Luiz e aula – 2.13.21

Frincha
significado da palavra – 1.13.9, nota

G

Gilberto
ajuste de matrimônio com
  Marita – 1.10.2
casamento de Marina – 2.11.17
desabafo – 2.11.5
encontro com Cláudio – 1.12.13
encontro de Marita com * no
  casarão – 1.12.13
filho de Nemésio e Beatriz
  – 1.7.16, 2.11.11
justificativas de Márcia – 2.11.8
Marita reencarna como filha de
  * e Marina – 2.11.17
Marita, Marina, bilhar dos
  namorados – 1.9.11
Marita, promessa de casamento – 1.7.18
Nemésio agressor – 2.11.12
Neves, avô – 1.7.16
obtenção de emprego
  oficializado – 2.11.16
romance entre Marina – 1.7.18
romance entre Marita – 1.7.17

H

Hígido
significado da palavra – 2.9.2, nota

Homossexual
Félix e considerações – 2.9.10

Índice geral

Hospital Central dos Acidentados
transferência de Marita – 2.1.8

Hospital-escola
candidatos à reencarnação – 2.9.3

Humanidade
alteração das Leis Morais e dissolução – 2.9.11

I

Inferno
purgação dos pecados – 1.5.7

J

Joia
cadelinha de Marita – 1.7.8, 1.14.8

Jorge
filho de Enedina e Pedro Neves – 1.1.4-1.1.6

riqueza material – 1.1.5

Jovelina
mãe de Iria Veletri – 2.10.9

Justa, dona
assume a função de governanta – 2.11.3
companheira do serviço doméstico – 1.8.20, 1.9.4, 1.13.4, 2.8.1

Justiça Divina
personalidades humanas carentes de proteção – 2.9.10

L

Lar
atenção de Félix para Beatriz – 2.9.13

Leis morais
alteração das * e dissolução da Humanidade – 2.9.11

Lenocínio
significado da palavra – 2.7.11, nota

Libido
Nemésio e teorias – 1.5.4

Lipotimia
significado da palavra – 1.3.3, nota

Lucidez espiritual
órgãos profundamente enfraquecidos – 1.6.2

Luiz, André
adição de força – 2.1.9
anamnese psicológica de Marina – 1.2.5
anamnese psicológica de Marita – 1.7.1
aula de fluidoterapia – 2.13.21
Belino Andrade, amigo – 2.9.3
Cláudio e indução – 2.3.2
comportamento de Moreira – 2.2.1
comunicação de * com irmão Félix – 1.13.1, nota
consulta mental de Márcia – 2.1.1
dilação do prazo no Almas Irmãs – 2.14.1
encontro de * com Félix encarnado – 2.14.5
encontro de * com o juiz Amantino – 2.10.3
encontro de * com obsessor de Cláudio – 1.13.4
endosso de Félix à petição – 1.12.3
estágio de dois anos em Nosso Lar – 1.12.3
exame do campo íntimo de Marita – 2.3.10
influência sobre Márcia – 2.14.8
inquérito à memória de Nemésio – 1.5.2
modificação da aparência externa – 1.13.2, 2.1.9
Pedro Neves, considerações – 1.1.3
saudação do irmão Félix – 1.4.6
Sérgio Cláudio, reencarnação – 2.14.5

M

Manicômio
função – 2.10.9

Masculinidade
inexistência de * total na personalidade humana – 2.9.9

Índice geral

Medicina terrestre
comportamento da * no futuro – 1.2.5

Mente
conflitos nos recessos – 1.1.2
vampirismo – 1.1.2

Ministério da Regeneração
irmão Félix – 1.2.2

Ministério do Auxílio
Pedro Neves, servidor – 1.1.3, nota

Misericórdia
filhos enjeitados nas portas – 2.13.16

Moreira, João Batista, comendador
apresentação de Álvaro à
    sociedade – 2.13.16

Moreira, Ricardo
alteração da vida íntima – 2.7.1
André Luiz e comportamento – 2.2.1
apoio fluídico para Beatriz – 2.5.1
auxílio à Cláudio – 2.13.4
Félix solicita auxílio – 2.7.13
influência de * sobre Marita – 2.3.11
investida de * sobre Marina – 2.3.12
Marina e interrogatório – 2.4.3
obsessor de Cláudio – 1.13.3, 1.13.4
suporte psíquico de Cláudio – 2.3.10
trabalho de manutenção de Marita – 2.3.7

Morgue
significado da palavra – 2.1.4, nota

Morou
significado da palavra – 1.14.6, nota

Morte
inferno – 1.5.7

N

Naninha *ver* Castro, Mariana de

Narcoanálise
considerações – 2.13.13, nota

Néli
amiga íntima de Marita – 1.14.7

Neófito
significado da palavra – 1.8.8, nota

Neves, Pedro, advogado
alterações de comportamento – 1.1.3
avô de Gilberto – 1.7.16
censura de * e vibrações negativas – 1.5.6
considerações – 1.1.3
Enedina, esposa – 1.1.4
identificação da irmã Percília
    – 1.3.3, 1.11.7
lutas domésticas – 1.1.3
mensageira anônima – 1.3.3
pai de Jorge, Ernesto e Beatriz – 1.1.5,
    1.1.6, 1.2.1, 1.6.2, 1.7.16
ponderações de André Luiz – 1.8.2
servidor do Ministério do
    Auxílio – 1.1.3, nota
sogro de Nemésio – 1.2.4,
    1.3.5, 1.5.2, 1.6.2
tempo de desencarnação – 1.1.4
tristeza e cansaço – 1.1.3

Nosso Lar
André Luiz e estágio de dois anos – 1.12.3
Damiana, quadro de campeões
    da caridade – 2.14.4
identificação – 1.2.3, nota
Ministério da Regeneração – 1.2.2, 2.10.2
Ministério do Auxílio – 1.1.3, 2.10.2
quadro de campeões da caridade – 2.14.4

O

Obsessor
Cláudio-homem – 1.6.5

Olímpia
abrigo seguro – 1.3.5
assistência a Nemésio enfermo – 2.13.6

Osmose fluídica
Moreira e Cláudio – 1.13.4

Índice geral

P

Passado
amnésia e * remoto – 1.1.2

Penalogia
significado da palavra – 2.9.6, nota

Pensamento
vantagem do * positivo – 1.3.2

Percília
dedicação diante de Cláudio – 2.12.9
instituição espírita cristã – 1.11.4
mãe de Cláudio – 2.12.12
Percília, mensageira do irmão
Félix – 1.11.4
trabalho intercessório por
Nemésio – 2.14.5

Personalidade
luta da * e reencarnação – 1.1.1

Personalidade humana
inexistência de masculinidade e
feminilidade totais – 2.9.9

Pinoia
significado da palavra – 1.8.2, nota

Plano Espiritual
facilidade de intercâmbio – 1.13.1, nota
força do verbo 2.11.6

Podão
significado da palavra – 1.7.12, nota

Poligamia
herança animal – 2.10.6

Possessão partilhada
Cláudio Nogueira – 1.8.5

Pouquidade
significado da palavra – 2.13.1, nota

Prece *ver* Oração

Priscila
cuidados especiais com Beatriz – 2.9.13
irmã consanguínea de Félix
– 2.9.11, 2.9.12

R

Rama
significado da palavra – 1.12.12, nota

Reencarnação
Cláudio Nogueira e ideia – 2.3.3
luta da personalidade – 1.1.1
renovação, recomeço – 1.1.2

Régis, irmão
pesquisa de sonoterapia – 2.13.13
posse de * na direção do
Almas Irmãs – 2.14.2
substituto eventual de Félix – 2.9.7

Resmelengo
significado da palavra – 2.6.6, nota

Responsabilidade
reencontro da própria consciência – 1.1.1

Retábulo
significado da palavra – 1.7.16, nota

S

Salomão, farmacêutico espírita
amigo de Agostinho – 2.2.7
amigo de Marita – 2.2.6, 2.2.7
amizade de Marina – 2.11.3
Félix e abordagem mental – 1.14.9
Marita e consulta – 1.14.7, 2.2.6

Sara
cuidados especiais com Beatriz 2.9.13
irmã consanguínea de Félix
– 2.9.11, 2.9.12

Selma
amiga de infância de Márcia
– 2.1.5, 2.8.10

Sexo
discernimento e uso – 2.9.9
Enedina e desvarios – 1.1.4

Índice geral

Espiritualidade superior e
 definição – 2.9.9
estrela de amor a brilhar – 2.7.10
estudo – 2.9.9
sublimação progressiva – 1.5.9

Silva, Álvaro de Aguiar e
apresentação de * à sociedade – 2.13.16
atestado de saída do Almas
 Irmãs – 2.13.19
embarque de * no rumo da
 Europa – 2.13.15
encontro com Brites – 2.13.16
enteado de Justiniano da
 Fonseca Teles – 2.13.14
estudos em Lisboa e Paris – 2.13.15
Félix, reencarnação – 2.13.20
filho de Leonor e Domingos
 – 2.13.14, 2.13.19
irmão Félix, mesmo espírito – 2.13.20
Justiniano, padrasto – 2.13.19
regresso de * da Europa – 2.13.15
romance de * com Brites – 2.13.16
severas acusações – 2.13.19

Silva, Domingos de Aguiar e
Álvaro, filho – 2.13.14
primeiro casamento de Leonor – 2.13.14
serviço do Duque de Cadaval – 2.13.14

Suicídio
ideia de Aracélia – 1.7.2, 2.1.4
ideia de Cláudio – 2.2.5
ideia de Gilberto – 2.11.2
ideia de Marita – 1.10.2, 1.14.1,
 2.2.4, 2.4.4, 2.4.7
ideia de Nemésio – 2.12.3

T

Tafulice
significado da palavra – 1.7.15, nota

Teles, Justiniano da Fonseca
Álvaro e encontro de Brites – 2.13.16
certidão de saída ao Almas
 Irmãs – 2.13.19
conflito entre Teodoro – 2.13.17
convivência amorosa com
 Virgínia – 2.13.17
morte – 2.13.17
Nemésio Torres, reencarnação – 2.13.19
padrasto de Álvaro – 2.13.14
reencarnado no Rio – 2.13.19
segundo casamento de Leonor – 2.13.14
Virgínia, pomo de discórdia – 2.13.17

Teles, Leonor da Fonseca
Álvaro, filho – 2.13.14
Domingos de Aguiar e Silva,
 primeiro casamento – 2.13.14
Justiniano da Fonseca Teles, segundo
 casamento – 2.13.14
nome de Beatriz em existência
 anterior – 2.13.14, 2.13.18

Telmo, Espírito
colaborador na manutenção de Marita
 – 2.3.7, 2.3.12, 2.4.8, 2.7.13

Tempo
analogia entre * e crédito
 bancário – 2.9.13

Torres, Beatriz Neves, enferma
Amaro, enfermeiro – 1.2.2, 1.6.7, 2.13.6
apoio fluídico de Moreira – 2.5.1
condução de * à organização
 socorrista – 2.5.3
cuidados especiais de Sara e
 Priscila – 2.9.13
desencarnação – 2.5.2, 2.5.3
desencarnação próxima – 1.2.1
encontro de * desencarnada com
 Nemésio paralítico – 2.13.10
Enedina, mãe – 1.1.4-1.1.6
esposa de Nemésio – 2.5.2
Félix acolhe * na própria
 residência – 1.12.4
filha de Enedina e Pedro Neves
 – 1.1.4-1.1.6, 1.6.2
Gilberto, filho – 1.7.16
hábito da oração – 1.6.8
instituto de renovação Almas
 Irmãs – 2.9.13
internação de * em hospital – 2.13.13
Marina, pedido de perdão – 2.5.4
narcoanálise – 2.13.13

Índice geral

Nemésio, esposo – 2.5.2
Neves, pai – 1.2.1
nome de * em existência
  anterior – 2.13.14
pesquisa de sonoterapia – 2.13.13
primeiro casamento de * em
  existência anterior – 2.13.14
reclamos contra Brites
  Castanheira – 2.13.14
reencarnação de Leonor da Fonseca
  Teles – 2.13.14, 2.13.18
retorno de *, desencarnada,
  ao Rio – 2.13.9
segundo casamento de * em
  existência anterior – 2.13.14
sensibilidade mediúnica – 1.2.2
tarefa da renovação íntima – 2.9.1

Torres, Cláudio Nogueira
  Agostinho e novação íntima – 2.5.1
  agressão de Nemésio – 2.11.14
  Aracélia e consciência – 2.2.4
  Cláudio-homem – 1.6.5
  complexos de culpa – 2.13.1
  comportamento de jovem
    malcomportado – 1.8.17
  concessão de serviço – 2.13.3
  confissões – 2.7.7
  conjugação completa – 1.6.6
  desconfiança recíproca entre
    Márcia – 1.9.3
  desencarnação – 2.13.4, 2.14.4
  devoção por Marita – 2.3.4
  encontro com Crescina – 1.12.10-1.12.13
  encontro com Gilberto – 1.12.13
  encontro confidencial de * e
    Fafá – 1.13.7, 1.13.8
  encontro de Márcia e * no
    casarão – 1.13.11
  encontro de Marita e * no
    casarão – 1.13.11
  encontro de Marita, Espírito, e
    * desprendido – 2.11.20
  enxertia fluídica – 1.6.5
  esposo de Márcia – 1.7.2
  Evangelho segundo o espiritismo,
    O, – 2.2.8, 2.7.6
  filho de Percília – 2.12.12
  hospedeiro involuntário – 1.6.3
  ideia da reencarnação – 2.3.4

incorporação mediúnica – 1.8.6
influência de *, desencarnado,
  sobre Marina – 2.13.5
intenções libertinas – 1.8.6
leitura de textos espírita – 2.11.3
mancha na consciência – 2.7.6
Márcia, aventuras unilaterais – 1.8.9
Márcia, esposa – 1.7.2
Marina é surpreendida por *
  com Gilberto – 2.6.8
Marina, filha de Márcia – 1.7.2
Nemésio arremessa o automóvel – 2.12.10
obsessor – 1.6.4, 1.6.5, 1.6.8,
  1.8.5, 1.8.10, 1.13.3, 2.3.7
pai de Marina – 1.6.3, 1.7.2,
  2.13.4, 2.13.5
pai legítimo de Marita – 1.13.12
papel de censor – 2.6.2
pedido de perdão à Marita –
  2.3.6, 2.7.8, 2.7.9
Percília fora mãe de Cláudio – 2.12.12
perdão de Marita – 2.7.2
possessão partilhada – 1.8.5
promessa de * no mundo
  espiritual – 1.12.2
recomposição do pretérito
  na memória – 2.7.5
reencarnação de Teodoro
  Castanheira – 2.13.19
reminiscências – 2.7.3
renovação íntima – 2.5.1
responsabilidade – 1.6.9
romance com Aracélia – 1.13.12
Ricardo Moreira, auxiliar – 2.13.4
solicitação de prece e passe – 2.12.16
ultraje da própria filha Marita – 2.1.4

Torres, Márcia Nogueira
  adoção de Marita – 1.7.2
  amizade com Crescina – 1.13.11
  André Luiz e consulta mental – 2.1.1
  comportamento – 1.9.1
  conceito de Espiritismo – 2.8.8
  confidências de Marita – 1.12.7
  desconfiança recíproca entre
    Cláudio – 1.9.3
  encontro de Cláudio com *
    no casarão – 1.13.11
  esposa de Cláudio Nogueira – 1.7.2
  galanteios de Nemésio – 2.6.7

373

Índice geral

influência de André Luiz – 2.14.8
mãe adotiva de Marita – 1.4.3,
  1.10.1, 1.10.2, 1.10.8, 1.12.6,
  1.12.8, 1.12.11, 1.12.15,
  1.13.11, 2.1.1, 2.5.8
mãe de Marina – 1.7.2, 2.5.2
Marina, filha de Cláudio – 1.7.2
Nemésio e * retornam ao Rio – 2.11.1
perfil – 1.9.1
processo obsessivo – 2.8.8, 2.8.9
promessa de * no Mundo
  Espiritual – 1.12.2
reencarnação de Brites Castanheira
  – 2.13.19, 2.13.20

Torres, Marina Nogueira
aflições, remorsos – 1.4.4
agravamento do processo
  obsessivo – 2.6.5
amizade de Salomão – 2.11.3
André Luiz e anamnese
  psicológica – 1.2.5
Beatriz, e pedido de perdão – 2.5.4
carinho de Nemésio – 2.11.5
casamento com Gilberto – 2.11.17
comportamento de * com a
  irmã adotiva – 1.7.10
confidências – 2.4.4, 2.8.12
confissão do romance de
  Nemésio – 2.5.10
culto do Evangelho no lar – 2.11.3
desregramentos – 1.8.8
encontro de Nemésio – 1.3.5, 1.3.7
familiares – 1.6.2
filha única de Cláudio e Márcia – 1.6.3,
  1.7.2, 2.5.2, 2.13.4, 2.13.5
formas-pensamento – 1.2.4
Gilberto, bilhar dos namorados – 1.9.11
hospitalização psiquiátrica – 2.6.9, 2.8.1
início de processo obsessivo – 2.5.2
investida de Moreira – 2.3.12
irmã adotiva de Marita – 1.10.1,
  1.10.2, 2.11.17
irmão Félix, anamnese – 1.2.5
Marita reencarna como filha de
  * e Gilberto – 2.11.17
Moreira submete * a
  interrogatório – 2.4.3
Nemésio e *, namorados felizes – 1.4.1
Nemésio e casamento – 2.4.8

Nemésio surpreende * com
  Gilberto – 2.6.8
obsessão instalada – 2.5.2, 2.6.9, 2.8.10
personalidade dúplice – 1.2.6
prece de Sérgio Cláudio – 2.14.9
quinto mês de gestação – 2.12.1
reencarnação de Virgínia
  Castanheira – 2.13.19
remorso – 2.4.7, 2.4.8
retorno ao lar – 2.11.3
romance com Gilberto – 1.7.18

Torres, Marita Nogueira
afastamento de * em Espírito – 1.10.6
ajuste de matrimônio com
  Gilberto – 1.10.2
amparo espiritual – 2.2.7
André Luiz e anamnese – 1.7.2
André Luiz e exame do campo
  íntimo – 2.3.10
apelo ao Espírito materno – 1.10.4
aplicação de passes – 2.2.8
Aracélia, mãe biológica – 1.7.2
arrependimento – 2.3.9
atividade comercial – 1.7.12
atropelamento – 1.14.13, 1.14.14, 2.2.6
Cláudio e devoção – 2.3.4
Cláudio, impressão de pai
  legítimo – 1.7.6
Cláudio, pai legítimo – 1.13.12
conciliação com Márcia e Marina – 2.7.3
contato telefônico de * com
  Gilberto – 1.14.5
corte dos últimos ligamentos – 2.7.13
desabafo de Cláudio – 1.8.15
desencarnação – 2.8.1, 2.11.17
dilação – 2.1.7
encontro de Cláudio com * no
  casarão – 1.13.7-1.13.12
encontro de Gilberto com *
  no casarão – 1.12.11
encontro de Gilberto com
  Marina – 1.10.8
estado de coma – 2.1.6
excelência do caráter – 1.9.11
excursão de *, Espírito, ao Reino
  – 2.11.19, 2.11.21
filha de Aracélia – 1.7.3, 1.10.5, 2.2.4
Gilberto, bilhar dos namorados – 1.9.11
Gilberto, promessa de casamento – 1.7.8

374

Índice geral

ideia de suicídio – 1.10.2, 1.14.1, 2.2.4
Infância – 1.7.4
influência de Moreira – 2.3.10, 2.4.8
interna no Almas Irmãs – 2.9.12
irmã adotiva de Marina – 1.4.3,
   1.10.1, 1.10.2, 1.10.8, 1.12.6,
   1.12.8, 1.12.11, 1.12.15,
   1.13.11, 2.1.1, 2.5.8
Márcia e adoção – 1.7.2, 1.7.6
medo do ninho familiar – 1.10.3
Moreira e trabalho de manutenção – 2.3.7
obtenção de pequena moratória – 2.1.7
pai, enamorado violento – 1.8.18
pedido para voltar para a Terra – 2.11.21
perdão ao pai Cláudio – 2.7.2
possessão – 1.11.6
prejuízos da desencarnação
   precoce – 2.9.12
programa estabelecido no Almas
   Irmãs decesso – 2.9.12
psicose grave, possessão – 1.11.6
reencarna como filha de Marina
   e Gilberto – 2.11.17
reencarnação de Mariana de
   Castro – 2.13.19
reminiscências – 1.7.5
romance entre Gilberto – 1.7.17
Salomão, farmacêutico –
   cap.1.14.8, 2.2.6, 2.2.7
sentimentos de Moreira – 2.4.8
suplício moral – 1.7.9
teste de tolerância e paciência – 1.7.10
transferência de * para o Hospital
   Central dos Acidentados – 2.1.8
ultrajada por Cláudio, o próprio pai –
   1.13.12
visita de Aracélia-Espírito – 1.10.5

Torres, Nemésio
   agressão a Cláudio – 2.11.14, 2.12.3
   Amaro, enfermeiro, e *
      hemiplégico – 2.13.6
   André Luiz e inquérito à Memória – 1.5.2
   aproveitamento do benefício da
      enfermidade – 2.13.6
   confissão do romance com Marina – 2.3.8
   construções espirituais – 15.4
   deficiência no campo circulatório – 1.5.1
   encontro de Marina – 1.3.5, 1.3.7
   esposo de Beatriz – 1.3.5, 2.5.2, 2.13.10

exploração das energias genésicas – 2.8.14
genro de Pedro Neves – 1.2.4,
   1.3.5, 1.5.2, 1.6.2, 2.11.14
Gilberto, filho – 1.7.16
Márcia e * retornam ao Rio – 2.11.1
Márcia e galanteios – 2.6.7
Marina e *, namorados felizes – 1.4.2
Marina recebe pedido de perdão – 2.13.8
processo desencarnatório sustado – 2.13.6
reabertura do processo – 2.14.5
reencarnação de Justiniano
   Teles – 2.13.19
reminiscências de * paralítico – 2.13.10
retorno da Europa – 2.12.2
teorias da libido – 1.5.4

V

Valhacouto
   significado da palavra – 2.13.12, nota

Vampirismo
   conflitos da mente – 1.1.2

Veletri, Iria
   ficha – 2.10.9
   filha de Jovelina – 2.10.9
   seis abortos – 2.10.9

Velório
   conversação libertina – 2.5.5
   emanações alcoólicas – 2.5.6

Vida humana
   continuidade da * no Além – 1.1.1, 1.4.2

Voltar à carga
   significado da expressão – 1.6.7, nota

Z

Zeca, lixeiro
   notícias do atropelamento
      de Marita – 2.1.3

FEB editora
Livro espírita para um novo mundo
www.febeditora.com.br
@febeditoraoficial
@febeditora

Conselho Editorial:
Carlos Roberto Campetti
Cirne Ferreira de Araújo
Evandro Noleto Bezerra
Geraldo Campetti Sobrinho – Coord. Editorial
Jorge Godinho Barreto Nery – Presidente
Maria de Lourdes Pereira de Oliveira
Miriam Lúcia Herrera Masotti Dusi

Produção Editorial:
Elizabete de Jesus Moreira

Revisão:
Davi Miranda
Perla Serafim

Capa:
Evelyn Yuri Furuta

Projeto gráfico:
Rones José Silvano de Lima – instagram.com/bookebooks_designer

Diagramação:
Luisa Jannuzzi Fonseca

Foto de capa:
http://www.istock.com/ mediaphotos
http://www.dreamstime.com/ Harlanov
http://www.dreamstime.com/ Serp

Foto Chico Xavier:
Grupo Espírita Emmanuel (GEEM)

Normalização Técnica:
Biblioteca de Obras Raras e Documentos Patrimoniais do Livro

Esta edição foi impressa pela Gráfica e Editora Qualytá Ltda., Brasília, DF, com tiragem de 2,3 mil exemplares, todos em formato fechado de 140x210 mm e com mancha de 104x168 mm. Os papéis utilizados foram o Off white bulk 58 g/m² para o miolo e o Cartão 250 g/m² para a capa. O texto principal foi composto em fonte Adobe Garamond Pro 12/15 e os títulos em Adobe Garamond Pro 28/30. Impresso no Brasil. *Presita en Brazilo.*